Las Grandes Novelas de Aventuras

LAS MINAS
DEL REY SALOMON

HENRY RIDER HAGGARD

LAS MINAS
DEL REY SALOMON

EDICIONES ORBIS, S.A.

Título original: *King Solomon's mines* (1885)
Traducción: Emilio Olcina Aya
Dirección de la colección: Virgilio Ortega

ISBN: 84-7634-463-5
D.L.: B. 74-1986

Impreso y encuadernado por
Printer, industria gráfica s.a.   Provenza, 388   Barcelona
Sant Vicenç dels Horts (1986)

Printed in Spain

INTRODUCCIÓN DEL AUTOR

Ahora que este libro está impreso, y a punto de salir a la luz pública, pesa fuertemente sobre mis hombros un sentimiento de sus limitaciones, tanto en estilo como en contenido. En lo que a lo segundo se refiere, sólo puedo decir que no pretende ser una relación completa de todo lo que hicimos y vimos. Hay muchas cosas relacionadas con nuestro viaje a Kukuanaland en las que me hubiera gustado detenerme pormenorizadamente y a las cuales, sin embargo, apenas he hecho alusión. Entre éstas se encuentran las curiosas leyendas que pude reunir acerca de la cota de mallas que nos salvó de la aniquilación en la gran batalla de Loo, y también sobre los «Silenciosos» o Colosos en la entrada de la gruta de las estalactitas. Igualmente, si hubiera dado libre curso a mis impulsos, me hubiera gustado entrar en las diferencias, algunas de ellas muy sugerentes en mi opinión, entre los dialectos zulú y kukuana. También se hubieran podido dedicar provechosamente algunas páginas a la consideración de la flora y la fauna indígenas de Kukuanaland [1]. Y luego está el tema, enormemente interesante —que, sin embargo, sólo se ha tocado incidentalmente—, del magnífico sistema de organización militar que impera en ese país, sistema que, en mi opinión, es con mucho superior al inaugurado por Chaka en Zululand, por cuanto permite una

[1] Descubrí ocho variedades de antílope que hasta entonces me eran totalmente desconocidas, y muchas especies de plantas, en su mayor parte de la familia de las liliáceas. (A. Q.)

movilización todavía más rápida y no necesita el empleo del pernicioso sistema del celibato forzoso. Finalmente, apenas he hablado de las costumbres domésticas y familiares de los kukuanas, muchas de las cuales son extremadamente curiosas, ni de su pericia en el arte de fundir y soldar metales. Han llevado esta ciencia a una considerable perfección, y buen ejemplo de ello puede verse en sus «tollas», o pesados cuchillos arrojadizos, siendo el dorso de estas armas de hierro batido y sus filos de un hermoso acero soldado con gran habilidad en las fraguas.

El hecho es que pensé, de acuerdo con sir Henry Curtis y el capitán Good, que el mejor proyecto sería el de contar mi historia de un modo liso y directo, y dejar estas materias para ser tratadas subsiguientemente del modo que en definitiva pudiera parecer deseable. Entretanto, estaré encantado, naturalmente, de proporcionar toda la información de que dispongo a cualquiera que se interese por estas cosas.

Y ahora sólo me queda presentar mis excusas por mi ruda manera de escribir. No puedo decir en mi disculpa otra cosa sino que estoy más habituado a manejar el rifle que no la pluma, y que no puedo tener ninguna pretensión a los grandes vuelos y florituras literarias que veo en las novelas —ya que de vez en cuando leo alguna novela—. Supongo que estas cosas —los vuelos y florituras— son deseables, y lamento no ser capaz de proporcionarlas. Al mismo tiempo, no puedo evitar la idea de que las cosas simples son siempre más aptas para causar impresión, y de que los libros son más fáciles de comprender cuando, como la Biblia, están escritos en lenguaje sencillo; aunque quizá no tenga derecho a emitir una opinión acerca de esta materia. «Una lanza afilada», reza un proverbio kukuana, «no necesita pulimentarse»; y, en base a este mismo principio, me atrevo a esperar que una historia verdadera, por extraña que pueda ser, no necesite ataviarse de palabras refinadas.

ALLAN QUATERMAIN

1

CONOZCO A SIR HENRY CURTIS

Resulta curioso que a mi edad —no volveré a cumplir los sesenta— me vea tomando la pluma para intentar escribir una historia. Me pregunto qué clase de historia será cuando la haya terminado, ¡si es que alguna vez llego al final de esta excursión! He hecho muchas cosas en mi vida, que me parece una vida larga debido, quizá, a que empecé a trabajar muy joven. A la edad en que otros muchachos están en la escuela, yo me ganaba la vida en la vieja colonia y en el Natal. Desde entonces, he comerciado, cazado, guerreado y explorado. Y, sin embargo, hace tan sólo ocho meses que he hecho fortuna. Es una gran fortuna, ahora que la tengo —no sé todo lo grande que es—, pero no creo que por ella volviera a pasar por los últimos quince o dieciséis meses; no, no aunque supiera que saldría finalmente sano y salvo, con fortuna y todo. Pero es que soy un hombre medroso, y me desagrada la violencia; además, estoy prácticamente harto de aventuras. Me pregunto por qué voy a escribir este libro; es una cosa que no está en mi línea. No soy un hombre letrado, aunque sea muy adicto al Viejo Testamento y a las «Leyendas de Ingoldsby». Intentaré explicar mis razones, sólo por ver si tengo alguna.

Primera razón: porque sir Henry Curtis y el capitán Good me lo han pedido.

Segunda razón: porque estoy inactivo, aquí en Durbán, con el padecimiento de mi pierna izquierda. Desde que aquel maldito león me atrapó he estado sujeto a esta molestia, y ahora, estando la cosa más bien mal, cojeo más que nunca. Debe haber algún veneno en los dientes del león; de no ser así, ¿cómo es que las heridas, una vez sanadas, vuelven a abrirse, fíjense ustedes, en la misma época del año en que uno quedó fastidiado? Resulta duro cuando uno ha matado sesenta y cinco leones, o quizá más, que el que hace sesenta y seis le masque a uno la pierna como si fuera una bola de tabaco. Esto rompe la rutina de la cosa, y, dejando de lado toda otra consideración, yo soy un hombre ordenado, y es algo que no me gusta. Esto, dicho sea de paso.

Tercera razón: porque quiero que Harry, mi chico, que está allí, en el hospital, en Londres, estudiando para hacerse médico, tenga algo para divertirse que le mantenga apartado de las trastadas por una semana o algo así. El trabajo de hospital debe a veces desanimar y hacerse un tanto pesado, porque uno puede hartarse incluso de cortar cadáveres a pedacitos, y, como esta historia será cualquier cosa menos pesada, pondrá a las cosas un poco de vida durante un día o dos, mientras Harry esté leyendo nuestras aventuras.

Cuarta y última razón: porque voy a contar la historia más extraña que yo recuerdo. Puede parecer curioso que diga esto, sobre todo si se toma en cuenta que no aparece en ella ninguna mujer, excepto Foulata. Pero ¡alto! Está también Gagool, si es que era una mujer y no un diablo. Pero tenía por lo menos cien años, y por lo tanto no era apta para casarse con ella; así que no la cuento. De cualquier modo, puedo afirmar sin riesgo a equivocarme que no hay *faldas* en toda la historia.

Bueno, lo mejor será uncirme al yugo. Es ésta una dura posición, v me siento como con la rueda hundida en el fango hasta el eje. Pero «*sutjes, sutjes*», como dicen los bóers —palabra de honor que no sé cómo lo deletrean—, vayamos paso a paso. Puede acabar viniendo una fuerte yunta, es decir, si no son demasiado malos. No se puede hacer nada con bueyes malos. Y ahora empecemos.

Yo, Allan Quatermain, de Durbán, Natal, como caballero juro y digo... Así fue cómo inicié mi declaración ante el magistrado acerca de las tristes muertes de los pobres Khiva y Ventvögel; pero por algún motivo no me parece la forma realmente adecuada de iniciar un libro. Y, por otra parte, ¿soy yo un caballero? No estoy del todo seguro y, sin embargo, he tratado a negros —no, tacharé esta palabra, «negros», porque no me gusta—; he conocido a nativos que lo *son*, y así lo pensarás, Harry, muchacho, antes de que hayas terminado con este relato, y he conocido también a blancos despreciables, cargados de dinero y recién salidos de casa, que *no lo son*.

Sea como sea, nací caballero, aunque no haya sido otra cosa que un pobre comerciante viajero y un cazador toda mi vida. Si he permanecido caballero es algo que ignoro; juzguen ustedes. El Cielo sabe que lo he procurado. He matado a muchos hombres a lo largo de mi vida, pero nunca he asesinado bajamente ni me he manchado las manos de sangre inocente, sino tan sólo en defensa propia. El Todopoderoso nos ha dado nuestras vidas, y supongo que su designio es que las defendamos; y espero que esto no se vuelva contra mí cuando suene mi hora. Este es un mundo cruel y perverso, y, para ser un hombre medroso, me he visto mezclado con abundancia de combates. No puedo dar las razones de ello, pero, de cualquier modo, jamás he robado, aunque en cierta ocasión aligeré a un cafre de una cabeza de ganado. Pero es que él me había jugado una mala pasada, y, además, eso me ha turbado desde entonces.

Bien, han pasado dieciocho meses o algo así desde la primera vez que me encontré con sir Henry Curtis y con el capitán Good. Sucedió de este modo. Había yo estado cazando elefantes más allá de Bamangwato, y me había dado de bruces con la mala suerte. Todo había ido mal en aquella expedición, y, como culminación, atrapé las fiebres de mala manera. Cuando hube mejorado lo suficiente, viajé en mi carromato hasta Diamond Fields, vendí todo el marfil que tenía, junto con mi vagón y mis bueyes, licencié a mis cazadores, y tomé la silla de posta hacia el Cabo. Después de pasar una semana en Ciudad del Cabo, encontrándome con que me cobraron en exceso en el hotel y habiendo visto todo lo que había por ver, incluyendo los jardines botánicos, que me parecieron aptos para beneficiar ampliamente al país, y los nuevos edificios del parlamento que no creo que hagan otro tanto, determiné volver al Natal en el *Dunkeld*, que descansaba entonces en los muelles en espera de la llegada prevista del *Edinburgh Castle*, procedente de Inglaterra. Alquilé mi litera y subí a bordo, y, aquella tarde, los pasajeros del *Edinburgh Castle* transbordaron, levamos anclas y pusimos proa a alta mar.

Entre los pasajeros que subieron a bordo había dos que excitaron mi curiosidad. Uno de ellos, un caballero de unos treinta años, era quizá el hombre más ancho de hombros y de brazos más largos que jamás hubiera visto. Tenía el cabello rubio, una espesa barba rubia, las facciones bien dibujadas y unos grandes

ojos grises hundidos en las órbitas. Nunca había visto a un hombre
tan bien parecido, y, por algún motivo, me hizo pensar en los
antiguos daneses. No es que yo supiera mucho de los antiguos
daneses, aunque sí conocí a un danés moderno que me quitó diez
libras; pero recuerdo haber visto en cierta ocasión una pintura
que representaba a esa gente que, según observé, eran una especie
de zulúes blancos. Bebían en grandes cuernos, y sus largas cabe-
lleras les colgaban sobre la espalda. Cuando vi a mi amigo de pie
junto a la escala de toldilla, pensé que, sólo con que se dejara
crecer un poco el cabello, se pusiera una de esas cotas de mallas
sobre los hombros y cogiera un hacha de combate y un cuenco
de cuerno, hubiera podido posar como modelo para aquella pintura. Curiosamente, dicho sea de paso, y es algo que demuestra
cómo se revela la sangre, me enteré posteriormente de que sir
Henry Curtis, ya que éste era el nombre del hombre alto, es de
sangre danesa (1). También me recordó intensamente a otra persona, pero por el momento no pude recordar a quién.

El otro hombre, que estaba hablando con sir Henry, era fornido y moreno, y de una complexión totalmente distinta. Desde
el primer momento supuse que era un oficial de marina; no sé
por qué, pero es difícil confundirse con los hombres de la armada.
He hecho partidas de caza con varios de ellos en el curso de mi
vida, y siempre me han demostrado ser los mejores tipos con que
me haya topado, aunque algunos de ellos sean lastimosamente
propensos al lenguaje impío. He preguntado, hace una o dos
páginas: ¿qué es un caballero? Contestaré ahora la pregunta: un
oficial de la Marina Real lo es, en términos generales, aunque,
naturalmente, puede que aquí y allí haya entre ellos alguna oveja
negra. Imagino que son precisamente los anchos mares y el aliento
de los vientos de Dios los que lavan sus corazones y echan la
amargura fuera de sus espíritus, convirtiéndoles en lo que los hombres deberían ser.

Bien, volviendo a lo nuestro, demostré una vez más estar en
lo cierto; supe que el hombre moreno *era* un oficial de marina,

(1) Las ideas del señor Quatermain acerca de los antiguos daneses
parecen un tanto confusas; siempre hemos tenido entendido que eran
gente de pelo oscuro. Probablemente estuviera pensando en los sajones.
(*Editor.**)
(*) Aquí y en lo sucesivo, entiéndase que las notas de «editor» indicadas con
número son, en realidad, notas del autor que corresponden a la ficción autobiográfica del
relato. (*N. d. E.*)

un teniente de navío de treinta y un años que, después de diecisiete años de servicio, había sido apartado del empleo en la marina de Su Majestad con el estéril honor de un rango de comandante, porque resultaba imposible su promoción. Esto es lo que pueden esperar los que sirven a la reina: verse arrojados al frío mundo para buscarse el modo de ganarse la vida precisamente cuando empiezan a entender su trabajo y cuando están alcanzando la plenitud de la vida. Supongo que a ellos no les importa, pero, en lo que a mí respecta, prefiero ganarme el pan como cazador. Puede que el dinero no abunde, pero no le dan a uno tantos puntapiés.

Descubrí, consultando la lista de pasajeros, que el oficial se llamaba Good, capitán John Good. Era corpulento, de mediana estatura, moreno, fornido, y un hombre de aspecto más bien curioso: iba siempre muy pulcro y perfectamente afeitado, y llevaba un monóculo en el ojo derecho. Parecía que este monóculo creciera allí, ya que no llevaba ninguna cinta y no se lo quitaba nunca, excepto para limpiarlo. Al principio pensé que dormía con él, pero luego descubrí que estaba equivocado. Se lo ponía en un bolsillo del pantalón cuando se acostaba, junto con su dentadura postiza, de la que tenía dos hermosos juegos que, al no ser el mío uno de los mejores, a menudo me llevaron a quebrantar el décimo mandamiento. Pero estoy anticipándome.

A poco de haber zarpado cerró la noche, y se trajo consigo un tiempo pésimo. Soplaba desde la tierra una brisa cortante, y una especie de niebla meona creciente hizo que todo el mundo abandonara la cubierta. En cuanto al *Dunkeld,* es un barquichuelo de fondo plano, y, ligero como iba, se balanceaba fuertemente. Casi parecía como si no hubiera de ponerse nuevamente derecho, pero eso nunca ocurrió. Era absolutamente imposible andar, de modo que permanecí cerca de las máquinas, donde se estaba caliente, y me distraje mirando cómo el péndulo que tenía enfrente oscilaba atrás y adelante con el balance del buque, marcando el ángulo que se alcanzaba con cada bandazo.

«Este péndulo va mal; no está bien equilibrado», dijo de repente una voz un tanto irascible a mis espaldas. Al volverme, vi al oficial de marina que me había llamado la atención cuando los pasajeros habían subido a bordo.

«¿De veras? ¿Qué le hace pensar eso? —pregunté.

—Pensar eso. No pienso nada en absoluto. Sólo que —dijo, mientras recobraba el equilibrio después de un balance— si el buque se hubiera balanceado hasta el grado que esa cosa indica,

17

no se hubiera vuelto a balancear nunca más, eso es todo. Pero es igual que esos capitanes de vapores mercantes, que son siempre endemoniadamente descuidados.»

Justo en aquel momento sonó la campana de la cena, y no lo lamenté, porque resulta terrible escuchar a un oficial de la Marina Real cuando entra en este tema. Sólo conozco una cosa peor, y ésa es escuchar a un capitán de vapor mercante mientras expresa su sincera opinión de los oficiales de la Marina Real.

El capitán Good y yo nos fuimos juntos a cenar, y nos encontramos con sir Henry Curtis sentado ya en la mesa. El y el capitán Good estaban de lado, y yo me senté frente a ellos. El capitán y yo no tardamos en conversar acerca de la caza con fusil y otras cosas; me hizo muchas preguntas, ya que es persona muy inquisitiva en toda clase de temas, y yo se las contesté todo lo bien que pude. Ahora la cosa iba de elefantes.

«Vaya, caballero —dijo alguien que estaba sentado a mi lado—, ha encontrado usted a la persona adecuada para esto; si alguien puede hablarle de elefantes, ése es el cazador Quatermain.»

Sir Henry, que había estado escuchando nuestra charla en completo silencio, tuvo un visible sobresalto.

«Disculpe, caballero, pero ¿se llama usted Allan Quatermain?»

Respondí que así era.

El hombre alto no hizo ninguna otra observación, pero le oí murmurar «buena suerte» entre las barbas.

Al cabo de un rato terminó la cena, y, mientras abandonábamos el comedor, sir Henry se puso a andar a mi lado y me preguntó si quería acompañarle a su camarote para fumar una pipa. Acepté, y me condujo al camarote de cubierta del *Dunkeld*, que por cierto es un excelente camarote. Antes había dos camarotes, pero en cierta ocasión en que sir Garnet Wolseley o cualquier otro de los peces grandes recorrió la costa en el *Dunkeld* fue derribado el mamparo que los dividía y ya no volvió a ponerse. En el camarote había un sofá, y frente a él una mesita. Sir Henry envió al camarero a por una botella de whisky, y nosotros tres nos sentamos y encendimos nuestras pipas.

«Señor Quatermain —dijo sir Henry Curtis, una vez el hombre hubo traído el whisky y encendido la lámpara—, hace dos años, más o menos por esta época, estaba usted, según creo, en un sitio llamado Bamangwato, hacia el norte del Transvaal.

—Allí estaba», respondí, bastante sorprendido de que aquel caballero estuviera tan bien informado de mis movimientos, los cuales, que yo tuviera noticia, no eran considerados de interés general.

«Estaba usted comerciando allí, ¿no es cierto?» incidió el capitán Good, con su rápido estilo.

«Así es. Llevaba un vagón lleno de mercancías, instalé mi campamento junto al poblado, y allí me quedé hasta venderlo.»

Sir Henry estaba sentado frente a mí en una silla de Madeira, con los brazos apoyados en la mesa. Tenía alzada la mirada, con sus grandes ojos grises clavados de lleno en mi rostro. Había en ellos una curiosa ansiedad, pensé.

«¿No se encontraría allí con un hombre llamado Neville?

—Oh, sí; acampó junto a mí durante una quincena para que descansaran sus bueyes antes de dirigirse hacia el interior. Hace unos meses recibí una carta de un abogado preguntándome si sabía cuál había sido su suerte, y la contesté al momento lo mejor que supe.

—Sí —dijo sir Henry—, su carta me fue remitida. Decía usted en ella que el caballero llamado Neville había abandonado Bamang- wato a comienzos de mayo, con un vagón, acompañado por un conductor, un sirviente y un cazador cafre llamado Jim, tras anunciar la intención de viajar, si era posible, hasta Inyati, el puesto comercial más adentrado en el país Matabelé, donde vendería su vagón y seguiría a pie. También decía usted que sí vendió su vagón, ya que seis meses más tarde vio ese vagón en posesión de un comerciante portugués que le contó que se lo había comprado en Inyati a un hombre blanco cuyo nombre había olvidado, y que pensaba que el hombre blanco, junto con el sirviente nativo, había partido hacia el interior en una expedición de caza.

—Sí.»

Se hizo una pausa.

«Señor Quatermain —dijo sir Henry, repentinamente—, imagino que no sabe ni conjetura nada más en cuanto a los motivos del viaje de mi... del señor Neville hacia el norte, o en cuanto al punto hacia el que se dirigía la expedición.

—Algo pude oír», respondí; luego me detuve. Ese tema no tenía ninguna intención de discutirlo.

Sir Henry y el capitán Good se miraron el uno al otro, y el capitán Good asintió.

«Señor Quatermain —prosiguió el primero—, voy a contarle una historia, y a pedirle su opinión, y tal vez su ayuda. El agente que me remitió su carta me dijo que podía confiar en usted sin reserva, ya que, según decía era usted conocido y universalmente respetado en el Natal, y especialmente conocido por su discreción.»

Hice una inclinación de cabeza y bebí un poco de whisky con agua para ocultar mi turbación, ya que soy un hombre modesto; y sir Henry continuó.

«El señor Neville era mi hermano.

—Oh», exclamé, con un sobresalto, ya que ahora sabía a quién me había recordado sir Henry la primera vez que le vi. Su hermano era un hombre mucho más bajo y con una barba oscura, pero, ahora que lo pensaba, poseía unos ojos con el mismo tinte gris y con la misma mirada penetrante en ellos; tampoco las facciones carecían de parecido.

«Era mi único hermano, más joven que yo —prosiguió sir Henry—, y hasta hace cinco años creo que no estuvimos separados ni siquiera un mes el uno del otro. Pero hace precisamente cinco años nos sobrevino una desdicha, como a veces ocurre en las familias. Nos peleamos agriamente, y, en mi cólera, me porté injustamente con mi hermano.»

En este punto, el capitán Good asintió vigorosamente para sí con la cabeza. El buque tuvo un fuerte balance justo entonces, de modo que el espejo, clavado frente a nosotros en el lado de estribor, quedó por un momento sobre nuestras cabezas, y, como yo estaba sentado con las manos en los bolsillos y mirando hacia arriba, pude verle asintiendo con la cabeza como si nada.

«Como me figuro que sabrá usted —prosiguió sir Henry—, si un hombre muere intestado y no tiene otra propiedad que tierras, propiedad real, como dicen en Inglaterra, todo pasa al hijo mayor. Sucedió que justo en la época en que nos peleamos nuestro padre murió intestado. Había ido aplazando el hacer su testamento hasta que fue demasiado tarde. El resultado fue que mi hermano, que no había sido educado para ninguna profesión, se quedó sin un centavo. Hubiera sido mi deber, naturalmente, ocuparme de él, pero por entonces nuestra pelea era tan agria que, lo confieso para vergüenza mía (y suspiró profundamente), no le ofrecí hacer nada. No es que quisiera escatimarle lo que era justo, pero esperaba a que él tomara la iniciativa, y no lo hizo. Lamento molestarle con todo esto, señor Quatermain, pero debo aclarar las cosas, ¿eh, Good?

—Así es, así es —dijo el capitán—. El señor Quatermain, estoy seguro, se guardará para sí esta historia.

—Naturalmente», dije yo, ya que me inclino a jactarme de mi discreción, por la cual, tal como sir Henry había oído, gozo de cierta reputación.

«Bien —siguió sir Henry—, mi hermano tenía por entonces algunos cientos de libras en su cuenta. Sin decirme nada, cogió esta mísera cantidad y, tras adoptar el nombre de Neville, partió hacia Sudáfrica con la desordenada esperanza de hacer una fortuna. Esto lo supe después. Pasaron unos tres años sin que supiera nada de mi hermano, pese a que escribí varias veces. Sin duda mis cartas no le llegaron nunca. Pero a medida que pasó el tiempo me sentí cada vez más inquieto a su respecto. Descubrí, señor Quatermain, que la sangre es más espesa que el agua.

—Eso es cierto», dije yo, pensando en mi chico Harry.

«Descubrí, señor Quatermain, que hubiera dado la mitad de mi fortuna para saber que mi hermano George, mi único pariente, estaba sano y salvo, y que volvería a verle.

—Pero nunca lo hizo, Curtis», cortó el capitán Good, mirando al rostro al hombre alto.

«Bien, señor Quatermain, a medida que pasó el tiempo me sentí cada vez más ansioso por descubrir si mi hermano estaba vivo o muerto, y por devolverle a casa si estaba vivo. Puse en marcha varias indagaciones, y su carta fue uno de los resultados. Hasta donde alcanzaba, era satisfactoria, porque demostraba que hasta pasado mucho tiempo mi hermano seguía vivo, pero no alcanzaba lo bastante lejos. De modo que, para abreviar una larga historia, me decidí a partir y a buscarle por mí mismo, y el capitán Good ha sido tan amable de acompañarme.

—Sí —dijo el capitán—, no tenía otra cosa que hacer, ya ve usted. Mis lores del Almirantazgo me habían abocado a consumirme a media paga. Y ahora, caballero, quizá nos diga qué sabe usted del caballero llamado Neville.»

2

LA LEYENDA DE LAS MINAS DE SALOMON

«¿Qué fue lo que oyó usted sobre el viaje de mi hermano en Bamangwato?» preguntó sir Henry, mientras yo hacía una pausa, llenando mi pipa antes de contestar al capitán Good.

«Oí esto —respondí—, y nunca se lo he mencionado a ningún alma viviente hasta hoy. Oí que partió hacia las minas de Salomón.

—¡Las minas de Salomón! —exclamaron mis dos oyentes simultáneamente—. ¿Dónde están?»

«No lo sé —dije—; sé dónde se dice que están. En cierta ocasión vi los picos de las montañas que están junto a ellas, pero había ciento treinta millas de desierto entre esas montañas y yo, y no tengo noticia de que ningún hombre blanco las haya cruzado, excepto uno. Pero quizá lo mejor que puedo hacer sea contarles la leyenda de las minas de Salomón, tal como yo la conozco, si me dan ustedes su palabra de no revelar nada de lo que les cuente sin mi permiso. ¿Están de acuerdo? Tengo mis razones para pedírselo.»

Sir Henry asintió con la cabeza, y el capitán Good replicó: «Desde luego, desde luego.»

«Pues bien —empecé—, como pueden ustedes suponer, y hablando en términos generales, los cazadores de elefantes son una ruda categoría de hombres, y no se molestan demasiado en ir más allá de los hechos de la vida y del comportamiento de los cafres. Pero aquí y allí aparece un hombre que se toma la molestia de reunir tradiciones de los nativos y de tratar de descifrar algún pequeño fragmento de la historia de esta tierra tenebrosa. Fue uno de estos hombres el primero que me contó la historia de las minas de Salomón, hará ahora como unos treinta años. Fue durante mi primera cacería de elefantes en el país Matabelé. Se llamaba Evans, y fue muerto el año siguiente, pobre tipo, por un búfalo herido; está enterrado cerca de las cataratas del Zambeze. Yo le contaba a Evans cierta noche, lo recuerdo, cosas referentes a unas obras asombrosas que había encontrado mientras cazaba el kudú y el eland en lo que es ahora el distrito de Lydenburg, en el Transvaal. Veo que han vuelto a tropezarse con estas obras recientemente, en las prospecciones de oro, pero yo las conocía hace ya años. Hay una ancha carretera para vagones cortada en la roca viva, que conduce a la boca de la explotación o la galería. En la parte interior de la boca de esta galería hay montones de cuarzo aurífero apilados y listos para la torrefacción, y esto demuestra que los obreros, fueran quienes fueran, tuvieron que huir a toda prisa. También, unos veinte pasos hacia el interior, la galería está hecha de obra, y buen trabajo de albañilería es ése.

«—Sí —dijo Evans—, pero yo le voy a contar un cuento todavía más curioso.» Y se puso a contarme cómo había encontrado muy hacia el interior una ciudad en ruinas, que según él era la Ofir de la Biblia, y, dicho sea de paso, otra mucha gente erudita ha dicho lo mismo desde los tiempos del pobre Evans. Yo, lo recuerdo, escuchaba con ambos oídos estas maravillas, porque por entonces era joven y esta historia sobre una vieja civilización y sobre los tesoros que aquellos antiguos judíos o fenicios obtenían de un país caído desde hace tanto tiempo en la más tenebrosa barbarie me golpeó fuertemente la imaginación; entonces, súbitamente, me dijo: «Muchacho, ¿ha oído hablar alguna vez de los Montes Suliman, lejos hacia el noroeste del país Mashukulumbwe?» Le respondí que jamás había oído hablar de ellos. «Ah, bueno —dijo—, pues allí es donde Salomón tuvo realmente sus minas, sus minas de diamantes, quiero decir.»

«¿Cómo sabe usted esto?», pregunté.

«¡Cómo sé esto! Bueno, ¿qué es "Suliman" sino una corrupción de Salomón (1)? Además, una vieja isanusi, o doctora bruja, en el país Manica, me habló de eso. Me dijo que el pueblo que vive más allá de esas montañas es una "rama" de los zulúes, que hablan un dialecto del zulú, pero son hombres incluso más hermo-

---

(1) Suliman es la forma arábiga de Salomón. (*Editor.*)

sos y altos; que entre ellos viven grandes hechiceros que aprendieron su arte de los hombres blancos "cuando todo era oscuro", y que tienen el secreto de una maravillosa mina de "piedras brillantes".»

Bueno, pues entonces me reí de esta historia, pese a que me interesó, ya que los Campos de Diamantes no habían sido descubiertos todavía; pero el pobre Evans se fue y resultó muerto, y durante veinte años no volví a pensar en el asunto. Sin embargo, justo a los veinte años —y eso es mucho tiempo, caballeros; un cazador de elefantes no suele vivir veinte años con su trabajo—, oí algo más concreto sobre los Montes Suliman y el país que se extiende detrás de ellos. Fue más allá del país Manica, en un lugar llamado Kraal de Sitanda, un lugar miserable, ya que un hombre no encuentra allí nada que comer y hay muy poca caza en la zona. Tuve un ataque de fiebres, y estaba, en términos generales, en un mal momento. Cierto día llegó un portugués, con un solo acompañante, un mestizo. Conozco perfectamente a los portugueses de clase baja de Delagoa. No hay peores diablos sueltos, hablando en general; engordan con el sufrimiento y la carne humana en forma de esclavos. Pero éste era un hombre de un tipo muy distinto de los miserables tipejos que yo estaba acostumbrado a encontrarme; a decir verdad, su apariencia me hizo pensar más bien en los corteses *dones* (*) sobre los que había leído cosas, porque era alto y delgado, y tenía los ojos grandes y oscuros y bigote gris y rizado. Hablamos un poco, ya que él podía hablar un inglés roto y yo entendía algo el portugués. Me dijo que se llamaba José Silvestre y que tenía una casa cerca de la bahía de Delagoa. Cuando se marchó el día siguiente con su acompañante mestizo, dijo «Adiós» y se quitó el sombrero absolutamente a la antigua usanza. «Adiós, *señor* (**) —dijo—; si alguna vez volvemos a vernos, yo seré el hombre más rico del mundo, y le recordaré.» Me reí un poco —estaba demasiado débil para reírme mucho— y le vi desaparecer en el gran desierto, hacia el oeste, preguntándome si estaba loco y qué se imaginaba que iba a encontrar allí.

Pasó una semana, y yo estaba mejor de las fiebres. Cierta tarde, estaba sentado en el suelo, frente a la pequeña tienda que

(*) El autor emplea el término «dom», forma británica de aludir a portugueses y españoles. Mantenemos el término, castellanizado en «don». (*N. d. T.*)

(**) En castellano en el original. (*N. d. T.*)

llevaba conmigo, mascando la última pata de una mísera gallina que había comprado a un nativo por una pieza de tela que valía treinta gallinas, y contemplando cómo el ardiente sol rojo se sumergía en el desierto, cuando de repente vi una forma humana, aparentemente un europeo, porque llevaba chaqueta, en la pendiente de una elevación de terreno que estaba frente a mí, a unas trescientas yardas. La forma reptaba sobre las manos y las rodillas; luego se puso en pie y avanzó tambaleándose algunas yardas sobre sus piernas, para luego caer y reptar nuevamente. Al darme cuenta de que era alguien en peligro, envié a uno de mis cazadores a ayudarle; y, cuando llegó, ¿quién se imaginan que era?

—José Silvestre, claro —dijo el capitán Good.

—Sí, José Silvestre, o, mejor dicho, su esqueleto con un poco de piel encima. Su cara era de un amarillo brillante debido a una fiebre biliosa, y sus grandes ojos oscuros casi estaban fuera de la cabeza, porque toda la carne había desaparecido. No había ahí nada más que una piel de pergamino amarilla, cabellos blancos, y debajo unos huesos delgados sosteniendo aquello.

«¡Agua, por el amor de Cristo! ¡Agua!» gimió, y vi que tenía los labios agrietados y que la lengua, que sobresalía entre ellos, estaba hinchada y negruzca.

Le di agua con un poco de leche, y se la bebió a grandes tragos, tres cuartos de galón o algo así, sin detenerse. No le permití que bebiera más. Luego le volvió la fiebre, cayó al suelo y se puso a desvariar acerca de los Montes Suliman, y los diamantes, y el desierto. Le llevé al interior de la tienda e hice por él todo lo que pude, que no fue mucho; pero sabía cómo acabaría. Hacia las once se le vio más tranquilo; me acosté para descansar un poco, y me quedé dormido. Me desperté al amanecer, y en la media luz vi a Silvestre sentado, con su figura extraña y esquelética, y mirando en dirección al desierto. Luego, el primer rayo del sol se disparó a través de la ancha llanura que estaba ante nosotros hasta alcanzar la lejana cresta de uno de los picos más altos de los Montes Suliman, a más de cien millas.

«¡Ahí está!» gritó el agonizante en portugués, señalándolo con su largo y delgado brazo extendido; «pero nunca lo alcanzaré, nunca. ¡Nadie lo alcanzará nunca!»

De pronto hizo una pausa y pareció tomar una determinación.

«Amigo —me dijo, volviéndose hacia mí—, ¿está usted aquí? Mis ojos se oscurecen.

—Sí —respondí—; sí, pero ahora acuéstese y descanse.

—Sí —replicó—, pronto descansaré; tengo tiempo para descansar... toda la eternidad. ¡Escúcheme, me estoy muriendo! Ha sido bueno conmigo. Le daré el escrito. Quizá llegue usted allí si vive para cruzar el desierto, que nos ha matado, a mi pobre sirviente y a mí.»

Luego buscó a tientas en su chaqueta y sacó de ella algo que pensé que era una bolsa bóer de tabaco hecha con piel de *swart-vet-pens* o antílope de arena. Estaba atada con una tirilla de cuero, que nosotros llamamos rimpi, y trató de desatarla, pero no pudo. Me la tendió. «Desátela,» dijo. Eso hice, y extraje de ella un pedacito desgarrado de lienzo amarillo sobre el que había algo escrito con torpe trazo. Dentro del andrajo había un papel.

Luego prosiguió, en voz baja, porque estaba debilitándose: «El papel tiene todo lo que está en el lienzo. Me costó años leerlo. Escuche: un antepasado mío, un refugiado político de Lisboa, que fue uno de los primeros portugueses que pusieron pie en estas orillas, escribió esto mientras agonizaba en esas montañas que no han sido holladas por ningún pie blanco ni antes ni después. Se llamaba José da Silvestra, y vivió hace trescientos años. Su esclavo, que le esperaba a este lado de las montañas, le encontró muerto, y llevó el escrito a la casa, en Delagoa. Ha estado en la familia desde entonces, pero nadie se había preocupado por leerlo, hasta que yo lo hice. Yo he perdido mi vida en esto; otro hombre puede tener éxito y convertirse en el hombre más rico del mundo... en el hombre más rico del mundo. Pero no se lo dé a nadie, señor; ¡vaya usted!»

Luego se puso a divagar nuevamente, y al cabo de una hora todo había terminado.

¡Descanse en paz! Murió muy tranquilamente, y le enterré hondo, con grandes piedras encima, de modo que no pienso que los chacales puedan haberlo desenterrado. Luego me fui.

—Sí, pero ¿y el documento? —dijo sir Henry, con un tono de profundo interés.

—Sí, el documento; ¿qué había en él? —añadió el capitán.

—Bien caballeros, si lo desean se lo diré. Nunca se lo he mostrado a nadie, salvo a un viejo comerciante portugués borracho que me lo tradujo y que lo había olvidado todo al respecto la mañana siguiente. El andrajo original está en mi casa, en Durbán, junto con la transcripción del pobre don José; pero tengo la traducción inglesa en el portamonedas, junto con un facsímil del mapa, si es que eso puede llamarse mapa. Aquí está.»

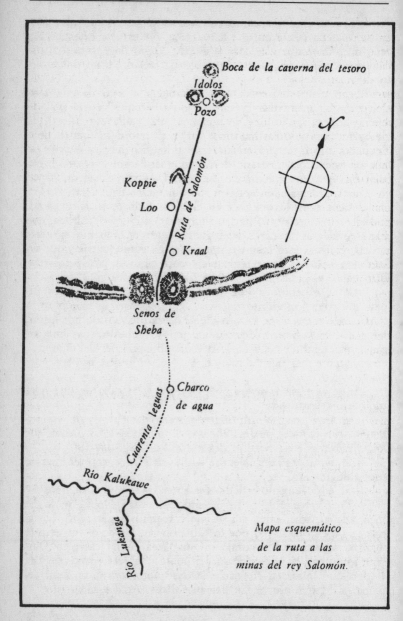

Mapa esquemático
de la ruta a las
minas del rey Salomón.

«Yo, José da Silvestra, que ahora estoy muriendo de hambre en la pequeña cueva en la que no hay nieve en la ladera norte del pezón de la que está más al sur de las dos montañas que he llamado Senos de Sheba, escribo esto en el año 1590 con un pedazo de hueso sobre un jirón de mi ropa, sirviendo de tinta mi sangre. Si mi esclavo encuentra esto cuando venga, y lo lleva a Delagoa, que mi amigo (nombre ilegible) lleve la cosa a conocimiento del rey, para que pueda mandar un ejército que, si sobrevive al desierto y a las montañas, y puede vencer a los valientes Kukuanes y sus artes diabólicas, para cuyo fin debe traerse a muchos sacerdotes, le hará el más rico de los reyes después de Salomón. Con mis propios ojos he visto los incontables diamantes guardados en la cámara del tesoro de Salomón detrás de la muerte blanca; pero por la traición de Gagool, la hechicera echadora, nada pude llevarme, y a duras penas mi vida. Que el que venga siga el mapa y escale por la nieve del seno izquierdo de Sheba hasta alcanzar el pezón, a cuya ladera norte está construida la gran ruta de Salomón, y de allí tiene tres días de viaje hasta el palacio del rey. Que mate a Gagool. Rogad por mi alma. Adiós.

JOSÉ DA SILVESTRA.» (1)

Cuando terminé de leer lo anterior y hube mostrado la copia del mapa, trazado por la mano moribunda del viejo *don* con su sangre por tinta, se produjo un silencio asombrado.

(1) Eu Jose da Silvestra que estou morrendo de fome ná pequena cova onde não ha neve ao lado norte do bico mais ao sul das duas montanhas que chamei seio de Sheba; escrevo isto no anno 1590; escrevo isto com un pedaço d'ôsso n'um farrapo de minha roupa e com sangue meu por tinta; se o meu escravo dér com isto quando venha ao levar para Lourenzo Marquez, que o meu amigo ... leva a cousa ao conhecimento d'El Rei, para que possa mandar um exercito que, se desfiler pelo deserto e pelas montanhas e mesmo sobrepujar os bravos Kukuanes e suas artes diabolicas, pelo que se deviam trazer muitos padres Fara o Rei mais rico depois de Salomão. Com meus propios olhos vé os diamantes sem conto guardados nas camaras do thesouro de Salomão a traz de morte branca, mas pela traição de Gagoal a feticeira achadora, nada podeira levar, e apenas a minha vida. Quem vier siga o mappa a trepe pela neve de Sheba peito à esquerda até chegar ao bico, do lado norte do qual está a grande estrada do Salomão por elle feita, donde ha tres dias de jornada até ao Palacio do Rei. Mate Gagoal. Reze por minha alma. Adeos.

José da Silvestra.

«Bien —dijo el capitán Good—, he dado dos veces la vuelta al mundo y he tocado en casi todos los puertos, pero que me cuelguen por amotinado si no es la primera vez que oigo una advertencia como ésa sacada de un libro de cuentos, o de cualquier otra parte, por lo que hace al caso.

—Es una curiosa historia, señor Quatermain —dijo sir Henry—. ¿Supongo que no nos estará gastando una broma? Sé que a veces se considera permisible tomar el pelo a los novatos.

—Si es esto lo que piensa, sir Henry —dije, muy irritado, metiéndome el papel en el bolsillo, ya que no me gusta que me tomen por uno de esos tipos imbéciles que consideran ingenioso el contar mentiras y que siempre se vanaglorian ante los recién llegados de extraordinarias aventuras de caza que jamás han tenido lugar—, si es esto lo que piensa, no hay más que hablar.» Y me puse en pie para irme.

Sir Henry puso su enorme mano sobre mi hombro. «Siéntese, señor Quatermain —dijo—, le ruego que me perdone; me doy cuenta perfectamente de que no pretende usted engañarnos; pero es que la historia me ha resultado tan extraña que apenas he podido creerla.

—Podrán ustedes ver el mapa original y el escrito cuando lleguemos a Durbán,» respondí, un tanto amansado, ya que, a decir verdad, pensando bien la cosa, tenía muy poco de sorprendente el que sir Henry hubiera puesto en duda mi buena fe.

«A todo eso —proseguí—, no le he dicho nada acerca de su hermano. Conocí a ese hombre, Jim, que iba con él. Era un bechuana por nacimiento, un buen cazador, y, para un nativo, un hombre muy inteligente. La mañana en que el señor Neville se disponía a partir, vi a Jim junto a mi vagón, cortando tabaco sobre el *disselboom*.

»Jim —le dije—, ¿a qué vais en esta expedición? ¿Se trata de elefantes?

—No, baas —respondió—, vamos detrás de algo que vale mucho más que el marfil.

—¿Y qué puede ser eso? —pregunté, ya que sentía curiosidad—. ¿Oro?

—No, baas; algo que vale más que el oro», y sonrió.

No hice más preguntas, ya que no me gusta rebajar mi dignidad pareciendo inquisitivo; pero estaba desconcertado. Jim había terminado ahora de cortar su tabaco.

«Baas,» dijo.

No me di por enterado.

«Baas,» repitió.

«¿Qué, chico? ¿Qué ocurre? —pregunté.

—Baas, vamos en busca de diamantes.

—¡Diamantes! Pues entonces andáis en mala dirección; tendríais que poner rumbo a los Campos.

—Baas, ¿ha oído usted hablar alguna vez del Berg de Suliman?» Esto significa las montañas de Salomón, sir Henry.

«Sí.

—¿Ha oído hablar de los diamantes que están allí?

—He oído un cuento insensato, Jim.

—No es ningún cuento, baas. Cierta vez vi a una mujer que venía de allí, y que llegó al Natal con su hijo; me contó... está muerta ahora.

—Tu jefe alimentará a los aasvögels,» o sea, los buitres, «Jim, si trata de alcanzar el país de Suliman, y tú lo mismo, si es que pueden roer algo en tu viejo esqueleto inútil,» dije yo.

Sonrió. «Puede ser, baas. El hombre puede morir; a mí me gustaría probar suerte en otro país; aquí están acabando con los elefantes.

—¡Ah, muchacho! —dije—. Espera a que el «viejo pálido» te eche las manos a tu amarilla garganta, y entonces veremos cuál será el aire de tu canción.»

Media hora después vi partir el vagón de Neville. Jim vino hacia mí corriendo. «Adiós, baas —dijo—. No me hubiera gustado irme sin decirle adiós, porque pienso que quizá tenga usted razón y que nunca volvamos a viajar hacia el sur.

—¿Realmente se dirige tu jefe hacia el Berg de Suliman, Jim, o estás mintiendo?

—No miento —respondió—; hacia allí va. Me dijo que tenía que hacer fortuna de un modo u otro, o al menos intentarlo; así que igual iba a darle un toque a los diamantes.

—¡Oh! —dije—; espera un poco, Jim; ¿quieres coger una nota que te daré para tu jefe, Jim, y prometerme que no se la darás hasta que lleguéis a Inyati?» que estaba a cosa de cien millas de allí.

«Sí, baas.»

De modo que cogí un trozo de papel, y escribí en él: «Que el que venga... escale por la nieve del seno izquierdo de Sheba hasta alcanzar el pezón, a cuya ladera norte está la gran ruta de Salomón.»

«Ahora, Jim —dije—, cuando des esto a tu jefe dile que lo mejor que puede hacer es seguir sin reserva el consejo que incluye. No debes dárselo ahora, porque no quiero que vuelva para hacerme preguntas que no quiero contestar. Ahora vete, perezoso; el vagón está casi fuera de visión.»

Jim tomó la nota y se fue, y esto es todo lo que sé sobre su hermano, sir Henry; pero mucho me temo...

—Señor Quatermain —dijo sir Henry—, voy a buscar a mi hermano; voy a seguirle la pista hasta los Montes Suliman, y más allá si es necesario, hasta encontrarlo o hasta saber que ha muerto. ¿Vendrá usted conmigo?»

Yo soy, como creo haber ya dicho, un hombre cauteloso, incluso medroso, y esta sugerencia me asustó. Me parecía que emprender semejante viaje significaba dirigirse a una muerte cierta, y, aun dejando de lado toda otra consideración, tenía un hijo que mantener, y no podía permitirme el morir precisamente entonces.

« No, gracias, sir Henry, más bien pienso que no —respondí—. Soy demasiado viejo para cacerías de patos de esta clase, y lo único que haríamos sería acabar como mi pobre amigo Silvestre. Tengo un hijo que depende de mí, de modo que no puedo permitirme el arriesgar mi vida atolondradamente.»

Tanto sir Henry como el capitán Good parecían muy desilusionados.

«Señor Quatermain —dijo el primero—, tengo bastante dinero, y estoy dispuesto a tirar adelante este asunto. Puede situar la remuneración por sus servicios en la cifra que considere usted justa, y se le pagará antes de que partamos. Además, dispondré las cosas para que si algo adverso nos ocurre, o le ocurre a usted, su hijo quede suficientemente asistido. Podrá ver, por esta oferta, hasta qué punto considero necesaria su presencia. Por otra parte, si por casualidad alcanzamos ese sitio y encontramos diamantes, les pertenecerán a usted y a Good, a partes iguales. Yo no los quiero. Pero, naturalmente, esta promesa no sirve de nada; aunque lo mismo se aplica a todo el marfil que podamos conseguir. Puede usted señalarme sus condiciones, tal cual, señor Quatermain; y, naturalmente, yo correré con todos los gastos.

—Sir Henry —dije—, creo que ésta es la propuesta más generosa que jamás me hayan hecho; es una propuesta que difícilmente puede despreciar un pobre cazador y comerciante. Pero el trabajo es el más difícil con que me haya topado, y necesito tiempo para pensarlo. Le daré mi respuesta antes de llegar a Durbán.

—Muy bien,» respondió sir Henry.

Luego di las buenas noches, me retiré, y soñé en el pobre Silvestre y en los diamantes.

3

UMBOPA ENTRA A NUESTRO SERVICIO

Lleva de cuatro a cinco días, según la velocidad del buque y el estado del tiempo, trasladarse del Cabo a Durbán. A veces, si el desembarco resulta malo en East London, donde no han construido todavía ese maravilloso puerto del que tanto hablan, y en el que han enterrado ya tanto dinero, el buque se ve demorado veinticuatro horas, hasta que las barcazas puedan sacar la mercancía. Pero en esta ocasión no tuvimos que esperar en absoluto, ya que no podía hablarse de rompientes en el rompeolas, y los remolcadores vinieron de inmediato, llevando tras ellos largas ristras de feos botes de fondo plano en los que fueron arrojados con estrépito los equipajes. Tanto daba lo que fueran: allá iban a porrazo limpio; ya contuvieran porcelana, ya objetos de lana, todos recibían el mismo trato. Vi como una caja que contenía cuatro docenas de botellas de champaña se despachurraba, y el champaña se puso a burbujear y bullir al fondo del sucio bote. Era una maldita lástima, y evidentemente así lo pensaron los cafres del bote, ya que encontraron un par de botellas intactas y, rompiéndoles el cuello, se bebieron el contenido. Pero no habían previsto la expansión causada por el burbujeo en el vino, y, al sentirse ellos mismos hinchados, rodaron por el fondo del bote gritando que el buen licor estaba «tagati», o sea, embrujado. Les hablé desde el buque, y les conté que se trataba de la más fuerte medicina del hombre blanco, y que no daría un céntimo por su pellejo. Aquellos cafres se fueron a la orilla con un miedo enorme, y no creo que hayan vuelto a probar el champaña.

Bien. Durante todo el tiempo que estuvimos navegando hacia el Natal, estuve pensando en la oferta de sir Henry Curtis. No hablamos en absoluto del tema durante un día o dos, aunque les conté muchas historias de caza, todas ellas verdaderas. No hay necesidad de contar mentiras en lo que a la caza se refiere; ya que ocurren cantidad de cosas de las que se entera un hombre que tiene la caza por negocio; dicho sea de paso.

Finalmente, cierta hermosa tarde de enero, que es nuestro mes más caluroso, empezamos a navegar ante la costa del Natal, esperando alcanzar el cabo de Durbán al anochecer. Es encantadora toda la costa desde East London, con sus rojas colinas arenosas y sus anchas extensiones de un verde vivo punteadas aquí y allí por kraals cafres y bordeadas por una cinta de espuma blanca que estalla en pilares de espuma cuando golpea contra las rocas. Pero justo antes de llegar a Durbán hay una peculiar riqueza en el paisaje. Ahí están los escarpados acantilados cortados en las colinas por la lluvia caída torrencialmente durante siglos, y en sus laderas centellean los ríos; ahí están el verde oscuro de los arbustos, que crecen tal como Dios los plantó, y los verdes distintos de los jardines de maíz y de los campos de azúcar; y en este y aquel punto una blanca casa que sonríe al mar plácido da un acabado y un aire doméstico a la escena. En mi opinión, un panorama, por hermoso que sea, requiere la presencia del hombre para ser completo; pero esto se debe quizá a que he vivido tanto en la naturaleza salvaje y conozco, por lo tanto, el valor de la civilización, aunque ésta, desde luego, espanta la caza. El jardín del Edén, sin duda, resultaba más bonito antes de que el hombre existiera, pero siempre he pensado que debió resultar más bonito cuando Eva lo adornó.

Volviendo a lo nuestro; habíamos errado un poco nuestros cálculos, y hacía ya rato que se había puesto el sol cuando anclamos junto al cabo y oímos el cañón que contaba a la buena gente de Durbán que había llegado el correo de Inglaterra. Era demasiado tarde para pensar en ir a tierra aquella noche; así que fuimos a cenar tranquilamente, después de ver cómo se llevaban el correo con el bote salvavidas.

Cuando volvimos a cubierta, la luna había salido, y brillaba tanto sobre el mar y la orilla que casi empalidecía los rápidos y anchos destellos del faro. Flotaban desde la orilla deliciosos olores a especias que siempre me hacen pensar en himnos y en misioneros; y en las ventanas de las casas, en el Berea, titilaban cientos de luces. De un gran bergantín cerca de nosotros nos llegaba la música de los marineros mientras trabajaban para izar el ancla con objeto de estar preparados para el viento. En conjunto, era una noche perfecta, una de esas noches que a veces se tienen en Africa del Sur, y arrojaba un ropaje de paz sobre todas las personas mientras la luna arrojaba un ropaje de plata sobre todas las cosas. Incluso el gran bulldog que pertenecía a un pasajero aficionado a la caza parecía ceder a sus influencias suavizadoras y, olvidándose de sus anhelos de vérselas cara a cara con un mandril encerrado en su jaula en el castillo de proa, roncaba pesadamente a la puerta del camarote, soñando sin duda que lo había liquidado, y sintiéndose feliz en su sueño.

Nosotros tres —es decir, sir Henry Curtis, el capitán Good y yo— fuimos a sentarnos junto al timón, y permanecimos un rato en silencio.

«Bien, señor Quatermain —dijo luego sir Henry—, ¿ha pensado usted en lo que le propuse?

—Sí —insistió el capitán Good—, ¿Qué piensa del asunto, señor Quatermain? Espero que nos conceda el placer de su compañía hasta las minas de Salomón, o hasta allí donde el caballero que usted conoció como Neville pueda haber ido.»

Me puse en pie y vacié la pipa antes de contestar. No me había decidido todavía, y quería disponer de un momento adicional para tomar una resolución. Antes de que el tabaco ardiente hubiera caído al mar me había decidido; ese segundo adicional fue precisamente el que resolvió el problema. Así sucede muchas veces cuando uno ha estado preocupado mucho tiempo por una cosa.

«Sí, caballeros —dije, volviendo a sentarme—, iré con ustedes, y con su permiso les diré cómo y en qué condiciones. Ante todo, mis condiciones.

»Primera: correrán ustedes con todos los gastos, y todo el marfil y otras cosas de valor que podamos conseguir se dividirán entre el capitán Good y yo.

»Segunda: me darán ustedes 500 libras por mis servicios en la expedición antes de que partamos, y yo me comprometo a servirles fielmente hasta que decidan abandonar la empresa o hasta que logremos el éxito, o hasta que nos venza la desgracia.

»Tercero: antes de ponernos en ruta, quedará hecho un documento en el que ustedes accederán, para la eventualidad de mi muerte o mi invalidez, a pagar a mi chico Harry, que está estudiando medicina allá en Londres, en el Guy's Hospital, la suma de

200 libras por año durante cinco años, tiempo en el que tiene que haber sido capaz de lograr una forma de ganarse el sustento si es que se merece lo que come. Esto es todo, creo, y me figuro que dirán ustedes que ya es mucho.

—No —respondió sir Henry—, acepto encantado. Estoy decidido a tirar adelante este proyecto, y pagaría más que esto por su ayuda, tomando en cuenta los conocimientos peculiares y exclusivos que usted posee.

—Lástima que no pidiera más, entonces; pero no me retracto de lo dicho. Y ahora que he conseguido mis condiciones, les daré mis razones para haberme decidido a ir. Ante todo, caballeros, les he estado observando a ambos durante los últimos días, y si no me consideran impertinente les diré que me caen bien, y que pienso que iremos bien emparejados en el yugo. Esto tiene su importancia, permítanme observarlo, cuando se tiene que hacer un viaje largo como el que nos espera.

»Y ahora, en lo que al viaje mismo se refiere, les digo de plano, sir Henry y capitán Good, que no considero probable que volvamos con vida, es decir, si tratamos de cruzar los Montes Suliman. ¿Cuál fue la suerte del viejo *don*, Silvestra, hace trescientos años? ¿Cuál fue la suerte de su descendiente, hace veinte años? ¿Cuál ha sido la suerte de su hermano? Les digo francamente, caballeros, que así como fueron sus suertes pienso que será la nuestra.»

Hice una pausa para observar el efecto de mis palabras. El capitán Good parecía un tanto desasosegado, pero el rostro de sir Henry no cambió. «Probaremos suerte,» dijo.

«Quizá se pregunten ustedes —proseguí— por qué, si pienso así, y siendo, como ya les he dicho, un hombre medroso, me decido a emprender este viaje. Lo hago por dos razones. La primera es que soy un fatalista, y creo que mi hora llegará en su momento previsto sin relación con mis movimientos ni con mi voluntad, y que si he de ir a los Montes Suliman para recibir la muerte, allí iré y recibiré la muerte. Dios Todopoderoso conoce sin duda sus intenciones para conmigo, de modo que no tengo por qué preocuparme por este punto. La segunda es que soy un hombre pobre. Durante casi cuarenta años he cazado y comerciado, pero nunca he conseguido más que ganarme la vida. Pues bien, caballeros, no sé si están ustedes enterados de que la media de vida de un cazador de elefantes, desde el momento en que se inicia en el negocio, está entre los cuatro y los cinco años. Como ven, pues, he vivido a lo largo de siete generaciones de mi categoría, y tiendo a pensar que mi hora no puede estar lejos, en cualquier caso. Ahora bien, si algo me sucediera en el curso ordinario de las cosas, después de que mis deudas hubieran sido pagadas no quedaría nada para el sostenimiento de mi hijo Harry mientras se consiguiera un modo de ganarse el pan, mientras que ahora quedará arreglado por cinco años. Este es todo el asunto en dos palabras.

—Señor Quatermain —dijo sir Henry, que me había prestado una gran atención—, sus motivos para emprender una aventura que usted considera que no puede acabar más que en desastre dicen mucho en su favor. El que tenga usted razón o no, eso es algo que, naturalmente, sólo el tiempo y los hechos podrán dilucidar. Pero tenga usted razón o esté equivocado, tengo que decirle también de inmediato que voy a ir hasta el final, sea dulce o amargo. Si nos van a romper la cabeza, todo lo que tengo que decir es que espero que podamos soltar antes unos cuantos disparos, ¿eh, Good?

—Sí, sí —indicó el capitán—. Los tres estamos habituados a enfrentarnos al peligro y a sujetar la vida en nuestras manos de distintas formas, de modo que no hay que volver la espalda ahora. Así que voto para que bajemos al salón y brindemos, por la buena suerte, ya saben.» Y así lo hicimos, hasta el fondo del vaso.

Al día siguiente bajamos a tierra, e instalé a sir Henry y al capitán Good en la pequeña cabaña gris que me había hecho en Berea y a la que llamo mi casa. Sólo hay en ella tres habitaciones y una cocina, y está construida con ladrillos verdes, con un techo de hierro galvanizado; pero tiene un buen jardín con los mejores nísperos que yo conozca y algunos bonitos mangos jóvenes de los que espero grandes cosas. El conservador de los jardines botánicos me los dio. Lo cuida un viejo cazador a mi servicio llamado Jack, al que un búfalo quebró la tibia tan malamente en el país Sikukuni que nunca volverá a cazar. Pero sí puede hacer trabajos de alfarería y de jardinería, ya que por nacimiento es un griqua. Es imposible convencer a un zulú para que se interese mínimamente por la jardinería. Es un arte pacífica, y las artes pacíficas no están en su línea.

Sir Henry y Good durmieron en una tienda plantada en mi pequeño naranjal, al fondo del jardín, ya que no había sitio para ellos en la casa. Con el aroma de las flores y la vista de la fruta verde y dorada —en Durbán se ven las tres cosas a la vez en los árboles—, me atrevería a decir que es ése un lugar bastante agradable, ya que tenemos pocos mosquitos en Berea, a menos que venga a caer una lluvia inusitadamente fuerte.

Bien, sigamos —ya que de no hacerlo, Harry, te habrías cansado de mi historia antes de que llegáramos a los Montes Suliman—; habiéndome hecho a la idea de ir, me puse a hacer los preparativos necesarios. Ante todo, conseguí la escritura de sir Henry, dejándote bien provisto, muchacho, para caso de accidente. Hubo alguna dificultad en torno a su ejecución legal, debido a que sir Henry era aquí un extranjero y a que las propiedades afectadas estaban al otro lado del mar; pero finalmente se vencieron los obstáculos con la ayuda de un abogado que nos cobró 20 libras por el trabajo, precio que yo consideré abusivo. Luego me embolsillé mi cheque de 500 libras.

Tras haber pagado este tributo a mi manía de precaución, compré un vagón y un tiro de bueyes, a cuenta de sir Henry, y hermosos, por cierto. Era un vagón de veintidós pies con ejes de hierro, muy fuerte, muy ligero, y todo él construido de madera de higuera loca; no del todo nuevo, ya que había hecho el viaje de ida y vuelta a los Campos de Diamantes, pero, en mi opinión, era todavía mejor por este motivo, ya que pude comprobar que la madera estaba bien endurecida. Si algo tiene que aflojarse en un vagón, o si hay en él madera verde, eso sale a la luz en el primer viaje. El vehículo era en este caso uno de esos vagones que llamamos «de media tienda», es decir, cubierto solamente en la parte trasera en doce pies, quedando la parte delantera libre para el equipo que teníamos que llevar con nosotros. En esta parte trasera estaba oculto un «cartle», o lecho, en el que podían dormir dos personas, y también bastidores para rifles y muchas otras pequeñas comodidades. Di por él 125 libras, y pienso que era barato.

Luego compré un hermoso atelaje de veinte bueyes zulúes que me habían tenido encandilado desde hacía un año o dos. El número usual en un atelaje es el de dieciséis bueyes, pero cogí otros cuatro adicionales para prevenir las bajas. Esas bestias zulúes son pequeñas y ligeras, y tienen apenas la mitad del tamaño de los bueyes afrikander, que se utilizan generalmente para el transporte; pero viven allí donde los afrikanders morirían de hambre, y con una carga moderada pueden hacer cinco millas por día, por lo menos, siendo más rápidos y no tan propensos a lastimarse las pezuñas. Más aún, los de aquel lote habían sido adecuadamente «salados», es decir, habían trabajado por toda Africa del Sur y, de este modo, estaban a prueba, hablando en términos comparativos, contra el agua roja, que tan a menudo destruye atelajes enteros de bueyes cuando entran en un «veld», o territorio herboso, desconocido. En cuanto al «mal del pulmón», que es una forma terrible de neumonía, muy corriente en este país, habían sido vacunados contra él. Esto se lleva a cabo haciendo un corte en la cola del buey y metiendo en él un pedazo de pulmón enfermo de algún animal que haya muerto de esa enfermedad. El resultado es que el buey enferma, contrae la enfermedad de una forma benigna; esto hace que la cola se le caiga, más o menos a partir de un pie desde la raíz, y queda inmune ante futuros ataques. Parece cruel privar al animal de su cola, sobre todo en un país donde hay tantas moscas, pero es mejor sacrificar la cola y conservar al buey que no perder cola y buey al mismo tiempo, ya que una cola sin un buey no sirve de gran cosa, como no sea para desempolvar. También resulta extraño viajar detrás de veinte muñones que están donde debería haber colas. Da una impresión como de si la naturaleza hubiera cometido un frívolo error al ensartar los ornamentos de popa de un grupo de bull-dogs de presa en los traseros de los bueyes.

Luego vino el problema del aprovisionamiento y de las medicinas, problema que requería el más cuidadoso examen, ya que teníamos que evitar el sobrecargar el vagón sin dejar de llevarnos absolutamente todo lo necesario. Afortunadamente, resultó que Good es un poco médico, ya que en algún momento, durante su anterior carrera, se las había compuesto para seguir un cursillo de preparación médica y quirúrgica, y más o menos se acordaba. No tiene título, naturalmente, pero sabe más del asunto que muchos que pueden poner «doctor en medicina» en sus tarjetas, como pudimos comprobar posteriormente, y tenía un espléndido maletín de médico para viajes y una serie de instrumentos. Mientras estuvimos en Durbán, le cortó a un cafre el dedo gordo del pie de un modo que daba gusto verlo. Pero quedó absolutamente estupefacto cuando el cafre, que había permanecido sentado impasiblemente durante la operación, le pidió que le pusiera otro, diciendo que «un tipo blanco» puede hacerlo en caso de apuro.

Una vez resueltos satisfactoriamente estos problemas, quedaban otros dos puntos importantes a considerar: el de las armas y el de los sirvientes. En cuanto a las armas, lo mejor que puedo hacer es dar la lista de aquellas que finalmente elegimos entre las muchas que sir Henry se había traído consigo de Inglaterra, y de las que compramos. Copio de mi cuaderno de notas, en el que anoté la entrada.

«Tres fusiles pesados para elefantes, de recámara, ocho doble, de un peso aproximado de quince libras cada uno, capaces para una carga de once dracmas de pólvora negra.» Dos de estos fusiles eran obra de una firma de Londres muy conocida, excelentes artífices; pero no sé quién hizo el mío, que no está tan acabado. Lo he utilizado en muchas expediciones, y he matado con él buen número de elefantes, y siempre ha demostrado ser un arma magnífica en la que se puede confiar plenamente.

«Tres Express, 500 doble, aptos para tolerar una carga de seis dracmas,» unas armas deliciosas, admirables para la caza de animales de tamaño medio, como el eland y el antílope de arena, y para hombres, especialmente en terreno abierto y con la bala semihueca.

«Una escopeta Keeper, de cañón doble, n.º 12, de fuego central, de calibre estrangulado ambos cañones.» Esta escopeta se demostró sumamente útil para nosotros posteriormente en la caza de pájaros para el puchero.

»Tres rifles Winchester de repetición (no carabinas), armas de reserva.

»Tres revólveres Colt de tiro simple, con el modelo de cartucho más pesado, o americano.»

Este era todo nuestro armamento; el lector observará sin duda que las armas de cada clase eran de la misma hechura y calibre, de modo que los cartuchos eran intercambiables, cosa muy importante. No me disculpo por enumerarlo todo con detalle, ya que todo cazador con experiencia sabe hasta qué punto es vital para el éxito de una expedición un surtido adecuado de armas de fuego y munición.

Vayamos a los hombres que vendrían con nosotros. Tras larga deliberación, decidimos que su número se reduciría a cinco, esto es, un conductor, un guía y tres sirvientes.

Encontré sin demasiada dificultad al conductor y al guía, dos zulúes llamados respectivamente Goza y Tom; pero el conseguir a los sirvientes demostró ser un problema más difícil. Era preciso que fueran de total confianza y valientes, ya que en un asunto de aquella clase nuestras vidas podían depender de su conducta. Por fin conseguí a dos, uno de ellos un hotentote llamado Ventvögel, o «pájaro de viento», y el otro un zulú de corta estatura llamado Khiva, que tenía la ventaja de hablar inglés perfectamente.

A Ventvögel ya le conocía de antes; era uno de los mejores «spoorers», es decir, rastreadores, con que me hubiera nunca encontrado, y fuerte como una tralla de látigo. Parecía no cansarse nunca. Pero tenía un defecto, muy común entre los de su raza: la bebida. Si se dejaba una botella de ginebra a su alcance ya no se podía confiar en él. Sin embargo, como íbamos más allá de la región de las tabernas, esta pequeña flaqueza suya no importaba demasiado.

Tras haber conseguido a estos dos hombres, busqué en vano a un tercero que conviniera a mis propósitos, de modo que decidimos partir faltándonos uno y confiando a la suerte el encontrar a un hombre adecuado en nuestro itinerario país arriba. Ocurrió, sin embargo, que la tarde anterior al día que habíamos fijado para nuestra partida el zulú Khiva me informó de que había un cafre que esperaba para hablar conmigo. Así, pues, cuando hubimos acabado la cena, ya que en aquel momento estábamos en la mesa, dije a Khiva que lo hiciera pasar. A los pocos momentos entró un hombre alto, bien parecido, de unos treinta años y de piel muy poco oscura para un zulú, y, alzando su bastón rematado en borla a modo de saludo, se sentó silenciosamente en cuclillas sobre las caderas. No le presté ninguna atención durante unos momentos, ya que hacerlo es un gran error. Si uno se precipita de inmediato en la conversación, es probable que un zulú le tome por una persona de escasa honorabilidad y poca categoría. Pude ver, sin embargo, que era un «keshla», un hombre de anillo; es decir, llevaba en la cabeza el anillo negro, hecho con una especie de goma lustrada con grasa y amasada en los cabellos, que adoptan generalmente los zulúes cuando alcanzan cierta edad o dignidad. También me chocó el que su cara me resultara familiar.

«Bien —dije, finalmente—, ¿cómo te llamas?

—Umbopa,» respondió el hombre con voz grave y profunda. «He visto antes tu cara.

—Sí; el inkosi, el jefe, mi padre, vio mi cara en el lugar de Pequeña Mano (es decir, Isandhlwana) el día antes de la batalla.»

Entonces recordé. Era uno de los guías de lord Chelmsford durante aquella desdichada guerra zulú, y tomó parte en la batalla, a la que yo tuve la fortuna de sobrevivir. No contaré aquí nada del asunto, porque a decir verdad el tema me resulta penoso. El día antes de que aquello ocurriera, de cualquier modo, entré en conversación con este hombre, que tenía un pequeño mando entre los auxiliares nativos, y me manifestó sus dudas en cuanto a la seguridad del campamento. Entonces le dije que tuviera quieta la lengua y dejara estas cosas para cabezas más sabias; pero posteriormente pensé en sus palabras.

«Lo recuerdo —dije—; ¿qué es lo que quieres?

—Quiero esto, Macumazahn —éste es mi nombre cafre, y significa el hombre que está en pie en mitad de la noche, o, dicho en inglés corriente, el que mantiene los ojos abiertos—: he oído que partes en una gran expedición muy hacia el norte con los jefes blancos de más allá del mar. ¿Es ésta una palabra cierta?

—Lo es.

—He oído que vais incluso hasta el río Lukanga, que está una luna de viaje más allá del país Manica. ¿Es así también, Macumazahn?

—¿Por qué me preguntas adónde vamos? ¿Por qué te interesa?» pregunté, suspicazmente, ya que los objetivos de nuestro viaje habían sido mantenidos en total secreto.

«Por esto, oh hombres blancos: porque si realmente viajáis tan lejos, yo viajaré con vosotros.»

Había en la forma de hablar del hombre, y especialmente en su empleo de las palabras «oh, hombres blancos» en vez de «oh, inkosis» o jefes, una cierta asunción de dignidad que me chocaba.

«Te olvidas un poco de ti mismo —dije—; tus palabras corren sin que las pienses. Esta no es manera de hablar. ¿Cómo te llamas, y dónde está tu kraal? Dínoslo, para que sepamos con quién tratamos.

—Mi nombre es Umbopa. Pertenezco al pueblo zulú, aunque no soy uno de ellos. El hogar de mi tribu está lejos hacia el norte; yo me quedé atrás cuando los zulúes vinieron aquí «hace cien años», antes de que Chaka reinara en Zululand. Yo era un hombre de Cetewayo en el regimiento Nkomabakosi y servía bajo el gran capitán Umslopogaasi el del Hacha (1), que enseñó a mis manos a combatir. Luego me fui de Zululand y me vine al Natal porque quería ver cómo obraban los hombres blancos. Luego luché contra Cetewayo en la guerra. Después he estado trabajando en el Natal. Ahora estoy cansado, y quiero volver al norte.

---

(1) Para la historia de Umslopogaasi y su hacha, remítase el lector a los libros titulados «Allan Quatermain» y «Nada the Lily».* *(Editor.)*

(*) Obras de Henry Rider Haggard. La primera se publicó en 1887, y la segunda en 1892. *(N. d. E.)*

Este no es mi sitio. No quiero dinero, pero soy un hombre valiente digno de su puesto y de su comida. He hablado.»

Me sentía un tanto desconcertado por aquel hombre y por
su forma de hablar. Me resultaba evidente que, a grandes rasgos,
estaba diciendo la verdad, pero de algún modo me parecía distinto su proceder del que es ordinario en los zulúes, y su oferta de
acompañarnos sin paga me hacía más bien desconfiar. Como me
encontraba en un apuro, traduje sus palabras a sir Henry y a Good,
y les pedí su opinión.

Sir Henry me pidió que le dijera de ponerse en pie. Así lo
hizo Umbopa, dejando caer al mismo tiempo el largo casacón
militar que llevaba, permitiendo que viéramos que iba desnudo,
salvo por una moocha en los riñones y un collar de dientes de
león. Era ciertamente un hombre de aspecto espléndido; yo nunca
había visto a un nativo tan hermoso. Su estatura era de unos seis
pies tres pulgadas, su anchura era proporcionada, y estaba perfectamente formado. Bajo aquella luz, por otra parte, su piel se
veía poco más que meramente oscura, excepto aquí y allí, donde
profundas cicatrices negras señalaban viejas heridas de azagaya.
Sir Henry caminó hasta él y lo miró a su orgulloso y hermoso
rostro.

«Un buen par, ¿no cree? —dijo Good—. Tan alto el uno
como el otro.

—Me gusta su aspecto, señor Umbopa, y le tomaré como
sirviente mío,» dijo sir Henry en inglés.

Umbopa le entendió sin lugar a dudas, ya que respondió, en
zulú: «Está bien;» y luego añadió, lanzando una mirada a la
elevada estatura y la gran envergadura del hombre blanco: «Somos
hombres, tú y yo.»

4

UNA CACERIA DE ELEFANTES

No me propongo narrar ahora en toda su extensión todos los
incidentes de nuestro largo viaje hasta el kraal de Sitanda, cerca
del punto de junción de los ríos Lukanga y Kalukawe. Era un
viaje de más de mil millas desde Durbán, y teníamos que hacer a
pie las últimas trescientas o algo así debido a la presencia de la
terrible mosca tsetsé, cuya picadura es fatal para todos los animales, excepto los asnos y los hombres.

Dejamos Durbán a finales de enero, y fue en la segunda semana de mayo cuando acampamos en el kraal de Sitanda. Nuestras aventuras durante el camino fueron muchas y muy variadas,
pero, como fueron aventuras del tipo de las que acaecen a todo
cazador en Africa —con una excepción que especificaré a conti-
nuación—, no las voy a poner ahora por escrito, porque ello haría
esta historia demasiado fastidiosa.

En Inyati, el alejado puesto de comercio en el país Matabelé,
del que es rey Lobengula (un grandísimo y cruel bribonazo), nos
separamos con gran pena de nuestro confortable vagón. Sólo doce
bueyes nos quedaban del hermoso atelaje de veinte que yo había
comprado en Durbán. Habíamos perdido uno por mordedura de
cobra, tres habían muerto de «miseria» y falta de agua, uno había
muerto de hambre y los otros tres habían muerto de comer la
hierba venenosa llamada «tulipán». Otros cinco habían enferma-
do por este motivo, pero nos las compusimos para curarlos con
dosis de una infusión hecha en base a hervir hojas de tulipán. Si se
administra a tiempo, ése es un antídoto muy eficaz.

Dejamos el vagón y los bueyes bajo la inmediata responsabilidad de Goza y de Tom, nuestro conductor y nuestro guía, ambos
muchachos de fiar, encargando a un digno misionero escocés, que
vivía en ese retirado lugar, que los mantuviera bajo su vigilancia.
Luego, acompañados por Umbopa, Khiva, Ventvögel y media
docena de porteadores que alquilamos en el lugar, partimos a pie
hacia nuestra insensata búsqueda. Recuerdo que estábamos todos
un poco silenciosos con ocasión de esta partida, y creo que todos
nosotros nos preguntábamos si volveríamos a ver nunca nuestro vagón; en lo que a mí respecta, ni por un momento pensé
que sí. Durante un rato anduvimos en silencio, hasta que Umbopa,
que abría la marcha, prorrumpió en un canto zulú relativo a cómo
unos hombres valientes, fatigados de la vida y de la mansedumbre
de las cosas, partieron hacia la vasta extensión salvaje para encontrar cosas nuevas o morir, y cómo, ¡mirad y asombraos! cuando hubieron viajado muy adentro de la extensión salvaje descubrieron que no había allí nada salvaje, sino un hermoso paraje
lleno de mujeres jóvenes y de ganado gordo, de animales para
cazar y de enemigos para matar.

Entonces nos reímos todos, tomándonos la cosa como un buen
presagio. Umbopa era un alegre salvaje, en un estilo digno, cuando
no padecía uno de sus ataques de cavilación, y tenía una habilidad extraordinaria para mantenernos altos los ánimos. Estábamos
todos encantados con él.

Y ahora, la única aventura con que voy a obsequiarme a mí
mismo, ya que me gustan apasionadamente las historias de caza.

Al cabo de unas dos semanas de camino tras dejar Inyati, nos
pusimos a cruzar un pedazo de territorio boscoso y bien regado
particularmente hermoso. Los kloofs en las colinas estaban cubiertos de densos arbustos, arbustos «idoro» según la denominación
de los nativos, y, en algunos puntos, de «wachteen beche» o «espinos de espera y verás», y había grandes cantidades del bonito
árbol «machabell», cargado de su refrescante fruto amarillo de
enorme hueso. Este árbol es el alimento favorito del elefante, y
no faltaban señales de que los grandes brutos habían estado por
ahí, ya que no sólo eran frecuentes sus huellas sino que además,
en mucho sitios, los árboles habían sido rotos e incluso desarraigados. El elefante es un comedor destructivo.

Una tarde, después de un largo día de marcha, llegamos a un
paraje realmente delicioso. Había, al pie de una colina cubierta
de arbustos, el lecho seco de un río en el que, sin embargo, se en

contraban estanques de agua cristalina que estaban llenos, a su alrededor, de pisadas de animales. Frente a esta colina había un llano semejante a un parque, en el que crecían grupos de mimosas de copa chata que alternaban con *machabells* de hojas lustrosas; y alrededor de todo esto se extendía el mar silencioso de los impenetrables arbustos.

Cuando emergimos a la senda del lecho seco del río, espantamos súbitamente a un grupo de grandes jirafas, que se pusieron a galopar, o mejor dicho a navegar, con su extraña forma de correr, llevando las colas enroscadas sobre la grupa, repiqueteando sus pezuñas como castañuelas. Estaban a unas trescientas yardas de nosotros; prácticamente, pues, fuera de tiro; pero Good, que iba al frente, y que tenía en la mano un Express cargado con munición sólida, no pudo resistir la tentación. Alzó el fusil y apuntó a la última, una bestia joven. Por un azar extraordinario, la bala la alcanzó limpiamente en la base del cuello, rompiéndole la columna vertebral, y la jirafa cayó rodando patas arriba, como un conejo. Nunca había visto una cosa tan curiosa.

«¡Maldición! —dijo Good; ya que lamento tener que confesar que tenía la costumbre de emplear un lenguaje fuerte cuando estaba excitado, costumbre que, sin duda, había contraído durante su carrera naval—. ¡Maldición! La he matado.

—¡*Ou*, Bougwan! —exclamaron los cafres—; «¡*Ou, ou!*»

Llamaban a Good «Bougwan», o sea «Ojo de Vidrio», por su monóculo.

«¡Oh, "Bougwan"!» repetimos, haciendo eco, sir Henry y yo; y desde aquel día quedó asentada la reputación de Good como tirador maravilloso, por lo menos entre los cafres. A decir verdad, era un mal tirador, pero desde entonces cada vez que fallaba hacíamos la vista gorda en honor a esa jirafa.

Tras enviar a algunos de los *boys* a que cortaran lo mejor de la carne de la jirafa, pusimos manos a la obra para construir un «scherm» cerca de uno de los estanques, a unas cien yardas a su derecha. Esto se hace cortando una gran cantidad de arbustos espinosos y apilándolos en forma de vallado circular. Luego se aplana el espacio cercado, y se hace en el centro un lecho con hierba tambouki, si la hay disponible, y se enciende una hoguera, o varias.

Cuando el «scherm» estuvo terminado asomaba ya la luna, y nuestra cena de bistecs de jirafa y de chueso medular asado estaba lista. ¡Cómo disfrutamos de aquellos chuesos medulares, pese a que no era poco trabajo el masticarlos! No sé de ningún manjar de más lujo que el chueso de jirafa, como no sea el corazón de elefante, y tuvimos esto el día siguiente. Nos comimos nuestra simple cena a la luz de la luna, haciendo algunas pausas para dar a Good las gracias por su maravilloso disparo; luego nos pusimos a fumar y a contar historias, y curioso debía ser el cuadro que presentábamos, acurrucados ahí alrededor del fuego. Yo, con mis cortos cabellos grises y tiesamente erizados, y sir Henry, con sus rizos amarillos, que se estaban haciendo más bien largos, más bien hacíamos contraste, especialmente porque yo soy delgado, y bajo, y moreno, y peso tan sólo ciento treinta libras, mientras que sir Henry es alto, y ancho, y rubio, y pesa doscientas diez. Aunque tal vez el de aspecto más curioso de los tres, tomando en consideración todas las circunstancias del caso, fuese el capitán John Good, de la Marina Real. Estaba sentado allí, sobre un saco de cuero, con el preciso aspecto de haber vuelto de un tranquilo día de caza en algún país civilizado, absolutamente limpio, pulcro y bien vestido. Llevaba un conjunto de caza de *tweed* pardo, con un sombrero que hacía juego y limpias polainas. Como de costumbre, iba perfectamente afeitado, su monóculo y sus dientes postizos parecían en perfecto orden, y, en conjunto, se mostraba como el hombre más aseado con el que yo me hubiera jamás topado en la selva. Ostentaba incluso un cuello, del que tenía recambio, hecho de gutapercha blanca.

«Todo esto pesa tan poco, sabe usted —me dijo, cándidamente, cuando expresé mi asombro ante el hecho—; y me gusta resultar siempre como un caballero.» ¡Ah! Si hubiera podido prever el futuro y el ataviaje que le esperaban...

Bien, pues estuvimos los tres sentados, contando historias, bajo la hermosa luz de la luna, y viendo cómo los cafres, a unas cuantas yardas, succionaban su intoxicante «daccha» de una pipa cuya boquilla estaba hecha de cuerno de eland, hasta que uno por uno se enroscaron en sus frazadas y se pusieron a dormir junto a la hoguera. Es decir, todos excepto Umbopa, que estaba un poco apartado, con el mentón apoyado en la mano y meditando profundamente. Observé que nunca se mezclaba demasiado con los demás cafres.

Al cabo de un rato, de las profundidades de los arbustos, detrás de nosotros, nos llegó un fuerte «¡*wuf*! ¡*wuf*!*» «Es un león», dije, y todos nos pusimos en pie para escuchar. Apenas lo habíamos hecho cuando, hacia el estanque, a unas cien yardas, oímos el estridente trompeteo de un elefante. «¡*Indlovu! ¡Indlovu!*» «¡Elefante! ¡Elefante!» susurraron los cafres; y al cabo de unos pocos minutos vimos a una serie de grandes formas de sombra que se movían desde el agua hacia los arbustos.

Good dio un salto, ávido de matanza y pensando, quizá, que matar un elefante era tan fácil como lo que le había resultado matar la jirafa; pero le tomé del brazo y le hice sentarse.

«No es buena cosa —murmuré—; que se vayan.

—Según parece, estamos en un paraíso de caza. Voto para que nos detengamos aquí un día o dos y les hagamos una visita» dijo luego sir Henry.

Quedé un tanto sorprendido, ya que hasta aquel momento sir Henry había estado constantemente a favor de avanzar lo más aprisa posible, y más todavía desde que en Inyati nos enteramos de que, hacía unos dos años, un inglés llamado Neville *había* vendido allí su vagón y había seguido país arriba. Pero supongo que su instinto de cazador le venció por unos instantes.

Good saltó sobre la idea, ya que ardía en deseos de disparar a aquellos elefantes. Y yo lo mismo, a decir verdad, ya que iba en contra de mi conciencia el dejar que semejante rebaño se nos escapara sin darle una acometida.

«Perfectamente, amigos —dije—. Creo que estamos deseando un poco de diversión. Y ahora durmamos, porque debemos estar en pie al amanecer, y así tal vez les atrapemos alimentándose antes de que se vayan.»

Los demás estuvieron de acuerdo, y nos pusimos a hacer nuestros preparativos. Good se quitó la ropa, la sacudió, se puso el monóculo y la dentadura postiza en el bolsillo del pantalón, y, tras doblar cuidadosamente cada prenda, las colocó todas fuera de alcance del relente, en un rincón, debajo de su capota impermeable. Sir Henry y yo nos contentamos con arreglos más rudimentarios, y pronto estuvimos enroscados en nuestras frazadas, entrando en el dormir sin sueños que recompensa al viajero.

Adentro, adentro, aden... ¿pero qué ocurre?

Repentinamente, de la dirección del agua, llegaron violentos ruidos de pelea, y al cabo de un instante nos llenó los oídos una sucesión de espantosos rugidos. No cabía duda en cuanto a su origen: sólo un león podía armar tanto estruendo. Todos nos pusimos en pie de un salto y miramos hacia el agua, viendo en aquella dirección una masa confusa, de color amarillo y negro, que se tambaleaba y se debatía viniendo hacia nosotros. Asimos los

51

rifles, nos pusimos los veldschoens, es decir, zapatos hechos de cuero no curtido, y corrimos fuera del scherm. Por entonces, la masa había caído y se revolcaba sobre sí misma en el suelo; y cuando llegamos al sitio ya no se debatía, sino que yacía totalmente inmóvil.

Ahora vimos lo que era. Sobre la hierba yacía un antílope de arena —el más hermoso de todos los antílopes africanos— ya muerto; y, perforado por sus grandes cuernos curvos, estaba también muerto un magnífico león de crines negras. Evidentemente, lo que había ocurrido era esto: el antílope de arena había bajado a beber en el estanque, donde el león —sin duda el mismo que habíamos oído— estaba a la espera. Mientras el antílope bebía, el león le había saltado encima, pero había sido recibido por los afilados cuernos curvos, quedando ensartado. Sólo una vez antes había visto yo una cosa similar. Luego, el león, incapaz de liberarse, había dado zarpazos y mordiscos a la espalda y el cuello del antílope, el cual, enloquecido de miedo y de dolor, se había abalanzado adelante hasta caer muerto.

En cuanto hubimos examinado suficientemente las bestias, llamamos a los cafres, y entre todos nos las arreglamos para arrastrar las bestias muertas hasta el scherm. Después fuimos a acostarnos, no volviendo a despertarnos hasta el amanecer.

Con las primeras luces estuvimos en pie, preparándonos para la refriega. Cogimos los tres rifles del ocho, una buena reserva de munición y nuestras grandes cantimploras, llenas de un flojo té frío que he considerado siempre el mejor de los mejunjes para ir a cazar. Después de tragarnos un leve desayuno, partimos, viniendo con nosotros Umbopa, Khiva y Ventvögel. Dejamos a los otros cafres con instrucciones para que quitaran la piel al león y al antílope de arena, y para que descuartizaran al segundo.

No tuvimos dificultad en hallar la ancha pista de los elefantes, pista que, tras examen, Ventvögel dictaminó que había sido hecha por entre veinte y treinta elefantes, la mayoría bestias adultas. Pero el rebaño había recorrido cierto trecho durante la noche; y eran ya las nueve, y hacía ya mucho calor, cuando, en vista a los árboles rotos, las hojas y las cortezas machacadas y los excrementos humeantes, supimos que no podíamos estar lejos de ellos.

Al poco rato pudimos ver el rebaño, que contaba, como había dicho Ventvögel, entre veinte y treinta animales, en una hondonada, habiendo terminado con la comida matutina, descansando y

sacudiendo sus grandes orejas. Era una visión espléndida, ya que
estaban a tan sólo unas doscientas yardas de nosotros. Tomé un
puñado de hierba seca y la dejé caer al aire para ver cómo teníamos
el viento; ya que si por un momento los elefantes nos venteaban,
sabía que desaparecerían antes de que hubiéramos disparado ni
una sola vez. Vi que el poco viento que había soplaba de los elefantes hacia nosotros; reptamos cautelosamente, y, gracias a la
cobertura, conseguimos llegar a cuarenta yardas o algo así de
los grandes brutos. Justo frente a nosotros, y de flanco, teníamos a
tres espléndidos animales, con enormes colmillos. Susurré a los
otros que yo me quedaba con el del centro; sir Henry cubriría el
elefante de la izquierda, y Good el animal con mayores colmillos.

«¡Ahora!» susurré.

¡Bum! ¡Bum! ¡Bum! retumbaron los tres pesados rifles, y el
elefante de sir Henry cayó muerto fulminantemente, alcanzado
de lleno en el corazón. El mío cayó sobre las rodillas, y pensé
que iba a morir, pero al cabo de un instante se había alzado y corría directo hacia mí. Mientras corría le disparé el segundo cañón
a las costillas, y aquello le derribó limpiamente. Metí apresuradamente otros dos cartuchos en el rifle y corrí junto a él. Una bala
en el cerebro puso fin a la agonía del pobre bruto. Luego me volví
para ver cómo le había ido a Good con el mayor de los animales,
que había oído berreando de furia y de dolor mientras yo remata-
ba al mío. Al llegar junto al capitán le encontré en un estado de
fuerte excitación. Resultaba que, al recibir la bala, la bestia se
había girado, yendo directamente contra su atacante, que había
tenido apenas tiempo de apartarse de su camino, y luego había
seguido ciegamente su carga, siguiendo recto ante él en dirección
a nuestro campamento. Entretanto, el rebaño había huido en
estampida, en alocada alarma, en dirección opuesta.

Durante unos instantes discutimos acerca de si iríamos detrás
de la bestia herida o seguiríamos al rebaño, y finalmente nos
decidimos por la última alternativa, pensando que habíamos visto
por última vez aquellos enormes colmillos. A menudo he deseado
posteriormente que así hubiera sido. Era fácil seguir a los elefantes,
ya que habían dejado tras ellos una pista como una carretera,
aplastando en su furiosa huida los espesos arbustos como si fueran
hierba tambouki.

Pero llegar hasta ellos era otro asunto, y tuvimos que luchar
bajo el tórrido sol durante más de dos horas antes de encontrar-
los. Estaban todos juntos, con la excepción de una sola bestia,

y me di cuenta, por la forma inquieta y el modo en que alzaban las trompas para sondear el aire, que estaban en situación de alerta frente al mal. La bestia solitaria se encontraba como a cincuenta yardas a este lado del rebaño, oficiando evidentemente de centinela, y a unas sesenta yardas de nosotros. Pensando que nos vería o nos ventearía, y que probablemente los hiciera huir a todos nuevamente si tratábamos de acercarnos a él, sobre todo teniendo en cuenta que el terreno era más bien abierto, apuntamos todos a aquella bestia, y cuando yo di la señal en un susurro hicimos fuego. Los tres disparos fueron efectivos, y cayó muerto. De nuevo huyó el rebaño, mas, para desgracia suya, unas cien yardas más allá había una nullah, o curso de agua desecado, con orillas escarpadas, un sitio muy parecido a aquel en que resultó muerto, en Zululand, el príncipe imperial. Los elefantes se metieron en aquel sitio, y cuando llegamos a la orilla los encontramos debatiéndose en salvaje confusión para alcanzar la otra orilla, llenando el aire con sus berridos y trompeteando mientras se empujaban unos a otros en su pánico egoísta, igual que si fueran seres humanos. Era nuestra oportunidad, y, disparando tan aprisa como podíamos cargar, matamos a cinco de las pobres bestias, y, sin duda, hubiéramos acabado con todo el rebaño si no hubieran abandonado súbitamente sus intentos de encaramarse a la otra orilla, precipitándose tumultuosamente nullah abajo. Estábamos demasiado cansados para seguirlos, y quizá también un poco mareados por la matanza; ocho elefantes eran una excelente caza para un solo día.

Así pues, después de descansar un poco y de que los cafres hubieran cortado para la cena los corazones de dos de los elefantes, iniciamos el regreso, muy complacidos del trabajo de nuestra jornada, tras tomar la decisión de enviar a los porteadores, al día siguiente, a que arrancaran los colmillos.

Poco después de volver a pasar por el punto en que Good había herido a la patriarcal bestia nos cruzamos con un rebaño de elands, pero no les disparamos, porque ya teníamos abundancia de comida. Trotaron por detrás de nosotros, y luego se detuvieron junto a un pequeño grupo de arbustos, a unas cien yardas de distancia, volviéndose para mirarnos. Como Good estaba deseoso de verlos de más cerca, ya que nunca había visto de cerca a un eland, entregó su rifle a Umbopa y, seguido por Khiva, caminó hacia el grupo de arbustos. Nos sentamos para esperarle, nada disgustados por la excusa para descansar un poco.

El sol estaba cayendo en el punto más rojo de su esplendor, y sir Henry y yo estábamos admirando la encantadora escena cuando oímos el trompeteo de un elefante y vimos su enorme forma que se precipitaba adelante, con la trompa y la cola alzadas, recortándose en silueta contra el gran globo ígneo del sol. Al segundo siguiente vimos algo más, y fue a Good y a Khiva abalanzándose hacia nosotros con la bestia herida —ya que ella era— cargando contra ellos. Por un instante no nos atrevimos a disparar —aunque a esa distancia de poco hubiera servido que lo hiciéramos— por miedo a herir a alguno de ellos. Al instante siguiente ocurrió una cosa horrible: Good cayó, víctima de su pasión por las vestimentas civilizadas. Si hubiera accedido a dejar de lado sus pantalones y sus polainas, como los demás, y a cazar con camisa de franela y un par de veldschoens, todo hubiera ido bien. Pero lo cierto es que sus pantalones le estorbaron en aquella carrera desesperada, y ahora, cuando estaba a unas sesenta yardas de nosotros, sus botas, pulidas por la hierba seca, resbalaron, y cayó de bruces frente al elefante.

El corazón nos saltó a la garganta, porque sabíamos que iba a morir, y corrimos todo lo aprisa que pudimos hacia él. En tres segundos terminó todo, pero no como habíamos supuesto. Khiva, el *boy* zulú, vio caer a su jefe, y, como muchacho valiente que era, se volvió y arrojó su azagaya directamente a la cara del elefante. Le dio en la trompa.

Con un berrido de dolor, el bruto asió al pobre zulú, lo tiró contra el suelo, y, poniendo una de sus enormes pezuñas en mitad de su cuerpo, enroscó la trompa en la parte superior y *le partió en dos.*

Nos abalanzamos hacia adelante, enloquecidos de horror, y disparamos una y otra vez, hasta que al cabo de un momento el elefante cayó sobre los fragmentos del zulú.

En cuanto a Good, se puso en pie y se retorció las manos ante el hombre valeroso que había dado su vida para salvarle, y, aunque soy perro viejo, sentí un nudo en la garganta. Umbopa contemplaba al gran elefante muerto y los despojos mutilados del pobre Khiva.

«¡Ah, bueno! —dijo, al cabo de un instante—. ¡Ha muerto, pero ha muerto como un hombre!»

5

NUESTRA MARCHA EN EL DESIERTO

Habíamos matado a nueve elefantes, y nos llevó dos días el arrancar los colmillos y, tras llevarlos al campamento, enterrarlos cuidadosamente en la arena, debajo de un gran árbol que constituía una señal clarísima en varias millas a la redonda. Era un lote de marfil realmente maravilloso. Nunca había visto otro mejor, ya que el promedio estaba entre cuarenta y cincuenta libras por colmillo. Los colmillos de la gran bestia que había matado al pobre Khiva daban un peso de ciento sesenta libras los dos juntos, según nuestras estimaciones.

En cuanto a Khiva, enterramos lo que quedaba de él en una madriguera de oso hormiguero, junto con una azagaya para protegerse durante su viaje a un mundo mejor. Al tercer día estuvimos de nuevo en marcha, con la esperanza de vivir lo suficiente para volver y desenterrar nuestro marfil; y a su debido tiempo, tras una caminata larga y agotadora, y tras muchas aventuras que no tengo espacio para detallar, alcanzamos el kraal de Sitanda, cerca del río Lukanga, el auténtico punto de partida de nuestra expedición. Recuerdo perfectamente nuestra llegada al lugar. A la derecha había un disperso poblado nativo, con unos pocos kraals de ganado y algunas tierras cultivadas junto al agua, de las que aquellos salvajes obtenían sus magras provisiones de grano, y más allá se extendían grandes superficies de ondulantes «velds» cubiertos de altas hierbas, en los que errabundeaban rebaños de pequeñas piezas de caza. A la izquierda estaba el vasto desierto. Este lugar parecía ser el puesto avanzado de las tierras fértiles, y sería difícil explicar las causas naturales a las que se debe un cambio tan abrupto en el carácter de la tierra. Pero así es.

Justo debajo de nuestro campamento fluía un pequeño arroyo, en cuya orilla opuesta hay una pendiente rocosa, la misma en la que vi, veinte años antes, reptar al pobre Silvestre después de su intento de alcanzar las minas de Salomón. Al otro lado de esta cuesta empieza el desierto sin agua, cubierto por una variedad del arbusto karoo.

Caía la tarde cuando plantamos nuestro campamento, y la bola roja del sol se sumergía en el desierto, enviando sobre su vasta extensión la ondulación de sus espléndidos rayos multicolores. Dejé a Good vigilando la instalación de nuestro pequeño campamento, y, haciendo que sir Henry me acompañara, caminé hasta la cima de la cuesta que teníamos enfrente, desde donde contemplamos la desolada extensión de arena. El aire era muy limpio, y lejos, muy lejos, pude distinguir la tenue silueta azul del Berg de Suliman, rematado de blanco aquí y allí.

«Allá —dije—, allá está la muralla que rodea las minas de Salomón; pero Dios sabe si nunca la escalaremos.

—Mi hermano tiene que estar allí, y, si allí está, llegaré hasta él de algún modo», dijo sir Henry, con aquel tono de tranquila confianza que le distinguía.

«Así lo espero», respondí; y me volví para regresar al campamento, viendo entonces que no estábamos solos. Detrás de nosotros, mirando también ansiosamente hacia las lejanas montañas, estaba el gran cafre Umbopa.

El zulú habló cuando vio que yo le observaba, dirigiéndose a sir Henry, al que se había agregado por su cuenta.

«¿Es ésa la tierra a la que viajas, Incubu?» (una palabra nativa que significa elefante, y el nombre zulú dado a sir Henry por los cafres) dijo, señalando las montañas con su gran azagaya.

Le pregunté cortantemente qué significaba dirigirse a su jefe de este modo tan familiar. Está bien que los nativos le pongan a uno un nombre para usar entre ellos, pero no es decoroso que llamen a un hombre blanco por su apodo bárbaro en pleno rostro. El zulú tuvo una tranquila risa silenciosa que me irritó.

«¿Cómo sabes que no soy el igual del inkosi al que sirvo? —preguntó—. El es de una casa real, no hay duda; esto puede verse por su tamaño y su porte; pero puede que yo también lo sea. Por lo menos, soy un hombre igual de alto que él. Sé mi boca, oh Macumazahn, y di mis palabras al inkoos Incubu, mi jefe, porque quiero hablaros, a él y a ti.»

Yo estaba enfurecido contra el hombre, porque no estoy habituado a que los cafres se dirijan a mí de este modo; pero había algo que me impresionaba. Además, tenía curiosidad por saber qué tenía que decir. De modo que traduje, expresando al mismo tiempo mi opinión de que era un tipo insolente y que sus baladronadas eran insultantes.

«Sí, Umbopa —respondió sir Henry—, quiero viajar allí.

—El desierto es ancho, y no hay agua en él; las montañas son altas y están cubiertas de nieve, y el hombre no puede decir lo que hay al otro lado de ellas, en el lado del sitio donde el sol se pone; ¿cómo llegarás allá, Incubu, y por qué vas allá?»

Traduje nuevamente.

«Dígale —respondió sir Henry— que voy allá porque creo que un hombre de mi sangre, mi hermano, fue antes que yo, y que viajo para buscarle.

—Así es, Incubu; un hotentote que me encontré en el camino me dijo que un hombre blanco se fue al desierto hace dos años, hacia esas montañas, con un sirviente, un cazador. Nunca volvieron.

—¿Cómo sabes que era mi hermano? —preguntó sir Henry.

—No, no lo sé. Pero el hotentote, cuando le pregunté qué aspecto tenía el hombre blanco, me dijo que tenía tus mismos ojos y una barba negra. Dijo también que el nombre del cazador que iba con él era Jim; que era un cazador bechuana y que llevaba un traje.

—No hay duda en cuanto a esto —dije yo—; conocí bien a Jim.»

Sir Henry asintió con la cabeza.

«Estaba seguro —dijo—. Si George se metía algo en la cabeza, generalmente lo hacía. Siempre fue así, desde que era niño. Si se propuso cruzar el Berg de Suliman, lo cruzó sin duda, a menos que le ocurriera algún accidente; y debemos buscarle al otro lado.»

Umbopa entendía el inglés, aunque raramente lo hablaba.

«Es un largo viaje, Incubu», observó; y yo traduje su observación.

«Sí respondió sir Henry—, es largo. Pero no hay viaje en esta tierra que un hombre no pueda hacer si pone su corazón en ello. No hay nada, Umbopa, que no pueda hacer. No hay montañas que no pueda escalar, no hay desiertos que no pueda atravesar, salvo una montaña y un desierto que no se conocen, si el amor le conduce y si mantiene su vida en sus manos como si no fuera nada y está dispuesto a conservarla o a perderla según lo que ordene el Cielo, allá arriba.»

Traduje.

«Son palabras grandes, padre —respondió el zulú (siempre le llamé zulú, aunque realmente no lo era)—; grandes palabras, hinchadas y capaces de llenarle la boca a un hombre. Tienes razón, padre Incubu. ¡Escucha! ¿Qué es la vida? Es una pluma, es la semilla de la hierba, llevada por el viento aquí y allí, que. a veces se multiplica a sí misma y muere al hacerlo, y que a veces es llevada fuera de aquí a los cielos. Pero si esta semilla es buena y pesada, puede que viaje un poco por el camino que elige. Es bueno esforzarse y viajar por el camino propio en lucha contra el viento. El hombre ha de morir. En el peor de los casos, puede morir un poco demasiado pronto. Iré contigo a través del desierto y por encima de las montañas, a menos que caiga a tierra durante el camino, padre.»

Hizo una corta pausa, y luego prosiguió en uno de esos extraños estallidos de elocuencia retórica que se permiten a veces los zulúes y que, en mi opinión, aunque están llenos de repeticiones inútiles, demuestran que esa raza no está en absoluto desprovista de instinto poético ni de fuerza intelectual.

«¿Qué es la vida? Decidme, ¡oh, hombres blancos! vosotros que sois sabios, y que conocéis los secretos del mundo, y del mundo de las estrellas, y del mundo que se halla encima y alrededor de las estrellas; que lanzáis como relámpagos vuestras palabras desde lejos sin que suene la voz; decidme, hombres blancos, el secreto de nuestra vida... ¡adónde va y de dónde viene!

»No podéis contestarme; no lo sabéis. Escuchad, yo contestaré. De las tinieblas venimos, a las tinieblas vamos. Como un pájaro arrastrado por la tormenta, venimos volando de la Nada; por un momento, nuestras alas se ven a la luz del fuego, y ¡mirad! de nuevo hemos regresado a la Nada. La vida no es nada. La vida lo es todo. Es la Mano con que mantenemos apartada la Muerte. Es el gusano de luz que brilla en la noche y es negro en la mañana; es el blanco aliento de los bueyes en invierno; es la pequeña sombra que corre por la hierba y que se pierde al ponerse el sol.

—Eres un hombre extraño», dijo sir Henry, cuando hubo terminado.

Umbopa se rió. «Me parece que nos parecemos mucho, Incubu. Puede que *yo* esté buscando a un hermano más allá de las montañas.»

Le miré con suspicacia.

«¿Qué quieres decir? —le pregunté—. ¿Qué sabes de esas montañas?

—Poco; muy poco. Hay más allá una extraña tierra, una tierra de hechicería y de cosas hermosas; una tierra de hombres valientes, y de árboles, y de arroyos, y de picos nevados, y con una gran ruta blanca. He oído hablar de todo eso. Pero ¿de qué sirve hablar? Oscurece. Los que vivan para ver, verán.»

Volví a mirarle, dudoso. Aquel hombre sabía demasiado.

«No debes tener miedo de mí, Macumazahn —dijo, interpretando mis miradas—. No abro hoyos para que caigas en ellos. No conspiro. Si alguna vez cruzamos esas montañas junto al sol, te diré lo que sé. Pero la Muerte está sentada en ellas. Sed prudentes y dad media vuelta. Id a cazar elefantes, jefes míos. He hablado.»

Y sin añadir ninguna otra palabra alzó su lanza a modo de saludo, y se dirigió al campamento, donde poco después le encontramos limpiando un fusil, igual que los demás cafres.

«Es un hombre extraño —dijo sir Henry.

—Sí —respondí—, demasiado extraño. No me gusta su forma de actuar. Sabe algo, y no lo dice. Pero supongo que no sirve de nada discutir con él. Estamos metidos en una curiosa expedición, y un zulú misterioso no puede representar una gran diferencia en ningún sentido.»

Al día siguiente hicimos nuestros preparativos para partir. Era imposible, naturalmente, llevarnos nuestros pesados rifles para elefantes, así como otros avíos, a través del desierto; de modo que licenciamos a nuestros porteadores y llegamos a un arreglo con un viejo nativo, que tenía un kraal cercano, para que cuidara de ellos hasta nuestra vuelta. Me dolía el corazón al dejar unas cosas como esas maravillosas herramientas bajo los tiernos cuidados de un viejo salvaje ladrón cuyos ojos codiciosos, según pude ver, se deleitaban mirándolas. Pero tomé ciertas precauciones.

Ante todo cargué todos los rifles y los dejé con el martillo levantado, informándole de que si los tocaba se dispararían. Hizo instantáneamente la prueba con mi rifle del ocho, y se disparó, abriendo un agujero de lado a lado a uno de sus bueyes que estaba siendo conducido en aquel momento hacia el kraal, por no mencionar el que él mismo, con el retroceso, cayó patas arriba. Se puso en pie con un susto considerable, y, nada satisfecho por la pérdida de su buey, tuvo la impudicia de pedirme que lo pagara. Despues de esto, nada iba a inducirle a volver a tocar los rifles.

«Pon los diablos vivos fuera del paso, ahí, en el tejado —dijo—, o nos matarán a todos.»

Luego le dije que si al volver faltaba una sola de esas cosas, le mataría, y mataría a todo su pueblo, por medio de hechicería; y que si moríamos y trataba de robar los rifles, yo vendría a atormentarle y a enloquecer a su ganado y a agriar su leche, hasta que su vida fuera un tormento, y que haría que los diablos que estaban en los rifles saltaran y le hablaran de un modo que no iba a gustarle; y, en términos generales, le di una adecuada noción del juicio final. Después de esto, prometió vigilarlos como si se tratara del espíritu de su padre. Era un viejo cafre muy supersticioso, y un grandísimo bribón.

Habiendo arreglado de este modo la parte superflua de nuestro equipaje, preparamos el equipo que nosotros cinco —sir Henry, Good, yo, Umbopa y el hotentote Ventvögel— íbamos a llevarnos en nuestro viaje. Lo redujimos a un mínimo, pero aunque hicimos todo lo posible no conseguimos que su peso bajara de cuarenta libras por hombre. Nuestro equipo consistía en:

Tres rifles Express, con doscientos cartuchos.

Los dos rifles de repetición Winchester (para Umbopa y Ventvögel), con doscientos cartuchos.

Tres revólveres Colt con sesenta cartuchos.

Seis cantimploras Cochrane, cada una con una capacidad de cuatro pintas.

Cinco frazadas.

Veinticinco libras de biltong, es decir, carne de caza secada al sol.

Diez libras de un surtido de los mejores abalorios para regalos.

Una selección de medicamentos, incluyendo una onza de quinina, y uno o dos pequeños instrumentos quirúrgicos.

Nuestros cuchillos, y unos cuantos objetos varios, como una brújula, cerillas, un filtro de bolsillo, tabaco, una toalla, una botella de coñac, y la ropa que llevábamos puesta.

Esta era la totalidad de nuestro equipo, poca cosa, realmente, para semejante aventura; pero no nos atrevimos a intentar llevarnos nada más. A decir verdad, el peso por hombre era mucho para cruzar con él el ardiente desierto, ya que en tales sitios cuenta cada onza adicional. Pero no podíamos ver el modo de reducir la carga. No nos llevábamos nada que no fuera absolutamente necesario.

Con grandes dificultades, y mediante la promesa de regalarles un buen cuchillo de caza a cada uno, logré persuadir a tres infelices nativos del lugar para que vinieran con nosotros en una primera etapa de veinte millas, llevando grandes calabazas conteniendo cada una un galón de agua. Mi idea consistía en poder rellenar nuestras cantimploras después de la primera noche de marcha, ya que decidimos partir al amparo del frío de la noche. Expliqué a aquellos nativos que íbamos a cazar avestruces, que abundaban en aquel desierto. Farfullaron algo y se encogieron de hombros, diciendo que estábamos locos y que moriríamos de sed, cosa que, debo confesarlo, parecía probable. Sin embargo, con el deseo de conseguir los cuchillos, que en aquella zona eran tesoros prácticamente desconocidos, consintieron en venir, habiéndose hecho probablemente la reflexión de que, después de todo, nuestra subsiguiente extinción no era asunto suyo.

Durante todo el día siguiente descansamos y dormimos, y, a la caída del sol, ingerimos una reconfortante comida en base a buey fresco rociado con té, el último, según observó Good tristemente, que beberíamos probablemente durante largo tiempo. Luego, tras hacer nuestros preparativos finales, nos recostamos y esperamos a que apareciera la luna. Finalmente, hacia las nueve, se levantó la luna en toda su gloria, inundando de luz el país salvaje y arrojando un esplendor plateado sobre la extensión ondulada del desierto ante nosotros, que se nos mostraba tan tranquilo y tan ajeno al hombre como, encima de nosotros, el firmamento tachonado de estrellas. Nos pusimos en pie, y a los pocos minutos estábamos dispuestos; y, sin embargo, titubeamos un poco, ya que la naturaleza humana es dada a titubear en el umbral de un paso irreversible. Los tres hombres blancos estábamos juntos; Umbopa, con su azagaya en la mano y un rifle cruzado sobre la espalda, miraba fijamente, desierto a través, unos pasos por delante de nosotros; y los nativos contratados, con las calabazas con agua, junto con Ventvögel, estaban reunidos detrás en un pequeño grupo.

«Caballeros —dijo sir Henry al cabo de unos momentos, con su voz profunda—, vamos a emprender el viaje más extraño que los hombres puedan hacer en este mundo. Caben toda clase de dudas en cuanto a si tendremos éxito. Pero somos tres hombres que nos mantendremos unidos, para bien o para mal, hasta el fin. Ahora, antes de partir, recemos un momento al Poder que da forma a los destinos de los hombres y que desde el comienzo de los tiempos ha señalado nuestros caminos, para que acceda a dirigir nuestros pasos de acuerdo con Su voluntad.»

Se quitó el sombrero, y por espacio de algo así como un minuto ocultó el rostro entre las manos; Good y yo hicimos lo mismo.

No diré que yo sea hombre de muchas plegarias; pocos cazadores lo son; en lo que se refiere a sir Henry, nunca le había oído hablar de ese modo antes, y sólo una vez posteriormente, aunque pienso que, en el fondo de su corazón, es hombre muy religioso. Sea como sea, no recuerdo, salvo en una, no, en dos ocasiones, haber elevado en toda mi vida una mejor plegaria que la que elevé durante aquel minuto; y de algún modo me sentí mejor con ello. Nuestro futuro nos era completamente desconocido, y pienso que lo desconocido y lo terrible acercan siempre al hombre a su Hacedor.

«Y ahora —dijo sir Henry— ¡en ruta!»

De este modo nos pusimos en camino.

No teníamos nada para guiarnos aparte de las montañas distantes y el mapa del viejo José da Silvestra, mapa que, teniendo en cuenta que había sido trazado por un hombre moribundo y medio enloquecido sobre un jirón de tela hacía tres siglos, no era una clase de cosa demasiado satisfactoria para actuar en base a ella. Sin embargo, nuestra única esperanza de éxito dependía de aquel mapa, tal cual era. Si no lográbamos encontrar aquel charco de agua sucia que según señalaba el viejo *don* se encontraba en mitad del desierto, a unas sesenta millas de nuestro punto de partida, y a la misma distancia de las montañas, teníamos todas las probabilidades de morir miserablemente de sed. Pero en mi opinión las posibilidades de que encontráramos aquello en medio del enorme mar de arena y de arbustos karoo eran casi infinitesimales. Aun suponiendo que da Silvestra hubiera señalado correctamente el charco, ¿qué podía haber impedido que el sol lo hubiera secado desde hacía generaciones, o estuviera cegado por las pisadas de los animales, o rellenado de arena llevada por el viento?

Caminamos en silencio, como sombras, a través de la noche, en la pesada arena. Los arbustos karoo se nos enredaban en los pies y nos retrasaban, y la arena se nos metía en los veldschoens y en las botas de caza de Good, de modo que cada pocas millas teníamos que detenernos y vaciarlos. Sin embargo, la noche era francamente fría, pese a que la atmósfera era espesa y pesada y daba al aire una especie de consistencia cremosa, y pudimos avanzar mucho. Había un gran silencio y una gran soledad en el desierto, hasta un grado incluso opresivo. Good lo percibió, y se puso a silbar «La chica que dejo atrás»; pero las notas sonaban lúgubres en aquel vasto lugar, y renunció a seguir.

Pero después tuvo lugar un pequeño incidente que, si bien por el momento nos asustó, dio pie a la risa. Good iba delante, ya que llevaba la brújula que, siendo un marino, conocía, claro está, perfectamente, y los demás nos afanábamos en fila india detrás suyo; de repente, oímos una exclamación medio ahogada, y Good se esfumó. Al instante siguiente se levantó a nuestro alrededor un extraordinario alboroto: resoplidos, gruñidos y desenfrenados ruidos de pies a la carrera. Bajo la débil luz, pudimos también columbrar formas confusas al galope, medio ocultas por espirales de arena. Los nativos arrojaron al suelo los fardos y se dispusieron a fugarse; pero luego, recordando que no había nada de qué huir, se tumbaron, aullando no sé qué relativo a fantasmas. En cuanto a sir Henry y a mí, nos quedamos estupefactos, y no disminuyó nuestra estupefacción cuando apercibimos la silueta de Good lanzada a toda carrera en dirección a las montañas, a lomos, según parecía, de un caballo, y gritando salvajemente. Al cabo de un instante, alzó las manos, y le oímos dar con el cuerpo en la arena.

Entonces supimos lo que había sucedido: habíamos tropezado con un rebaño de antílopes quagga dormidos, y Good había caído por las buenas sobre uno de ellos, ante lo cual el animal, naturalmente, se alzó y huyó con él encima. Grité a los demás que todo iba bien y corrí hacia Good, con mucho miedo de que hubiera resultado herido; pero, para mi tranquilidad, le encontré sentado en la arena, con el monóculo todavía firmemente fijo en el ojo, un tanto zarandeado y muy asustado, pero de ningún modo herido.

Después de esto, viajamos sin nuevas desventuras hasta más o menos la una; entonces dimos la señal de alto, y, tras beber un poco de agua, no mucha, ya que el agua era preciosa, y descansar durante media hora, nos pusimos de nuevo en camino.

Y seguimos adelante, hasta que por fin el oriente empezó a sonrojarse como las mejillas de una joven. Luego aparecieron débiles rayos amarillo verdoso que al poco rato se convirtieron en barras de oro que expandieron el alba a través del desierto. Las estrellas fueron haciéndose cada vez más pálidas, y finalmente se desvanecieron; la luna dorada empalideció, y sus cordilleras se recortaron en su rostro lánguido como los huesos en las mejillas de un moribundo. Luego cayeron una tras otra las lanzadas de la luz que se proyectaban a lo lejos, a través de la ilimitada extensión salvaje, atravesando e incendiando los velos de bruma, hasta que el desierto quedó envuelto en una trémula resplandescencia dorada: era el día.

No nos detuvimos, sin embargo, aun cuando por entonces nos hubiera encantado hacerlo, porque sabíamos que una vez el sol estuviera en pleno cielo nos resultaría prácticamente imposible viajar. Finalmente, al cabo de una hora, más o menos, observamos un pequeño amontonamiento de piedras que sobresalía en la llanura, y hasta allí caminamos fatigosamente. Tuvimos la suerte de encontrarnos allí con una laja de roca que sobresalía, y debajo de ella había una alfombra de arena suave, lo cual constituía un agradable refugio contra el calor. Ahí debajo reptamos, y, después de que cada uno de nosotros hubo bebido un poco de agua y comido un trocito de biltong, nos acostamos, quedando pronto dormidos.

Eran las tres de la tarde cuando nos despertamos, encontrándonos con que nuestros porteadores se disponían a regresar. Ya habían visto el desierto lo suficiente, y no había cuchillos suficientes en la tierra para tentarles a dar un solo paso más. De modo que echamos con toda el alma un largo trago, y, después de vaciar las cantimploras, las volvimos a llenar con el agua de las calabazas que habían traído. Luego les vimos partir en su viaje de veinte millas hacia casa.

A las cuatro y cuarto nos pusimos nuevamente en marcha. Era una tarea solitaria y desolada, ya que, con la excepción de unos pocos avestruces, no había ni una sola criatura viviente que pudiera verse en toda la vasta extensión de llanuras arenosas. Había evidentemente demasiada sequedad para los animales de caza, y, con la excepción de una o dos cobras de aspecto mortífero, no vimos reptiles. Encontramos, sin embargo, un insecto en abundancia: la mosca común o doméstica. Caían sobre nosotros «no como un simple espía, sino en batallones», como creo que dice el Viejo Testamento (1) en alguna parte. La mosca doméstica es un insec-

_____

(1) Los lectores deben recelar antes de aceptar las referencias del señor Quatermain como cuidadosas, como, según se sabe, son algunas de ellas. Aunque sus lecturas son evidentemente limitadas, la impresión producida por ellas en su mente es mezclada. De este modo, el Viejo Testamento y Shakespeare son para él autoridades intercambiables. (*Editor.*)

to realmente extraordinario. Vaya uno adonde vaya, allí se la encuentra, y así debe de haber sido siempre. La he visto envuelta en ámbar, que tiene, según me han dicho, ni más ni menos que medio millón de años, y tenía exactamente el mismo aspecto que sus descendientes actuales; y no tengo grandes dudas en cuanto a que el último hombre, cuando yazca en tierra moribundo, la tendrá zumbando a su alrededor —siempre y cuando ese acontecimiento tenga lugar en verano—, a la espera de la oportunidad de posársele en la nariz.

Nos detuvimos a la puesta del sol, y esperamos a que saliera la luna. Por fin apareció, hermosa y serena como siempre, y, con un alto hacia las dos de la madrugada, caminamos fatigosamente durante toda la noche, hasta que, finalmente, el bienvenido sol puso tregua a nuestras fatigas. Bebimos un poco y nos dejamos caer en la arena, absolutamente derrengados, quedando dormidos en seguida. No había necesidad de montar guardia, ya que nada teníamos que temer de nadie ni de nada en aquella vasta llanura inhabitada. Nuestros únicos enemigos eran el calor, la sed y las moscas, pero yo hubiera preferido, y con mucho, haberme enfrentado a cualquier peligro procedente de bestias o de hombres antes que a esa espantosa trinidad. Esta vez no tuvimos la suerte de encontrar ninguna roca protectora para refugiarnos del ardor del sol, y resultado de ello fue que, hacia las siete, nos despertamos experimentando exactamente las sensaciones que uno le atribuiría a un bistec en unas parrillas. Literalmente, estábamos siendo cocidos de pies a cabeza. Parecía como si el ardiente sol nos estuviera chupando la sangre fuera del cuerpo. Nos sentamos, boqueando.

«¡Puah!» exclamé, dando un manotazo al halo de moscas que zumbaba alegremente alrededor de mi cabeza. El calor no las afectaba, *a ellas*.

«¡Caramba!» exclamó sir Henry.

«¡Hace un calor endiablado!» dijo Good, haciéndole eco.

Hacía calor, desde luego, y no podía encontrarse ningún refugio. Miráramos donde miráramos, no había ni rocas ni árboles: no había nada más que el inacabable brillo que se hacía deslumbrador en el aire recalentado que danzaba en la superficie del desierto como lo hace sobre un hornillo.

«¿Qué vamos a hacer? —preguntó sir Henry—. No podemos quedarnos así mucho tiempo.»

Nos miramos unos a otros, desconcertados.

«Ya lo tengo —dijo Good—: debemos cavar un hoyo, meternos en él y cubrirnos con arbustos karoo.»

No parecía una sugerencia demasiado prometedora, pero al menos era mejor que nada; de modo que pusimos manos a la obra, y, con la toalla que habíamos traído con nosotros y la ayuda de nuestras manos, en cosa de una hora pudimos apañarnos un hoyo en el suelo de unos diez pies de ancho por doce de largo, con una profundidad de dos pies. Luego cortamos una gran cantidad de matorrales bajos y, tras reptar dentro del hoyo, los extendimos encima de todos nosotros, a excepción de Ventvögel, sobre el cual, siendo un hotentote, el calor no producía ningún efecto especial. Aquello nos dio un ligero alivio frente a los ardientes rayos del sol, pero la atmósfera dentro de aquella tumba *amateur* puede más fácilmente imaginarse que describirse. El Hoyo Negro de Calcuta era sin duda una broma al lado de aquello; a decir verdad, ni siquiera ahora me explico cómo pudimos sobrevivir a todo aquel día. Allí yacimos, palpitantes, y una y otra vez nos humedecíamos los labios con nuestra escasa reserva de agua. Si hubiéramos seguido nuestros impulsos, hubiéramos terminado con toda la que poseíamos durante las primeras dos horas, pero nos veíamos obligados a tener el máximo de cuidado, ya que sabíamos que si llegaba a faltarnos el agua no tardaríamos en perecer miserablemente.

Pero todo tiene un fin, si es que uno vive lo bastante para verlo, y de una forma u otra aquel día miserable fue consumiéndose hasta el anochecer. Hacia las tres de la tarde decidimos que no podíamos seguir soportando aquello. Sería mejor morir andando que vernos asesinados lentamente por el calor y la sed en aquel horrendo pozo. De modo que, tras tomar cada uno un pequeño trago de nuestras reservas, que disminuían aceleradamente, de un agua que ahora estaba calentada a más o menos la misma temperatura que la sangre humana, nos pusimos a avanzar, tambaleantes.

Habíamos cubierto ahora unas cincuenta millas de territorio salvaje. Si el lector se remite a la burda copia y a la traducción del mapa del viejo da Silvestra, verá que según allí se indica el desierto tiene unas cuarenta leguas de ancho, y que el «charco de agua sucia» está indicado más o menos hacia la mitad. Ahora bien, cuarenta leguas son ciento veinte millas, y, en consecuencia, debíamos estar, como mucho, a doce o quince millas del agua, si es que realmente existía.

Durante la tarde, reptamos lenta y penosamente hacia delante, cubriendo poco más de milla y media por hora. A la caída del sol volvimos a descansar, esperando la luna, y, después de beber un poco, nos dispusimos a dormir.

Antes de que nos tumbáramos, Umbopa nos señaló una pequeña e indistinta loma en una depresión de superficie llana, a unas ocho millas. A esa distancia parecía un hormiguero, y, como no me venía el sueño, me puse a preguntarme qué podía ser.

Con la luna, caminamos de nuevo, sintiéndonos atrozmente fatigados y sufriendo las torturas de la sed y del hiriente calor. Nadie que no haya experimentado lo mismo puede saber todo lo que pasamos. Ya no andábamos: nos tambaleábamos, nos caíamos de agotamiento una y otra vez, y teníamos que hacer un alto cada hora, o cosa así. Apenas nos quedaban energías para hablar. Hasta entonces, Good había charlado y bromeado, ya que es un tipo divertido; pero ahora ya no tenía dentro ni un solo chiste.

Finalmente, hacia las dos, cansados hasta el límite de cuerpo y de espíritu, llegamos al pie del curioso promontorio, o *koppie* de arena, que a primera vista se parecía a un hormiguero gigante, de unos cien pies de altura, cubriendo en su base cerca de dos acres de terreno.

Allí nos detuvimos, y, llevados de nuestra sed desesperada, sorbimos nuestras últimas gotas de agua. Teníamos tan sólo media pinta por cabeza, y cada uno de nosotros se hubiera bebido un galón.

Luego nos tendimos. Justo cuando me estaba quedando dormido, oí a Umbopa observar para sí, en zulú:

«Si no podemos encontrar agua, estaremos todos muertos antes de que el sol salga mañana.»

Me estremecí, pese al calor. La perspectiva cercana de una muerte tan espantosa no es agradable, pero ni siquiera el pensar en ella me impidió dormir.

6

¡AGUA! ¡AGUA!

Dos horas más tarde, o sea, hacia las cuatro, me desperté, ya que, en cuanto hubo quedado satisfecha la primera y pesada exigencia de la fatiga corporal, hizo valer sus derechos la torturante sed que sufría. No podía seguir durmiendo. Había soñado que me bañaba en una corriente de agua entre orillas verdes con árboles, y me desperté para verme en aquella árida extensión salvaje y para recordar, como había dicho Umbopa, que si no encontrábamos agua moriríamos miserablemente aquel mismo día. Ninguna criatura humana puede durar mucho bajo un calor semejante. Me senté y me froté la mugrienta cara con mis manos secas y callosas, ya que tenía pegados los labios y los párpados; y fue sólo después de restregar un rato, y realizando un esfuerzo, cuando pude abrirlos. No faltaba mucho para que amaneciera, pero no había nada de la brillante sensación del amanecer en la atmósfera, que estaba espesada en una cálida lobreguez que soy incapaz de describir. Los demás seguían durmiendo.

Al cabo de poco empezó a haber luz suficiente para leer, de modo que me saqué de un pequeño bolsillo un ejemplar de las «Leyendas de Ingoldsby» que me había traído, y leí «El grajo de Rheims». Cuando llegué al punto en que

> «Un lindo muchachito asió un jarro de oro,
> repujado y repleto del agua más pura
> que haya fluido entre Rheims y Namur»,

chupé, literalmente, mis labios agrietados, o, mejor dicho, traté de chuparlos. El mero pensamiento de aquel agua pura me enloquecía. Si hubiera estado allí el cardenal, con su campana, su libro y su cirio, le hubiera dado una paliza y me hubiera bebido su agua; sí, aunque él ya hubiera llenado aquello con espuma de jabón «digna de lavar las manos del papa», y yo supiera que todas las maldiciones concentradas de la Iglesia Católica caerían sobre mí por hacer aquello. Casi pienso que debía tener la cabeza un poco fuera de su sitio por culpa de la sed, la fatiga y la carencia de alimento; ya que me puse a imaginar lo atónitos que se hubieran quedado el cardenal y el lindo muchachito y el grajo si hubieran visto de repente a un cazador de elefantes bajito, quemado por el sol, de ojos grises y cabellos erizados, saltar entre ellos, hundir su cara mugrienta en el lebrillo y engullir hasta la última gota de la preciosa agua. Esta idea me divirtió tanto que me puse a reír, o más bien a cloquear, ruidosamente, cosa que despertó a los demás; y empezaron a restregarse por su cuenta *sus* caras mugrientas y a tirar de *sus* labios y párpados engomados.

En cuanto estuvimos todos bien despiertos, empezamos a discutir la situación, que era bastante seria. No quedaba ni una gota de agua. Volvimos de todos lados las botellas, y lamimos sus cuellos, pero sin el menor éxito; estaban secas como huesos. Good, que tenía a su cargo el frasco de brandy, lo sacó y lo contempló melancólicamente; pero sir Henry se lo quitó en seguida, ya que si bebíamos licor puro no haríamos con ello otra cosa que precipitar el fin.

«Si no encontramos agua moriremos —dijo.

—Si hemos de confiar en el mapa del viejo *don,* tiene que haberla por aquí cerca», dije yo. Pero nadie pareció extraer mucha satisfacción de esa observación. Era demasiado evidente que no podía tenerse mucha fe en el mapa. Ahora la luz iba creciendo, y, mientras permanecíamos sentados, en blanco, mirándonos los unos a los otros, observé que el hotentote Ventvögel se ponía en pie y empezaba a andar con los ojos en el suelo. Al cabo de poco se detuvo bruscamente, y, profiriendo una exclamación gutural, señaló hacia el suelo.

«¿Qué significa esto?» exclamó Good; y, poniéndonos en pie simultáneamente, nos dirigimos hacia donde estaba Ventvögel mirando la arena.

«Bueno —dije—; son huellas recientes de *springboks*; ¿y qué?

—Los springbucks no van nunca lejos del agua —respondió el hotentote, en alemán.

—No —respondí—; lo había olvidado; y demos gracias a Dios por ello.»

Este nuevo descubrimiento nos devolvió algo de animación; ya que es asombroso, cuando un hombre se encuentra en una situación desesperada, cómo se aferra a la más ligera esperanza, y se siente entonces casi feliz. En una noche oscura, una estrella solitaria es mejor que nada.

Entretanto, Ventvögel levantaba su nariz chata, y husmeaba el aire exactamente igual a como una vieja impala huele el peligro. A los pocos momentos volvió a hablar.

«*Huelo* el agua», dijo.

Entonces nos sentimos absolutamente jubilosos, ya que conocíamos el maravilloso instinto que poseen los hombres de origen salvaje.

Justo en aquel momento salió el sol gloriosamente, y reveló ante nuestros ojos asombrados un panorama tan grandioso que, por unos momentos, nos olvidamos incluso de la sed.

Ahí, a no más de cuarenta o cincuenta millas de nosotros, resplandecientes como plata bajo los primeros rayos del sol de la mañana, se erguían los Senos de Sheba; y a lado y lado de ellos se extendían a lo largo de cientos de millas los grandes Montes Suliman. Ahora, cuando, sentado aquí, trato de describir la extraordinaria grandeza y belleza de aquel panorama, creo que me falla el lenguaje. Soy incapaz incluso de recordarlo. Ante nosotros se alzaban dos enormes montañas, que no tienen, creo, nada en Africa que pueda comparárseles, y dudo que haya nada comparable a ellas en todo el mundo, cada una de una altura de al menos quince mil pies, separadas por no más de una docena de millas, unidas por una escarpada masa de roca e irguiéndose hacia el cielo en una sobrecogedora solemnidad blanca. Esas montañas, así situadas, como columnas de un portal gigante, tienen la forma de unos pechos de mujer, y, a veces, las brumas y sombras debajo de ellas adquieren la forma de una mujer recostada, misteriosamente cubierta por velos en su sueño. Sus bases se dilatan suavemente a partir de la llanura, haciendo que a esa distancia se las vea perfectamente redondas y lisas; y en la cima tienen ambas una enorme loma cubierta de nieve, que corresponde exactamente al pezón de un pecho femenino. La brida de roca que las enlaza parece tener una altura de varios miles de pies, y es perfectamente escarpada; y en cada uno de los flancos, hasta allí donde alcanza la mirada, se extienden escarpaduras semejantes, rotas tan sólo, aquí y allí, por montañas chatas con la cima cortada en forma de mesa, de modo parecido a la montaña famosa mundialmente de Ciudad del Cabo; esa es una formación, dicho sea de paso, muy común en Africa.

Está más allá de mis fuerzas el describir la amplia grandeza de aquel panorama. Había algo tan inexpresablemente solemne y abrumador en aquellos grandes volcanes —ya que sin duda se trata de volcanes extinguidos— que nos dejó absolutamente atemorizados. Durante un rato, las luces del amanecer jugaron sobre la nieve y sobre las turgentes masas grises debajo de ella, y luego, como para velar aquel panorama majestuoso ante nuestras miradas curiosas, se amontonaron y aumentaron extraños vapores y nubes alrededor de las montañas, hasta que, al cabo de un rato, sólo pudimos percibir sus puras y gigantescas siluetas mostrándose fantasmagóricamente a través de aquella envoltura lanosa. A decir verdad, según descubrimos posteriormente, lo habitual era que estuvieran arropadas por aquella bruma semejante a gasa, lo cual explica, sin duda, el que no las hubiéramos visto antes más claramente.

Apenas se hubieron desvanecido los Senos de Sheba en el secreto de su ropaje de nubes, nuestra sed —un asunto literalmente candente— volvió a afirmarse.

Estaba muy bien que Ventvögel dijera que olía el agua, pero lo cierto era que no veíamos ninguna señal de ella, miráramos donde miráramos. Hasta allí donde alcanzaba la mirada, no había más que la árida arena achicharrada y arbustos karoo. Rodeamos el montículo y miramos ansiosamente por el otro lado, pero se repitió la historia y no pudo encontrarse ni una gota de agua; no había ninguna señal de estanque, charco o fuente.

«Estás chiflado —dije, iracundo, a Ventvögel—; no hay agua.»

Pero él seguía levantando su fea nariz chata y husmeando.

«La huelo, baas —respondió—; hay agua en el aire.»

—Sí —dije yo—, sin duda la hay, en las nubes; y dentro de dos meses o cosa así caerá y lavará nuestros huesos.»

Sir Henry se acariciaba pensativamente su rubia barba.

«Puede que esté en la cima del montículo —sugirió.

—¡Vamos! —dijo Good—. ¿Quién ha oído hablar de agua en la cima de un montículo?

—Vayamos a ver», intervine, y, con muy pocas esperanzas, trepamos por los costados arenosos de la colina, con Umbopa delante. Al cabo de poco se detuvo, como petrificado.

«¡*Nanzia amanzi!*» o sea, «¡Aquí hay agua!» gritó, con voz fuerte.

Nos abalanzamos hacia él, y allí, desde luego, en un profundo corte o melladura en la mismísima cima del montículo de arena, había con toda evidencia un charco de agua. Cómo era que se encontraba en un sitio tan extraño fue algo que no nos detuvimos a averiguar, ni nos hizo titubear su apariencia negra y desagradable. Era agua, o una buena imitación, y eso nos bastaba. Nos precipitamos en tropel, y al cabo de un segundo estábamos todos tendidos de bruces, sorbiendo el poco apetecible fluido como si fuera néctar digno de dioses. ¡Cielos, cómo bebimos! Luego, cuando nos cansamos de beber, desgarramos nuestras ropas y nos sentamos en el charco, absorbiendo la humedad a través de nuestras pieles resecas. Harry, muchacho, tú, que sólo tienes que dar un par de palmadas para pedir agua «caliente» o «fría» procedente de alguna enorme cisterna que no ves, difícilmente puedes hacerte una idea del lujo de aquel chapoteo fangoso en aquella nauseabunda agua tibia.

Al cabo de un rato nos pusimos en pie, realmente refrescados, y caímos sobre nuestro «biltong», del que apenas habíamos podido probar bocado desde hacía veinticuatro horas, y comimos hasta hartarnos. Luego nos fumamos una pipa, nos tumbamos junto a aquel bendito charco, bajo la sombra de la melladura que nos cubría, y dormimos hasta mediodía.

Todo aquel día descansamos allí, junto al agua, dando gracias a nuestra buena estrella por haber tenido la fortuna de encontrarla, por mala que fuera, y no nos olvidamos de rendir el debido homenaje de gratitud a la sombra de da Silvestra, muerto hacía tanto tiempo, que había establecido su posición tan exactamente en un jirón de su camisa. Lo que nos resultaba asombroso era que aquel cuenco hubiera durado tanto, y la única explicación que pudimos encontrar para ello fue la de que está alimentado por alguna fuente que brota a gran profundidad bajo la arena.

Tras haber llenado a tope tanto nuestros cuerpos como nuestras cantimploras, nos pusimos de nuevo en marcha, con mejores ánimos, al salir la luna. Aquella noche cubrimos cerca de veinticinco millas; pero, no es preciso decirlo, no volvimos a encontrar agua, aunque tuvimos la suerte suficiente para conseguir, el día siguiente, un poco de sombra detrás de unos hormigueros. Cuando se alzó el sol y despejó por un rato las misteriosas brumas, los Montes Suliman, con los dos majestuosos Senos, ahora a tan sólo unas veinte millas, parecían alzarse justo encima de nosotros y se veían más grandiosos que nunca. Cerca del anochecer volvimos a caminar, y, para abreviar el relato, la luz del siguiente amanecer nos encontró sobre las primeras pendientes del Seno izquierdo de Sheba, por el que nos habíamos guiado invariablemente. Por entonces, el agua se nos había vuelto a terminar, y sufríamos intensamente por la sed, sin que pudiéramos ver de momento ninguna oportunidad para aliviarla hasta que alcanzáramos el borde de la nieve, arriba, muy arriba. Después de descansar una hora o dos, obligados a ello por la sed torturante, proseguimos, avanzando penosamente, bajo el ardiente calor, por las laderas de lava, ya que descubrimos que la ancha base de la montaña se componía enteramente de capas de lava vomitada de las entrañas de la tierra en alguna época remota.

A las once, estábamos totalmente exhaustos, y, hablando en términos generales, realmente en pésimo estado. La lava porosa sobre la que nos arrastrábamos, aunque fuera suave en relación a cierta lava porosa de la que yo había oído hablar, como la de la isla de Ascensión, por ejemplo, era, sin embargo, lo bastante áspera para que nos dolieran mucho los pies; y esto, junto con nuestras demás miserias, nos tenía realmente en las últimas. A unos pocos cientos de yardas por encima de nosotros había algunos grandes pitones de lava, y hacia ellos nos dirigimos con la intención de tendernos a su sombra. Los alcanzamos, y, ante nuestra sorpresa, en la medida en que nos quedara todavía capacidad para la sorpresa, en una meseta o cerro que estaba cerca vimos que la lava estaba cubierta por una densa vegetación verde. Evidentemente se había depositado allí un suelo formado por lava descompuesta, y se había convertido luego en receptáculo de semillas dejadas por los pájaros. Pero no nos tomamos demasiado interés por la vegetación verde, ya que uno no puede vivir de hierba, como Nabucodonosor. Esto requiere una especial dispensa de la Providencia y unos peculiares órganos digestivos.

De modo que nos sentamos debajo de las rocas, gimiendo, y por una vez deseé de todo corazón que jamás hubiéramos emprendido aquella loca expedición. Mientras permanecíamos sentados, vi a Umbopa ponerse en pie y renquear hacia la mancha verde; y a los pocos minutos pude ver, ante mi gran asombro, a aquel individuo habitualmente tan digno ponerse a bailar y a gritar como un maníaco, blandiendo un objeto verde. Todos gateamos hacia él todo lo aprisa que nuestros cansados miembros nos lo permitían, con la esperanza de que hubiera encontrado agua.

«¿Qué pasa, Umbopa, hijo de un loco? —aullé en zulú.

—Hay agua y comida, Macumazahn.» Y nuevamente blandió la cosa verde.

Entonces vi lo que había encontrado. Era un melón. Habíamos dado con un trozo de tierra con melones silvestres, millares de melones silvestres, y totalmente maduros.

«¡Melones!» aullé a Good, que me seguía; y al cabo de un momento su dentadura postiza estaba hincada en uno de ellos.

Creo que nos comimos unos seis por cabeza antes de quedar ahitos, y, aunque fuera una fruta muy pobre, dudo que jamás haya encontrado nada tan delicioso.

Pero los melones no son muy nutritivos, y, después de saciar nuestra sed con su sustancia pulposa y de poner varios a enfriar por el sencillo procedimiento de cortarlos en dos y ponerlos boca abajo al ardiente sol para que se enfriaran por evaporación, empezamos a sentir un hambre espantosa. Nos quedaba todavía un poco de biltong, pero nuestros estómagos rechazaban el biltong y, además, teníamos que conservarlo avaramente, ya que no sabíamos dónde íbamos a encontrar más comida. Justo en aquel momento sucedió una cosa. Mirando hacia el desierto, vi una bandada de unas diez aves de gran tamaño que volaban directamente hacia nosotros.

«¡Skit, baas, skit!» («¡Dispare, jefe, dispare!») susurró el hotentote, arrojándose al suelo de bruces, ejemplo que todos seguimos.

Luego vi que las aves eran una bandada de *pauw*, o avutardas, y que iban a pasar a menos de cincuenta yardas de mi cabeza. Tomé uno de los Winchester de repetición, esperé a que estuvieran prácticamente encima de nosotros, y luego salté sobre mis pies. Al verme, las *pauw* se apelotonaron, tal como yo esperaba, e hice dos disparos de lleno en el montón, y tuve la fortuna de abatir a una, una muy hermosa que pesaba como veinte libras. Al cabo de media hora habíamos hecho un fuego con corteza de melón; la asamos, e hicimos un banquete como no habíamos conocido en una semana. Nos comimos aquella *pauw*; no quedó nada de ella, aparte de los huesos de las patas y el pico, y luego nos sentimos no poco mejor.

Aquella noche proseguimos, a la luz de la luna, llevando con nosotros tantos melones como pudimos. A medida que ascendíamos encontrábamos el aire cada vez más frío, cosa que nos resultaba de un gran alivio, y, al amanecer, por lo que pudimos juzgar, no estábamos a más de una docena de millas del borde de la nieve. Allí descubrimos más melones, de modo que ya no sentimos ansiedad por el agua, sabiendo que pronto dispondríamos que tanta nieve como quisiéramos. Pero la pendiente se había hecho por entonces muy escarpada, y avanzábamos lentamente, a razón de no más de una milla por hora. Aquella noche nos comimos el último bocado de biltong. Hasta entonces, con la excepción de las *pauw,* no habíamos visto en la montaña ningún ser viviente, ni habíamos pasado por un solo salto de agua, cosa que nos pareció realmente curiosa, teniendo en cuenta la gran cantidad de nieve encima de nosotros, que, según pensábamos, tenía que fundirse a veces. Pero, tal como luego descubrimos, y debido a una causa que está absolutamente fuera de mi alcance explicar, todas las corrientes de agua fluían por la ladera norte de las montañas.

Empezábamos a sentir una gran ansiedad por la comida. Habíamos escapado a la muerte por sed, pero parecía probable que tan sólo para morir de hambre. Describiré mejor los siguientes tres miserables días copiando las anotaciones que hice por entonces en mi libreta.

«21 de mayo. Partimos a las 11 a.m., encontrando la atmósfera lo bastante fría para viajar de día y llevando con nosotros algunos melones de agua. Batallamos todo el día, pero no encontramos más melones, habiendo dejado sin duda atrás su zona. No vemos caza de ninguna clase. Nos detenemos para pasar la noche a la puesta del sol, sin comida para muchas horas. Sufrimos mucho de frío durante la noche.

22. Partimos de nuevo a la salida del sol, sintiéndonos muy desmayados y cansados. Sólo avanzamos cinco millas en todo el día; encontramos algunas manchas de nieve, y comemos nieve, pero nada más. Acampamos por la noche bajo el borde de una gran meseta. Frío agudo. Bebemos un poco de brandy, y nos agrupamos apretadamente, cada cual envuelto en su manta, para mantenernos en vida. Estamos sufriendo espantosamente de hambre y cansancio. Pensamos que Ventvögel puede morir durante la noche.

«23. Batallamos, avanzando, una vez más, en cuanto el sol

está alto y nos deshiela un poco los miembros. Estamos ahora en un problema horrible, y me temo que a menos que consigamos comida este día será el último de nuestro viaje. Pero nos queda un poco de brandy. Good, sir Henry y Umbopa aguantan espléndidamente, pero. Ventvögel está en muy mal paso. Como la mayoría de los hotentotes, no puede soportar el frío. Las ansias del hambre no van tan mal, pero tengo en el estómago una especie de sensación de entumecimiento. Los demás dicen lo mismo. Estamos ahora al nivel de la cadena escarpada, o muro de lava, que enlaza los dos senos, y el panorama es glorioso. Detrás nuestro, el desierto resplandeciente rueda hasta el horizonte, y ante nosotros yacen millas enteras de nieve suave y dura, casi lisa, pero que se henche dulcemente hacia arriba; surgiendo de ella, el pezón de la montaña, que parece tener varias millas de circunferencia, se eleva hacia el cielo unos cuatro mil pies. No se ve un solo ser viviente. Dios nos ayude; me temo que ha llegado nuestro momento.»

Y ahora dejo el diario, en parte porque su lectura no resulta muy interesante, y también porque lo que sigue requiere ser relatado de un modo más completo.

Todo aquel día —el día 23 de mayo— luchamos en una lenta ascensión por la pendiente nevada, tumbándonos de vez en cuando para descansar. De un extraño grupo esquelético debía ser nuestro aspecto, cuando, cargados como íbamos, arrastrábamos nuestros cansados pies por la llanura deslumbrante, mirando a nuestro alrededor con ojos hambrientos. Y no es que sirviera de mucho el mirar, ya que no podía verse nada comestible. Aquel día no cubrimos más de siete millas. Justo antes de que se pusiera el sol, nos encontrábamos exactamente debajo del pezón del Seno izquierdo de Sheba, que se erguía en el aire a una altura de millares de pies, con su enorme masa vertical de nieve helada. Pese a lo débiles que estábamos, no pudimos dejar de apreciar el maravilloso paisaje, todavía más espléndido bajo los rayos volantes del sol que se ponía que, aquí y allí, teñían la nieve de un rojo sangre y coronaban el gran domo encima de nosotros con una gloriosa diadema.

«Yo digo —habló Good, entrecortadamente— que debemos estar más o menos cerca de la cueva en la que escribió aquel viejo caballero.

—Sí —dije yo—, si es que existe una cueva.

—Vamos, Quatermain —gimió sir Henry—, no hable de ese

modo; tengo mucha fe en ese *don*. ¡Acuérdese del agua! Pronto encontraremos ese sitio.

—Si no lo encontramos antes de que oscurezca somos hombres muertos, eso es todo», fue mi consoladora réplica.

Durante los siguientes diez minutos caminamos dificultosamente en silencio; de pronto, Umbopa, que iba a mi altura, envuelto en su manta, con un cinto de plumas apretándole tan fuertemente, para «hacer el hambre más pequeña», según decía, que su cintura parecía la de una muchacha, me cogió del brazo.

«¡Mire!» exclamó, señalando la recta pared del pezón.

Seguí su mirada, y pude ver, a unas doscientas yardas, algo que parecía ser un hoyo en la nieve.

«Es la cueva», dijo Umbopa.

Fuimos todo lo aprisa que pudimos hacia aquel sitio, y vimos que con toda seguridad el hoyo era la boca de una gruta, sin duda la misma en la que escribió da Silvestra. Era tiempo, ya que, justo cuando llegábamos al refugio, el sol se puso con asombrosa velocidad, dejando el mundo prácticamente a oscuras, ya que en esas latitudes hay muy poca penumbra. Así pues, reptamos dentro de la gruta, que no parecía muy grande, y, tras agruparnos para darnos calor, engullimos lo que quedaba del brandy —apenas un trago por cabeza— y tratamos de olvidar nuestras miserias en el sueño. Pero el frío era demasiado intenso para permitírnoslo, ya que estoy convencido de que a esa gran altura el termómetro no podría haber señalado menos de catorce o quince grados por debajo del punto de congelación. Lo que aquella temperatura significaba para nosotros, enervados por las penalidades, la falta de comida y el gran calor del desierto, el lector podrá imaginárselo mejor de lo que yo podría describirlo. Baste con decir que fue lo más cercano a la muerte por frío que he sentido nunca. Allí permanecimos, sentados, hora tras hora, a través de la tranquila y amarga noche, sintiendo la heladura rondar en torno nuestro y mordiéndonos ahora en un dedo, ahora en el pie, ahora en la cara. En vano nos apretamos cada vez más unos contra otros; no había calor en nuestros armazones miserablemente famélicos. A veces, uno de nosotros dormitaba inquietamente unos minutos; pero no pudimos dormir demasiado, y puede que esto fuera una suerte, ya que si lo hubiéramos logrado dudo que jamás hubiéramos vuelto a despertarnos. A decir verdad, pienso que si nos mantuvimos vivos fue tan sólo gracias a la fuerza de voluntad.

No mucho antes del alba oí al hotentote Ventvögel, cuyos

dientes habían entrechocado toda la noche como castañuelas, emitir un profundo suspiro. Luego sus dientes dejaron de entrechocar. No pensé nada sobre aquello por entonces, ya que concluí que se había dormido. Su espalda estaba apoyada contra la mía, y pareció ponerse cada vez más fría, hasta parecer finalmente puro hielo.

Por fin el aire empezó a ponerse gris con la luz; luego, flechas doradas volaron sobre la nieve, y, por último, el glorioso sol asomó sobre la pared de lava y entró hasta nuestros cuerpos medio helados. Cayó también sobre Ventvögel, sentado ahí, entre nosotros, *rígido y muerto*. No tenía nada de extraño que su espalda estuviera fría, pobre muchacho. Había muerto cuando le oí suspirar, y estaba ahora helado casi hasta el punto de la rigidez. Nos arrastramos a distancia del cadáver, indeciblemente asustados —¡qué extraño es el horror que sentimos nosotros, los mortales, en compañía de un cuerpo muerto!—, y lo dejamos sentado ahí, con los brazos alrededor de las rodillas.

Por entonces, la luz del sol manaba en fríos rayos, ya que allí eran fríos, directamente por la boca de la gruta. De repente oí una exclamación de miedo y volví la cabeza.

Esto fue lo que vi: al fondo de la cueva —no tenía más de veinte pies de profundidad— había otra forma, con la cabeza descansando sobre el pecho y los largos brazos colgando. La contemplé, y vi que era otro *hombre muerto,* y, además, un hombre blanco.

Los demás lo vieron también, y aquella visión demostró ser demasiado para nuestros nervios destrozados. Todos a una salimos a gatas de aquella cueva, todo lo aprisa que nos permitieron nuestros miembros medio congelados.

7

LA RUTA DE SALOMON

Nos detuvimos a la entrada de la cueva, con la impresión de estarnos comportando tontamente.

«Voy a volver —dijo sir Henry.

—¿Por qué? —preguntó Good.

—Porque se me ocurre que... que lo que hemos visto... puede ser mi hermano.»

Era ésta una idea nueva, y volvimos dentro de la cueva para verificarla. Después de la luz exterior, nuestros ojos, debilitados por la contemplación de la nieve, no pudieron atravesar durante un rato la oscuridad de la gruta. Al cabo de un rato, sin embargo, se acostumbraron a las medias tinieblas, y avanzamos hacia el hombre muerto.

Sir Henry se arrodilló y le miró al rostro.

«Gracias a Dios —dijo, con un suspiro de alivio—, *no* es mi hermano.»

Luego yo me acerqué y miré. El cuerpo era el de un hombre alto, de mediana edad, con facciones aquilinas, cabellos grises y largo bigote negro. Su piel era totalmente amarilla y estaba estrechamente pegada a los huesos. Sus ropas, con la excepción de lo que parecían ser los restos de un par de calcetas de lana, habían desaparecido, dejando desnuda la forma esquelética. Del cuello del cadáver, que estaba perfectamente congelado, colgaba un crucifijo de marfil amarillo.

«¿Quién diablos puede ser? —pregunté.

—¿No se lo imagina?» respondió Good.

Negué con la cabeza.

«Bueno, pues el viejo *don,* José da Silvestra, naturalmente... ¿quién si no?

—Imposible —gemí—; murió hace trescientos años.

—¿Y qué hay aquí que le impida durar otros tres mil años, en esta atmósfera, quisiera yo saber? —preguntó Good—. Si la temperatura es lo bastante baja, la carne y la sangre pueden mantenerse frescas para siempre, como los corderos de Nueva Zelanda; y el Cielo sabe si hace aquí el frío suficiente. El sol no entra nunca hasta aquí; ningún animal entra aquí para desgarrar o destruir. No hay duda de que su esclavo, del que habla en su escrito, le quitó la ropa y lo dejó. No pudo enterrarle él solo. ¡Miren! —prosiguió, agachándose y recogiendo un hueso de forma extraña, con un extremo raspado en punta—. Aquí está el «trozo de hueso» que utilizó Silvestra para dibujar el mapa.»

Lo miramos durante unos momentos, atónitos, olvidando nuestras penalidades ante aquella visión extraordinaria y, según nos parecía, semimilagrosa.

«Sí —dijo sir Henry—, y de aquí sacó su tinta —y señaló una pequeña herida en el brazo izquierdo del *don*—. ¿Habrá alguien que haya visto antes cosa semejante?»

No quedaban ya dudas sobre aquel asunto, que, en lo que a mí respecta, lo confieso, me dejó completamente anonadado. Allí estaba, sentado, el hombre muerto cuyas indicaciones, escritas hacía diez generaciones, nos habían conducido hasta aquel punto. Ahí, en mi propia mano, estaba la tosca pluma con que las había escrito, y de su cuello colgaba el crucifijo que sus labios moribundos habían besado. Mirándole, mi imaginación podía reconstruir la última escena del drama: el viajero muriendo de frío y de hambre, pero esforzándose pese a todo por hacer llegar al mundo el gran secreto que había descubierto; la espantosa soledad de su muerte, cuya prueba estaba sentada frente a nosotros. Me parecía incluso que podía descubrir en sus facciones fuertemente acentuadas una semejanza con las de mi pobre amigo Silvestre, descendiente suyo, que había muerto en mis brazos hacía veinte años; pero quizá esto fuera fantasía. De cualquier modo, ahí estaba sentado, triste recordatorio de la suerte que a menudo sorprende a aquellos que penetran en lo desconocido; y seguramente allí permanecerá sentado, coronado por la terrible majestad de la muerte, en siglos que todavía no han nacido, para asombrar las miradas de viajeros como nosotros, si es que alguna vez alguno vuelve a invadir su soledad. Aquello nos sobrecogió, estando nosotros también a punto de perecer de frío y de hambre.

«Vayámonos —dijo sir Henry, en voz baja—; esperen, voy a darle un compañero.»

Y, alzando el cuerpo muerto del hotentote Ventvögel, lo colocó junto al del viejo *don*. Luego se agachó, y de un tirón rompió el cordel podrido del crucifijo que colgaba del cuello de da Silvestra, ya que tenía los dedos demasiado helados para intentar desanudarlo. Creo que sigue conservándolo. Yo cogí la pluma de hueso, y la tengo delante mientras escribo. A veces la utilizo para firmar.

Luego, dejando que aquellos dos, el altivo hombre blanco de un tiempo pasado y el pobre hotentote, siguieran su eterna vigilia en medio de las nieves eternas, reptamos fuera de la cueva, al bienvenido brillo solar, y reanudamos nuestro camino, preguntándonos en nuestros corazones cuántas horas transcurrirían antes de que nosotros quedáramos como ellos estaban.

Cuando hubimos andado cosa de media milla, llegamos al borde de la meseta, ya que el pezón de la montaña no se yergue en su centro exacto, aunque desde el lado del desierto parezca que sí. Lo que se extendía ante nosotros no pudimos verlo, ya que el paisaje estaba enguirnaldado por olas de bruma matutina. Al cabo de poco, sin embargo, las capas superiores de la niebla se disiparon algo y revelaron, al final de la larga pendiente de nieve, una mancha de verde hierba, a unas quinientas yardas por debajo de nosotros, a través de la cual corría un riachuelo. Y esto no era todo. Junto al riachuelo, calentándose al brillante sol, estaban, unos de pie y otros tumbados, un grupo de diez a quince *grandes antílopes*; a esa distancia no pudimos ver de qué especie.

El ver aquello nos llenó de una alegría poco razonable. Había allí carne en abundancia, si es que la conseguíamos; pero la cuestión estaba en cómo. Las bestias estaban a no menos de seiscientas yardas, una distancia muy larga para disparar, y poco adecuada para depender de ella cuando nuestras vidas dependían del resultado.

Discutimos rápidamente la aconsejabilidad de acercarnos a una pieza, pero finalmente desechamos la posibilidad con reluctancia. Para empezar, el viento no era favorable, y, además, sin duda se nos vería, por cuidado que pusiéramos, recortados contra la cegadora blancura de la nieve por la que deberíamos pasar.

«Bien, entonces debemos intentarlo desde donde estamos

—dijo sir Henry—. ¿Con qué lo hacemos, Quatermain, con los rifles de repetición o con los Express?»

Este era un nuevo problema. Los Winchester de repetición —teníamos dos, ya que Umbopa llevaba el del pobre Ventvögel además del suyo— tenían el alza graduada hasta mil yardas, mientras que los Express sólo la tenían hasta trescientas cincuenta, y disparar con ellos a mayor distancia era más o menos hacerlo al azar. Por otra parte, si daban en el blanco, las balas de los Express, siendo explosivas, podían mucho más fácilmente derribar la pieza. Era una cuestión nodal; pero acabé decidiendo que debíamos arriesgarnos y utilizar los Express.

«Que cada cual apunte al animal que tenga enfrente. Apunten a la base del cuello, y alto —dije—. Umbopa, da la señal para que disparemos todos a la vez.»

Luego hubo una pausa, mientras cada uno de nosotros apuntaba con el máximo cuidado, como es lógico que haga cualquiera cuando sabe que su propia vida depende del disparo.

«Fuego», dijo Umbopa en zulú, y casi simultáneamente se dispararon con estruendo los tres rifles; Tres nubecillas de humo flotaron por unos instantes ante nosotros, y cien ecos retumbaron sobre la nieve silenciosa. Al cabo de un momento se disipó el humo, revelando —¡oh, alegría!— que un animal de gran tamaño yacía sobre la espalda, pataleando furiosamente en su agonía. Proferimos un aullido de triunfo: ¡Estábamos salvados! No moriríamos de hambre. Pese a lo débiles que estábamos, nos precipitamos por la pendiente de nieve que se nos interponía, y a los diez minutos desde el momento del disparo el corazón y el hígado estaban en el suelo frente a nosotros. Pero ahora surgía una nueva dificultad: no teníamos combustible, y por lo tanto no podíamos hacer fuego para cocinarlos. Nos miramos unos a otros, desolados.

«La gente que se muere de hambre no debe ser caprichosa —dijo Good—; tendremos que comer carne cruda.»

No había otra forma de solucionar el dilema, y el hambre que nos mordía convertía la proposición en menos repulsiva de lo que en otras circunstancias hubiera sido. De modo que cogimos el corazón y el hígado, y los enterramos durante unos pocos minutos en una mancha de nieve para que se enfriaran. Luego los lavamos en el agua del riachuelo, fría como el hielo, y, finalmente, los comimos vorazmente. Sonará horrible, pero lo cierto es que jamás había probado nada tan delicioso como aquella carne cruda. Al cabo de un cuarto de hora estábamos como nuevos. La vida y el vigor volvieron a nosotros, nuestros pulsos debilitados latieron otra vez con fuerza, y la sangre corrió por nuestras venas. Sin embargo, atentos a los resultados del exceso de alimento sobre unos estómagos famélicos, tuvimos cuidado de no comer demasiado, y nos detuvimos todavía con hambre.

«¡Gracias a Dios! —dijo sir Henry—. Ese animal nos ha salvado la vida. ¿Qué ocurre, Quatermain?»

Yo me había levantado, yendo hacia el antílope, ya que no estaba seguro. Tenía más o menos el tamaño de un asno y grandes cuernos curvos. Nunca había visto antes otro igual; era para mí una especie nueva. Era de color pardo, con delgadas franjas rojas, y tenía el pelaje tupido. Averigüé más adelante que los nativos de aquel país maravilloso llaman a esas bestias «inco». Son muy escasas, y sólo se encuentran a gran altitud, en sitios donde no vive otra caza. Aquel animal había sido alcanzado limpiamente en la espalda, si bien, naturalmente, no pudimos descubrir cuál de las balas le había derribado. Creo que Good, acordándose de su maravilloso disparo a la jirafa, se lo apuntó en secreto como proeza propia, y nosotros no le contradijimos.

Habíamos estado tan ocupados saciando nuestra hambre que hasta entonces no habíamos encontrado tiempo para mirar a nuestro alrededor. Pero luego, tras enviar a Umbopa a que cortara toda la cantidad de la mejor carne que fuéramos capaces de acarrear, nos pusimos a inspeccionar lo que nos rodeaba. La bruma se había disipado, pues eran ya las ocho y el sol la había aspirado, de modo que pudimos abarcar con la mirada todo el país frente a nosotros. No sé cómo describir el glorioso panorama que se desplegaba ante nuestros ojos. Nunca antes había visto nada parecido, ni creo volver a verlo.

Detrás y por encima nuestro se alzaban los nevados Senos de Sheba, y abajo, unos cinco mil pies por debajo de donde estábamos, se extendía, legua tras legua, la más encantadora de las llanuras. Aquí había densas manchas de altos bosques, allí un gran río que surcaba un camino de plata. A la izquierda se abría una vasta extensión de praderas de hierba verde y ondulante donde pudimos descubrir incontables piezas de caza, o cabezas de ganado, ya que a esa distancia no podíamos precisar. Aquella extensión parecía circundada por el muro de unas montañas distantes. A la derecha, el país era más o menos montañoso; es decir, de él sobresalían colinas solitarias, con franjas de tierra cultivada entre ellas, en las que podíamos distinguir grupos de cabañas con techos en cúpula. El paisaje yacía ante nosotros como un mapa donde los ríos destelleaban como serpientes de plata y se elevaban, grandiosos, picos alpinos coronados por guirnaldas de nieve salvajemente retorcidas, mientras por encima de todo ello estaban la radiante luz solar y el aliento de la vida feliz de la naturaleza.

Dos cosas curiosas nos chocaron mientras mirábamos. En primer lugar, el hecho de que el país que teníamos enfrente estuviera por lo menos tres mil pies más alto que el desierto que habíamos atravesado, y, en segundo lugar, el que todos los ríos corrieran de sur a norte. Tal como teníamos penosos motivos para saber, no había agua en absoluto en la ladera sur de la vasta cordillera en que nos encontrábamos; pero en la ladera norte había muchos cursos de agua, la mayoría de los cuales parecían unirse al gran río que podíamos ver serpenteando hasta más allá de lo que nuestras miradas alcanzaban.

Nos sentamos un rato y contemplamos en silencio aquella visión maravillosa. Al cabo de poco habló sir Henry.

«¿No hay algo en el mapa acerca de la Gran Ruta de Salomón?» preguntó.

Asentí con la cabeza, ya que seguía contemplando el lejano país.

«Bueno, pues miren: ¡ahí está!» y señaló un poco a nuestra derecha.

Good y yo miramos hacia donde nos indicaba, y allí, serpenteando hacia la llanura, había algo que parecía una ancha carretera de montaña. No la habíamos visto de entrada porque, al llegar a la llanura, giraba por detrás de un terreno accidentado. No dijimos nada, o dijimos poca cosa; estábamos empezando a perder el sentido de lo maravilloso. De algún modo, no me pareció particularmente innatural que encontráramos una especie de carretera romana en aquella extraña tierra. Aceptamos el hecho, eso fue todo.

«Bien —dijo Good—, debemos estar muy cerca de ella si atajamos por la derecha. ¿No sería mejor que nos pusiéramos en marcha?»

Era ése un buen consejo, y, en cuanto nos hubimos lavado la cara y las manos en el riachuelo, lo pusimos en práctica. Durante una milla o algo más caminamos sobre guijarros y a través de manchas de nieve, hasta que súbitamente, tras alcanzar la cima de un pequeño repecho, vimos la carretera a nuestros pies. Era un camino espléndido de sólida roca tallada, de al menos quince pies de anchura y aparentemente bien cuidado; aunque lo curioso era que parecía comenzar allí. Descendimos hasta él, pero a tan sólo un centenar de pasos detrás de nosotros, en dirección a los Senos de Sheba, se desvanecía, ya que toda la superficie de la montaña estaba sembrada de rocas alternadas con manchas de nieve.

«¿Qué opina de esto, Quatermain?» preguntó sir Henry.

Meneé la cabeza. No opinaba nada.

«¡Ya lo tengo! —exclamó Good—. Sin duda esta ruta sigue a través de la cordillera y a través del desierto al otro lado, pero allí la arena la ha cubierto, y encima de nosotros ha sido obstruida por alguna erupción volcánica de lava líquida.»

Esta parecía una buena hipótesis; de cualquier modo, la aceptamos, y avanzamos montaña abajo. Viajar a favor de la pendiente por aquella magnífica senda, con los estómagos llenos, demostró ser una cosa muy distinta de viajar pendiente arriba, sobre la nieve, absolutamente famélicos y casi congelados. A decir verdad, de no haber sido por los recuerdos melancólicos de la triste suerte del pobre Ventvögel y de aquella gruta horrenda en la que hacía compañía al viejo *don,* nos hubiéramos sentido decididamente alegres, a pesar de la sensación de peligros desconocidos frente a nosotros. Cada milla que andábamos, la atmósfera se hacía más suave y fragante, y el país frente a nosotros brillaba con una belleza todavía más luminosa. En cuanto a la ruta misma, nunca había visto yo un trabajo de ingeniería semejante, aunque sir Henry dijo que la gran carretera que atraviesa el Saint-Gothard, en Suiza, era muy similar. No había existido ninguna dificultad demasiado grande para el ingeniero del viejo mundo que la había construido. En cierto punto, llegamos a un precipicio de una anchura de trescientos pies y una profundidad de por lo menos mil. Aquel enorme abismo estaba ahora relleno de enormes bloques de piedra labrada, con arcos que los perforaban por la base para dejar paso a un curso de agua sobre el que la ruta proseguía, sublime. En otro sitio, estaba cortada en zigzags junto a un precipicio de una profundidad de quinientos pies; y en un tercer punto pasaba por un túnel abierto en la base de una peña que se interponía, a lo largo de treinta yardas o quizá más.

En este último punto nos dimos cuenta de que los lados del túnel estaban cubiertos por extrañas esculturas, la mayor parte de ellas de figuras con cotas de malla montadas en carros. Una de ellas, que era increíblemente hermosa, representaba toda una escena de batalla, con un convoy de cautivos caminando hacia lo lejos.

«Bien —dijo sir Henry, después de inspeccionar esta vieja obra de arte—, está muy bien llamar a esto Ruta de Salomón, pero mi humilde opinión es que los egipcios estuvieron aquí antes de que la gente de Salomón pusiera siquiera los pies. Si esto no es obra de los egipcios o de los fenicios, debo decir que es algo muy parecido.»

Hacia el mediodía habíamos avanzado lo suficiente montaña abajo para alcanzar la zona en que habían de encontrarse los bosques. Primero pasamos entre arbustos dispersos que fueron haciéndose cada vez más abundantes, hasta que finalmente nos encontramos con que la ruta serpenteaba a través de un extenso bosque de árboles plateados semejantes a los que pueden verse en las laderas de Table Mountain, en Ciudad del Cabo. Nunca antes me había encontrado con ellos en todos mis vagabundajes, excepto en el Cabo, y su aparición en aquel sitio me asombró enormemente.

«¡Ah! —dijo Good, inspeccionando aquellos árboles de hojas brillantes con evidente entusiasmo—, aquí hay leña en abundancia; detengámonos y cocinemos algo, ya casi he digerido ese corazón crudo.»

Nadie puso ninguna objeción; de modo que, dejando la ruta, nos dirigimos hacia un curso de agua que murmuraba a poca distancia, y pronto tuvimos ardiendo una hermosa hoguera en base a ramitas secas. Cortamos unos buenos pedazos de la carne del *inco* que llevábamos, los asamos al extremo de palos puntiagudos, como puede verse que hacen los cafres, y los comimos con deleite. Después de saciarnos, encendimos las pipas y nos proporcionamos un placer que, comparado con las penalidades que habíamos soportado recientemente, parecía casi paradisíaco.

El arroyo, cuyas riberas estaban arropadas por densas masas de una especie gigante de culantrillo mezcladas con plumosos matojos de espárragos silvestres, canturreaba alegremente a nuestro lado, un suave viento murmuraba a través del follaje de los árboles plateados, alrededor nuestro se arrullaban las palomas y pájaros de alas brillantes centelleaban como gemas de rama en rama. Era un paraíso.

Lo mágico del lugar, combinado con una abrumadora sensación de los peligros que habíamos dejado atrás, y de haber alcanzado al fin la tierra prometida, parecía tenernos en un silencio hechizado. Sir Henry y Umbopa conversaban, sentados, en una mezcla de inglés roto y de zulú, en voz baja, pero con bastante vehemencia, y yo permanecía tumbado, con los ojos entrecerrados, sobre aquella fragante cama de helechos, mirándolos.

Al cabo de un rato eché en falta a Good y le busqué para ver qué era de él. No tardé en verle sentado en la misma orilla del riachuelo, en el que acababa de bañarse. No llevaba nada más que su camisa de franela; sus naturales hábitos de extrema pulcritud habían reaparecido, y estaba activamente dedicado a las laboriosas operaciones de su aseo personal. Había lavado su cuello de gutapercha, había sacudido a fondo sus pantalones, su chaqueta y su chaleco, y estaba ahora doblándolos cuidadosamente hasta encontrarse en disposición de colocárselos, mientras meneaba tristemente la cabeza al examinar los numerosos rotos y descosidos que había en ellos como resultado natural de nuestro pavoroso viaje. Luego se quitó los zapatos, los frotó con un puñado de helechos, y luego los restregó con un poco de grasa que había separado cuidadosamente de la carne del *inco,* hasta que tuvieron, hablando en términos comparativos, un aspecto respetable. Tras inspeccionarlos con aire judicial a través de su monóculo, se puso los zapatos e inició una nueva operación. Extrajo de una pequeña bolsa que llevaba un peine de bolsillo al que iba adherido un pequeño espejo, y en él se inspeccionó a sí mismo. Aparentemente no quedó satisfecho, ya que procedió a peinarse con gran cuidado. Luego hubo una pausa mientras volvía a contemplar el resultado, que seguía sin ser satisfactorio. Se tocó el mentón, donde florecían las frondas de una barba de diez días.

«¡No irá a tratar de afeitarse!» pensé yo. Pero sí. Tomando el trozo de grasa con que había engrasado sus zapatos, Good lo lavó a fondo en la corriente. Luego hurgó de nuevo en su bolsa y sacó una navaja de afeitar de bolsillo con resguardo, como las que se compra la gente que teme cortarse o la que está a punto de emprender un viaje por mar. Luego se frotó la cara y el mentón vigorosamente con la grasa, y empezó. Aquello resultaba con toda evidencia un proceso penoso, ya que gemía abundantemente mientras yo me convulsionaba interiormente de risa viéndole combatir contra aquella barba hirsuta. Resultaba enormemente curioso que un hombre se tomara la molestia de afeitarse con un trozo de grasa en sitio semejante y en nuestras circunstancias. Finalmente consiguió liberarse del pelo del lado derecho de la cara y el mentón; y justo entonces, mientras miraba, me di cuenta de que un destello luminoso pasaba rozándole la cabeza.

Good saltó con una exclamación irreverente (si no hubiera tenido una navaja de seguridad, sin duda se hubiera cortado la garganta), y lo mismo hice yo, sin la exclamación; y esto fue lo que vi: a no más de veinte pasos de donde yo estaba, y a diez de Good, había un grupo de hombres, de pie. Eran altos y color de cobre, y algunos de ellos llevaban grandes plumas negras y capas cortas de piel de leopardo. Esto fue todo lo que percibí en aquel momento. Delante de ellos estaba un joven de unos diecisiete años, con la mano todavía alzada y el cuerpo inclinado en una posición de estatua griega de guerrero arrojando una lanza. El destello de luz había sido causado evidentemente por el arma que había lanzado.

Mientras yo miraba, un hombre anciano con aire de guerrero avanzó unos pasos por delante del grupo, cogió al joven del brazo y le dijo algo. Luego vinieron hacia nosotros.

Por entonces, sir Henry, Good y Umbopa habían cogido sus rifles y los mantenían amenazadoramente alzados. El grupo de nativos llegó hasta nosotros. Se me ocurrió que no debían saber qué eran los rifles, ya que de otro modo no los hubieran tratado con tanto desprecio.

«¡Bajen los rifles!» grité a los demás, dándome cuenta de que nuestra única posibilidad de salir sanos y salvos estaba en la conciliación. Obedecieron, y, dando unos pasos hacia ellos, me dirigí al hombre viejo que había refrenado al joven.

«Saludos», dije, en zulú, no sabiendo qué idioma utilizar. Ante mi sorpresa, fui comprendido.

«Saludos», respondió el hombre, no exactamente en el mismo idioma, sino en un dialecto tan estrechamente emparentado con el zulú que ni Umbopa ni yo tuvimos ninguna dificultad en comprenderlo. En realidad, como descubrimos posteriormente, el idioma que habla ese pueblo es una forma arcaica del zulú, y mantiene con él más o menos la misma relación que el inglés de Chaucer con el inglés del siglo diecinueve.

«¿De dónde venís? —prosiguió—. ¿Quiénes sois? ¿Y por qué los rostros de tres de vosotros son blancos, y el rostro del cuarto es como el de los hijos de nuestras madres?» Y señaló a Umbopa.

Miré a Umbopa mientras el hombre hablaba, y de pronto me di cuenta de que tenía razón. El rostro de Umbopa era como los rostros de los hombres que teníamos delante, y el mismo parecido tenía su complexión con las suyas. Pero no tenía yo tiempo para reflexionar sobre esta coincidencia.

«Somos forasteros, y venimos en paz —respondí, hablando muy despacio para que pudiera entenderme—, y este hombre es nuestro sirviente.

—Mientes —respondió—; no hay forasteros que puedan cruzar las montañas donde toda cosa perece. Pero ¿qué importan tus mentiras? Si sois forasteros debéis morir, ya que no pueden vivir forasteros en la tierra de los kukuanas. Esta es la ley regia. ¡Preparaos pues a morir, oh, forasteros!»

Me quedé un poco titubeante ante esto, y más todavía cuando vi que las manos de algunos de los hombres descendían a sus costados, donde cada uno llevaba colgado algo que me pareció un ancho y pesado cuchillo.

«¿Qué dice este tipo? —preguntó Good.

—Dice que van a matarnos —respondí, ásperamente.

—¡Cielos!» gimió Good; y, tal como solía hacer cuando se encontraba perplejo, se llevó la mano a su dentadura postiza, se despegó la parte superior y dejó que, con un chasquido, volviera a encajarse en sus mandíbulas. Fue un movimiento sumamente afortunado, ya que al instante el digno grupo de los kukuanas profirió al unísono un aullido de terror y retrocedió varias yardas.

«¿Qué sucede? —dije yo.

—Son sus dientes —susurró sir Henry, excitado—. Les han asustado. ¡Sáqueselos, Good! ¡Sáqueselos!»

Obedeció, y se deslizó la dentadura dentro de la manga de su camisa de franela.

A los pocos instantes, la curiosidad había vencido al miedo, y los hombres avanzaron lentamente. Habían olvidado aparentemente su amistosa intención de matarnos.

«¿Cómo es posible, oh, forasteros —preguntó el anciano solemnemente—, que este hombre (y señaló a Good, que no iba ataviado más que con los zapatos y una camisa de franela, y que había quedado a medio afeitar), cuyo cuerpo tiene ropa, y cuyas piernas están desnudas, que tiene pelo en un lado de su cara enfermiza y no en el otro, y que tiene un ojo brillante y transparente, cómo es posible, os pregunto, que tenga dientes que se mueven por sí solos, y que salen de las mandíbulas y vuelven a ellas por su voluntad?

—Abra la boca —dije a Good, que inmediatamente frunció

los labios e hizo una mueca al viejo caballero, como un perro irritado, revelando a su mirada atónita dos delgadas líneas rojas de pegamento tan absolutamente vírgenes de marfiles como un elefante recién nacido. La concurrencia emitió sonidos entrecortados.

—¿Dónde están sus dientes? —gritaron—. ¡Los vimos con nuestros propios ojos!»

Good volvió lentamente la cabeza, y, con un ademán inefablemente despectivo, se pasó la mano por la boca. Luego hizo otra mueca, y ¡mirad! Ahí estaban dos filas de dientes impecables.

Entonces, el joven que había arrojado el cuchillo se precipitó de bruces sobre la hierba y dio curso a un prolongado aullido de terror; y, en lo que se refiere al anciano caballero, sus rodillas entrechocaban de miedo.

«Veo que sois espíritus —dijo, balbuceando—. ¿Es que algún hombre nacido de mujer ha tenido jamás pelo en un lado de la cara y no en el otro, o un ojo redondo y transparente, o dientes que se mueven, que desaparecen y reaparecen? ¡Perdón, oh, Señores!»

Eso era una suerte, y, no hay que decirlo, salté sobre la oportunidad.

«Otorgado —dije, con una sonrisa imperial—. No sólo eso: conoceréis la verdad. Venimos de otro mundo, aunque somos hombres como vosotros; venimos —proseguí— de la mayor estrella que brilla en la noche.

—¡Oh! ¡Oh! —gimió el atónito coro de aborígenes.

—Sí —proseguí—, de allá venimos —y volví a sonreír con benignidad mientras profería esta asombrosa mentira—. Venimos a quedarnos con vosotros algún tiempo, y a bendeciros con nuestra permanencia. Como veis, amigos míos, me he preparado para esta visita aprendiendo vuestro lenguaje.

—Así es, así es —dijo el coro.

—Sólo, mi señor —incidió el viejo caballero—, que lo has aprendido muy mal.»

Le arrojé una mirada indignada, y se acobardó.

«Ahora, amigos —continué—, podéis pensar que después de un viaje tan largo nos sería grato vengar una acogida semejante, quizá fulminando con la muerte la mano impía que... que, en definitiva... arrojó un cuchillo a la cabeza de aquél cuyos dientes vienen y se van.

—Perdonadle, mis señores —dijo el anciano, suplicante—; es

el hijo del rey, y yo soy su tío. Si algo le sucede, se me pedirán cuentas de su sangre.

—Sí, así será sin duda —intervino el joven, con mucho énfasis.

—Quizá dudéis de nuestro poder para vengarnos —dije, prosiguiendo atolondradamente aquel juego—. Esperad, os lo mostraremos. Aquí, tú, perro esclavo (me dirigía a Umbopa, en un tono salvaje), dame el tubo mágico que habla»; y le hice un guiño, señalándole mi rifle Express.

Umbopa estuvo a la altura de las circunstancias. Me tendió el rifle, con lo más parecido a una sonrisa que yo haya jamás visto en su digno rostro.

«Aquí está, oh, señor de señores», dijo, con profunda obediencia.

Ahora bien, justo antes de pedir mi rifle había visto un pequeño antílope *klipspringer* sobre una peña a unas setenta yardas, y me había decidido a arriesgarme a un disparo.

«¿Veis aquel animal? —dije, señalando la bestia al grupo que tenía delante—. Decidme: ¿es posible que un hombre nacido de mujer lo mate desde aquí con un ruido?

—No lo es, mi señor —respondió el anciano.

—Yo lo mataré», dije, tranquilamente.

El anciano sonrió.

«Esto mi señor no puede hacerlo», respondió.

Levanté el rifle y apunté a la bestia. Era un animal pequeño, y hubiera sido admisible errar el tiro, pero sabía que no debía fallar.

Aspiré una profunda bocanada de aire, y apreté lentamente el gatillo. El animal estaba inmóvil como una piedra.

«¡Bang! ¡chop!» El antílope saltó en el aire y cayó sobre la roca, más muerto que un clavo.

Del grupo frente a nosotros se elevó un gemido unánime de terror.

«Si queréis carne —observé, fríamente—, id a por ese animal.»

El anciano hizo una señal; uno de los que le seguían se fue, y volvió al cabo de un rato con el *klipspringer*. Vi con satisfacción que le había dado en la misma base del cuello. Se agruparon alrededor del cuerpo de la pobre criatura, mirando consternados el agujero de la bala.

«Ya veis —dije— que no hablo palabras vacías.»

No hubo respuesta.

«Si todavía dudáis de nuestro poder —proseguí—, que uno de vosotros vaya sobre aquella roca para que yo haga con él como con este animal.»

Ninguno de ellos parecía inclinado en lo más mínimo a recoger la sugerencia. Finalmente habló el hijo del rey.

«Eso está bien dicho. Ve tú, tío, sobre la roca. Es tan sólo un animal lo que ha matado la magia. Seguro que no puede matar a un hombre.»

El anciano caballero no se tomó nada bien la indicación. A decir verdad, parecía ofendido.

«¡No! ¡No! —exclamó apresuradamente—. Mis viejos ojos han visto ya bastante. Esos son hechiceros, no hay duda. Llevémolos hasta el rey. Sin embargo, si alguien desea una nueva prueba, que vaya *él* sobre la roca, para que el tubo mágico hable con él.»

Se produjo una general y apresurada expresión de disconformidad.

«Que la magia no se pierda en nuestros pobres cuerpos —dijo uno de ellos—; estamos satisfechos. Toda la hechicería de nuestro pueblo no puede mostrar nada semejante.

—Así es —observó el anciano caballero, en un tono de inmenso alivio; sin duda así es. Escuchad, gente de las Estrellas, gente del Ojo brillante y de los Dientes móviles, que rugís con el trueno y matáis de lejos, yo soy Infadoos, hijo de Kafa, que fue rey del pueblo Kukuana. Este joven es Scragga.

—Casi me liquida (*) —murmuró Good.

—Scragga, hijo de Twala, el gran rey, Twala, marido de mil mujeres, jefe y señor supremo de los kukuanas, guardián de la gran Ruta, terror de sus enemigos, iniciado en las Artes Negras, conductor de cien mil guerreros, Twala, el de Un Solo Ojo, el Negro, el Terrible.

—Entonces —dije, con altanería—, conducidnos a Twala. No hablamos con gente baja y subordinados.

—Está bien, mis señores, os guiaré; pero el camino es largo. Estamos cazando a tres días de viaje de donde está el rey. Pero tengan paciencia mis señores, y les guiaremos.

—Así sea —dije, despreocupadamente—; tenemos por de-

(*) Juego de palabras intraducible. Good emplea el término «scragged», del verbo «scrag», retorcer el pescuezo. (*N. d. T.*)

lante todo el tiempo, ya que no morimos. Estamos dispuestos; guiadnos. ¡Pero tú, Infadoos, y tú, Scragga, cuidado! ¡Nada de trucos de mono, no nos pongáis trampas para zorros, porque antes de que vuestros cerebros de barro lo hayan pensado nosotros lo sabremos y nos cobraremos venganza. La luz del ojo transparente del que tiene las piernas desnudas y media cara con pelo os destruirá y correrá por vuestra tierra; sus dientes que se desvanecen se hincarán fuerte en vosotros y os comerán, a vosotros, a vuestras mujeres y a vuestros hijos; los tubos mágicos discutirán muy fuertemente con vosotros y os dejarán como un colador. ¡Cuidado!»

Este magnífico discurso no dejó de tener su efecto; a decir verdad, casi hubiera podido ahorrármelo, hasta tal punto estaban ya impresionados nuestros amigos ante nuestros poderes.

El anciano hizo una profunda reverencia y murmuró las palabras: «¡Koom! ¡Koom!» que, según descubrí más adelante, eran el saludo real, correspondiente al «Bayete» de los zulúes; y, volviéndose, habló a sus seguidores, los cuales, acto seguido, procedieron a recoger todos nuestros bienes y enseres para llevárnoslos, a excepción de las armas de fuego, que no hubieran tocado por nada del mundo. Recogieron incluso las ropas de Good, que, como recordará el lector, estaban pulcramente dobladas junto a él.

Good lo vio, y se abalanzó a por ellas; siguió un ruidoso altercado.

«Que mi señor del Ojo Transparente y los Dientes que desaparecen no toque nada —dijo el anciano—, porque su esclavo llevará por él las cosas.

—¡Pero yo quiero ponérmelas!» rugió Good, en un inglés nervioso.

Umbopa tradujo.

—«No, mi señor —respondió Infadoos—. ¿Querría mi señor tapar sus hermosas piernas blancas (aunque tiene el pelo negro, Good tiene la piel singularmente blanca) ante los ojos de sus servidores? ¿Es que hemos ofendido a nuestro señor para que haga semejante cosa?»

En aquel momento estuve casi a punto de estallar de risa. Entretanto, uno de los hombres se ponía en marcha con la ropa.

«¡Maldita sea! —rugió Good—. Ese siniestro villano se ha llevado mis pantalones.

—Dése cuenta, Good —dijo sir Henry— de que ha aparecido

usted en este país con un cierto carácter, y debe usted seguir asumiéndolo. No puede volver a ponerse los pantalones; de modo que tendrá que vivir con una camisa de franela, un par de zapatos y un monóculo.

—Sí —dije yo—, y con pelo en un lado de la cara y no en el otro. Si varía usted alguna de estas cosas, la gente pensará que somos impostores. Lo lamento por usted, pero, en serio, debe hacerlo. Si en algún momento empiezan a sospechar de nosotros, nuestras vidas no valdrán un cuarto de penique.

—¿Eso piensa realmente? —preguntó Good, lúgubremente.

—Sí lo pienso. Sus «hermosas piernas blancas» y su monóculo son ahora los rasgos de nuestro grupo, y, como dice sir Henry, debemos asumirlos. Dé gracias al Cielo de que llevara puestos los zapatos, y de que el aire sea cálido.»

Good suspiró y no dijo nada más, pero le llevó una quincena acostumbrarse a sus nuevos y parcos atuendos.

8

ENTRAMOS EN KUKUANALAND

Viajamos durante toda la tarde por la magnífica carretera, que se dirigía invariablemente hacia el noroeste. Infadoos y Scragga andaban a nuestro lado, pero sus acompañantes caminaban unos cien pasos por delante.

«Infadoos —dije, al cabo de un rato—. ¿Quién hizo esta ruta?

—Fue construida, mi señor, hace mucho tiempo, nadie sabe cuánto, ni siquiera la mujer sabia Gagool, que ha vivido a través de generaciones. No somos lo bastante viejos para recordar su construcción. Nadie puede ahora hacer carreteras como ésta, pero el rey no permite que en ella crezca la hierba.

—¿Y qué es eso que está escrito en la pared de las cuevas por las que hemos pasado en el camino? —pregunté, refiriéndome a las esculturas al estilo egipcio que habíamos visto.

—Mi señor, las manos que hicieron la ruta escribieron los escritos maravillosos. No sabemos quién los escribió.

—¿Cuándo llegó a este país el pueblo kukuana?

—Mi señor, la raza se abatió aquí como el aliento de la tormenta hace miles de miles de lunas, desde las grandes tierras que están más allá —y señaló hacia el norte—. No pudo viajar más lejos por las altas montañas que cercan la tierra, así lo dicen las viejas voces de nuestros padres, que han descendido a nosotros, sus hijos, y así lo dice Gagool, la mujer sabia, la rastreadora de hechiceros —y de nuevo señaló los picos cubiertos de nieve—. El país, de todos modos, era bueno, de modo que se establecieron aquí y se hicieron fuertes y poderosos, y ahora nuestro número es como la arena del mar, y cuando Twala, el rey, llama a sus regimientos, sus plumas cubren la llanura hasta donde alcanza la mirada del hombre.

—Si el país está cercado por montañas, ¿contra quién pueden luchar los regimientos?

—No, mi señor, el país está abierto hacia el norte, y de vez en cuando hay guerreros que descienden en nubes de un país que no conocemos, y nosotros les matamos. Ha pasado la tercera parte de la vida de un hombre desde la última guerra. Muchos millares murieron en ella, pero destruimos a los que habían venido a comernos. Y desde entonces no ha habido guerra.

—Vuestros guerreros deben cansarse de descansar sobre sus lanzas, Infadoos.

—Mi señor, hubo una guerra, justo después de que destruimos al pueblo que había caído sobre nosotros; pero fue una guerra civil; el perro se come al perro.

—¿Cómo fue eso?

—Mi señor, el rey, mi hermanastro, tenía un hermano nacido en el mismo parto, de la misma mujer. No es nuestra costumbre, mi señor, permitir que vivan los gemelos; el más débil debe morir. Pero la madre del rey escondió al niño más débil, que había nacido el último, ya que su corazón lo anhelaba, y ese niño es Twala, el rey. Yo soy su hermano, nacido de otra mujer.

—¿Y bien?

—Mi señor, Kafa, nuestro padre, murió cuando nosotros llegábamos a la edad adulta, y mi hermano Imotu fue hecho rey en su lugar, y durante un tiempo reinó y tuvo un hijo con su esposa favorita. Cuando el niño tenía tres años, justo después de la gran guerra, durante la cual ningún hombre pudo sembrar ni cosechar, cayó el hambre sobre el país, y la gente murmuraba por culpa del hambre, y miraba alrededor, como un león hambriento, en busca de algo que desgarrar. Entonces fue cuando Gagool, la mujer sabia y terrible, que no muere, hizo una proclamación al pueblo y dijo: «El rey Imotu no es rey.» Y por entonces Imotu estaba enfermo por culpa de una herida, y yacía en su kraal sin poder moverse.

»Entonces, Gagool fue a la cabaña e hizo salir a Twala, mi hermanastro, y hermano gemelo del rey, que había escondido en las grutas y entre las rocas desde su nacimiento, le desgarró la *moocha* (el taparrabos) de los riñones, y mostró al pueblo de los kukuanas la señal de la serpiente sagrada enroscada sobre su cintura con que se marca en su nacimiento al hijo mayor de los reyes, y gritó muy fuerte: «¡Mirad a vuestro rey, que yo he salvado para vosotros hasta este día!»

»Entonces el pueblo, enloquecido por el hambre y completamente privado de razón y de conocimiento de la verdad, gritó: "¡El rey! ¡El rey!" Pero yo sabía que no lo era, porque Imotu, mi hermano, era el mayor de los gemelos y nuestro rey legítimo. Luego, en el preciso momento en que el tumulto estaba en su punto máximo, Imotu, el rey, aunque estaba muy enfermo, se arrastró fuera de su cabaña, llevando cogida de la mano a su mujer y seguido por su hijito, Ignosi (o sea, en traducción, el Iluminador).

»"¿Qué es este ruido? —preguntó—. ¿Por qué gritáis *El rey, el rey?*"

»Entonces Twala, su propio hermano, nacido de la misma mujer, y en la misma hora, corrió hacia él y, cogiéndole de los cabellos, le golpeó en el corazón con su cuchillo. Y el pueblo, que es inconstante y está siempre dispuesto a adorar al sol que sale, aplaudió y gritó: "¡Twala es el rey! ¡Ahora sabemos que Twala es el rey!"»

—¿Y qué ocurrió con la mujer de Imotu y con su hijo Ignosi? ¿También los mató Twala?

—No, mi señor. Cuando la reina vio que su señor estaba muerto, cogió al niño y se lo llevó llorando. Dos días después llegó a un kraal, muy hambrienta, pero nadie le dio leche ni comida, ahora que su señor el rey había muerto, porque todos los hombres odian al infortunado. Pero al caer la noche, una niña, una niña muy pequeña, se deslizó afuera y le dio maíz para que comiera; y ella bendijo a la niña y se fue hacia las montañas con su hijo antes de que el sol volviera a salir. Allí debió morir, ya que nadie ha vuelto a verla, ni tampoco a su hijo Ignosi.

—Entonces, si ese niño, Ignosi, viviera, ¿sería el verdadero rey del pueblo kukuana?

—Así es, mi señor. La serpiente sagrada está en su cintura. Si vive, es el rey; pero ¡ay! hace mucho que murió.

»Mira, mi señor —e Infadoos señaló un nutrido grupo de cabañas rodeadas por una valla rodeada, a su vez, por una gran zanja, que estaba bajo nosotros, en la llanura—, éste es el kraal donde se vio por última vez a la mujer de Imotu con el niño

Ignosi. Allí es donde dormiremos esta noche, si es que —añadió, inseguro— mis señores duermen sobre esta tierra.

—Cuando estamos entre los kukuanas, mi buen amigo Infadoos, hacemos lo que hacen lo kukuanas», dije, mayestáticamente, y luego me volví apresuradamente para hablar con Good, que arrastraba tétricamente los pies más atrás, con la mente enteramente ocupada por insatisfactorias tentativas de impedir que su camisa de franela se levantara con cada soplo de la brisa vespertina. Ante mi asombro, me topé con Umbopa, que caminaba exactamente detrás mío y, evidentemente, había escuchado con el mayor interés mi conversación con Infadoos. Su rostro tenía una expresión realmente extraña, y me hizo pensar en un hombre que lucha con éxito sólo parcial para memorizar algo perdido desde hace tiempo en el fondo de su mente.

Durante todo ese tiempo, habíamos avanzado a buena velocidad hacia la llanura ondulante que teníamos debajo. Las montañas que habíamos cruzado se alzaban ahora en lo alto sobre nuestras cabezas, y los Senos de Sheba estaban púdicamente velados por diáfanas guirnaldas de bruma. A medida que avanzábamos el país iba haciéndose cada vez más delicioso. La vegetación era exuberante sin ser tropical; el sol era brillante y cálido, pero no quemaba; y una brisa agradable soplaba suavemente por las fragantes laderas de las montañas. A decir verdad, esa nueva tierra era poco menos que un paraíso; en cuanto a belleza, riqueza natural y clima, no he visto nunca otra igual. El Transvaal es un hermoso país en algunas partes, pero no puede compararse con Kukuanaland.

En el mismo momento de ponernos en camino, Infadoos había enviado a un mensajero para advertir de nuestra llegada al pueblo del kraal, que, dicho sea de paso, estaba bajo su mando militar. Aquel hombre había partido con extraordinaria velocidad, y, según me informó Infadoos, la mantendría durante todo el trayecto, ya que el correr era un ejercicio muy practicado entre su pueblo.

El resultado de aquel mensaje se nos hizo visible al cabo de un rato. Al llegar a unas dos millas del kraal, pudimos ver que los hombres salían por sus puertas por compañías y avanzaban hacia nosotros.

Sir Henry me puso la mano en el brazo, y observó que parecía como si fuéramos a encontrarnos con una cálida recepción. Hubo algo en su tono que atrajo la atención de Infadoos.

«No se asusten mis señores —dijo, apresuradamente—, porque en mi pecho no habita el engaño. Este regimiento está a mi mando, y sale por orden mía para daros la bienvenida.»

Asentí con la cabeza, tranquilamente, aunque mi ánimo no estaba tranquilo en absoluto.

A cosa de media milla de las puertas de este kraal hay una larga franja de terreno elevado que asciende suavemente desde la carretera, y fue allí donde formaron las compañías. Era un panorama espléndido el verlos, cada compañía compuesta de unos trescientos hombres, corriendo ligeramente cuesta arriba, con lanzas llameantes y plumas que ondulaban, para ocupar el puesto que tenían asignado. En el momento en que llegábamos, doce de estas compañías, que sumaban en total tres mil seiscientos hombres, habían salido y ocupado sus posiciones a lo largo de la ruta.

Al cabo de poco llegamos a la primera compañía, y pudimos contemplar con asombro el más magnífico conjunto de guerreros que yo haya jamás visto. Todos ellos eran hombres ya maduros, en su mayoría veteranos como de cuarenta años, y ni uno solo medía menos de seis pies, mientras que muchos alcanzaban los seis pies con tres o cuatro pulgadas. Llevaban en la cabeza pesadas plumas negras de sakaboola, como las que adornan a nuestros guías. Alrededor de la cintura y debajo de la rodilla derecha llevaban anillos de cola de buey blanco, mientras que en la mano izquierda sostenían escudos redondos de una anchura de unas veinte pulgadas. Esos escudos son muy curiosos. El armazón está hecha de una plancha de hierro adelgazada a golpes, y sobre ella está superpuesta una piel de buey, blanca como la leche.

Las armas que llevaba cada hombre eran simples, pero muy eficaces, y consistían en una lanza de dos filos corta y muy pesada, con mango de madera y una hoja de unas seis pulgadas de anchura máxima. Esas lanzas no se usan como armas arrojadizas sino que, como el *bangwan* zulú, o azagaya de estocada, sirven tan sólo para el cuerpo a cuerpo, y la herida que infligen es terrible. Además de este *bangwan*, cada hombre llevaba tres cuchillos largos y muy pesados, cada uno de un peso de unas dos libras. Uno de los cuchillos pendía del cinturón de cola de buey, y los otros dos del reverso del escudo cóncavo. Esos cuchillos, que los kukuanas llaman *tollas*, ocupan el lugar de las azagayas arrojadizas de los zulúes. Los guerreros kukuanas son capaces de lanzarlos con gran precisión a una distancia de cincuenta yardas, y tienen la costumbre de arrojar una andanada de ellos sobre el enemigo, cuando se lanzan a la carga, antes de entrar en el cuerpo a cuerpo.

Cada compañía permanecía inmóvil como una colección de estatuas de bronce hasta que estábamos frente a ella. Entonces, a una señal dada por el oficial a su mando, que permanecía unos pasos por delante, cubierto por una capa de piel de leopardo, todas las lanzas se alzaban al aire, y de trescientas gargantas surgía, como un súbito rugido, el saludo real de *Koom*. En cuanto habíamos pasado, la compañía formaba detrás nuestro y nos seguía hacia el kraal, hasta que por fin todo el regimiento de los «pardos» —llamado así por sus escudos blancos—, la fuerza de choque del pueblo kukuana, marchó a nuestra retaguardia a un paso que hacía temblar la tierra.

Finalmente, separándonos de la Gran Ruta de Salomón, llegamos al ancho foso que rodeaba el kraal, que tiene por lo menos una milla de circunferencia y está cercado por una fuerte empalizada de estacas hechas de troncos de árbol. En la puerta principal, esta fosa está dominada por un primitivo puente levadizo que la guardia dejó caer para que pasáramos. El kraal está admirablemente bien ordenado. Por el centro discurre una ancha avenida cortada en ángulo recto por otras calles, dispuestas de tal modo que las cabañas quedan separadas en bloques cuadrados, conteniendo cada bloque los cuarteles de una compañía. Las cabañas tienen los techos en bóveda y están construidas, como las de los zulúes, sobre un armazón de zarzo hábilmente bardado con hierba; pero, a diferencia de las cabañas zulúes, tienen puertas de entrada por las que pasa un hombre sin agacharse. También son mucho mayores, y están circundadas por una veranda de unos seis pies de anchura, bellamente pavimentada con lima en polvo hecha compacta a fuerza de pisadas.

Todo a lo largo de cada lado de esa ancha avenida que atraviesa el kraal estaban en fila cientos de mujeres, empujadas fuera por la curiosidad de vernos. Estas mujeres, para una raza nativa, son asombrosamente hermosas. Son altas y graciosas, y su talle es maravillosamente delicado. Sus cabellos, aunque cortos, son más rizados que lanudos; sus rostros son frecuentemente aguileños, y sus labios no son desagradablemente gruesos, como ocurre con la mayoría de las razas africanas. Pero lo que más me impresionó fue su porte sobremanera sereno y digno. Eran tan distinguidas, a su manera, como las *habituées* de algún salón de moda, y, en este aspecto, difieren de las mujeres zulúes y de sus primas, las masai, que viven en la región interior de Zanzíbar. La curiosidad las había hecho salir para vernos, pero no permitieron que burdas expresiones de asombro o de reprobación salvaje les salieran de los labios mientras caminábamos cansinos frente a ellas. Ni siquiera cuando el viejo Infadoos, con un subrepticio movimiento de la mano, señaló la culminante maravilla de las «hermosas piernas blancas» de Good, permitieron ellas que se exteriorizaran los sentimientos de intensa admiración que evidentemente les dominaban el espíritu. Fijaron sus oscuros ojos en aquella nueva y nívea delicia, ya que, como creo haber dicho, la piel de Good es exageradamente blanca, y eso fue todo. Pero bastó y sobró para Good, que es tímido por naturaleza.

Cuando llegamos al centro del kraal, Infadoos se detuvo en la puerta de una gran cabaña rodeada a cierta distancia por un círculo de otras más pequeñas.

«Entrad, hijos de las Estrellas —dijo, con entonación magnilocuente—, y dignáos reposar un poco en nuestras humildes habitaciones. Se os traerá un poco de comida, para que no tengáis que estrecharos el cinturón por culpa del hambre; un poco de miel y de leche, un buey o dos, y un poco de cordero; no mucho, mis señores, pero será un poco de comida.

—Está bien —dije yo—. Infadoos, estamos cansados de viajar por los reinos del aire; ahora déjanos descansar.»

Acto seguido entramos en la cabaña, que encontramos perfectamente dispuesta para nuestra comodidad. Habían tendido unas yacijas de pieles curtidas para que nos recostáramos, y habían traído agua para lavarnos.

Al cabo de un rato oímos fuera unos gritos, y, saltando a la puerta, vimos una hilera de damiselas que traían miel y pasteles de maíz, y un bote de miel. Detrás de ellas, algunos jóvenes arrastraban un buey joven y gordo. Recibimos los dones, y luego uno de los jóvenes se sacó del cinto un cuchillo y, con mucha destreza, degolló al buey. En diez minutos estuvo muerto, desollado y descuartizado. Luego cortaron la mejor carne para nosotros, y ofrecí el resto, en nombre de nuestro grupo, a los guerreros alrededor nuestro, que tomaron y distribuyeron el «regalo de los señores blancos».

Umbopa se puso a trabajar, con la ayuda de una joven extremadamente atractiva, hirviendo nuestra porción en una gran cazuela de tierra, sobre un fuego que se había encendido fuera de la cabaña; y cuando estuvo aquello casi listo enviamos un mensaje a Infadoos, invitando a él y a Scragga, el hijo del rey, a unirse a nosotros.

Al cabo de poco llegaron, y, sentándose en pequeños taburetes, de los que había varios en la cabaña, ya que los kukuanas no suelen sentarse en cuclillas como los zulúes, nos ayudaron a despachar nuestra cena. El anciano caballero era extremadamente afable y educado, pero me sorprendió que el joven nos mirara con recelo. Había quedado sobrecogido, como el resto de su grupo, por nuestra blancura y nuestras capacidades mágicas; pero me pareció que, al descubrir que comíamos, bebíamos y dormíamos como los demás mortales, su miedo empezaba a disiparse y a verse sustituido por una hosca sospecha... que me hacía sentir bastante incómodo.

Mientras comíamos, sir Henry me sugirió que podría ser buena cosa tratar de averiguar si nuestros huéspedes sabían algo de la suerte de su hermano, o si alguna vez le habían visto o habían oído hablar de él; pero, una vez considerado, pensé que sería más prudente no decir nada del asunto por el momento. No era fácil explicar que se había perdido un pariente nuestro de «las Estrellas».

Después de la cena sacamos nuestras pipas y las encendimos, proceder que llenó de asombro a Infadoos y a Scragga. Evidentemente, los kukuanas no conocían las divinas delicias de fumar tabaco. Poseen la planta en abundancia; pero, igual que los zulúes, sólo la utilizan en tomas, y fueron totalmente incapaces de identificarla en su nueva forma.

Al cabo de un rato pregunté a Infadoos cuándo proseguiríamos nuestro viaje, y quedé encantado de saber que se habían hecho preparativos para que partiéramos la mañana siguiente. Ya habían sido enviados mensajeros para informar a Twala, el rey, de nuestra llegada.

Según parecía, Twala se encontraba en su ciudad principal, llamada Loo, preparándose para la gran fiesta anual que se celebraba en la primera semana de junio. En aquella asamblea, todos los regimientos, excepción hecha de algunos destacamentos que permanecían de guarnición en otros sitios, iban allí y desfilaban delante del rey; y se celebra entonces la gran caza anual de brujos.

Debíamos partir al amanecer; e Infadoos, que iba a acompañarnos, esperaba que llegáramos a Loo el segundo día por la noche, a menos que nos detuviera algún accidente o la crecida de un río.

Después de proporcionarnos esta información, nuestros visitantes nos dieron las buenas noches; y, después de organizar turnos de guardia, tres de nosotros nos dejamos caer y dormimos el delicioso sueño del cansancio, mientras el cuarto permanecía sentado en prevención de cualquier posible traición.

9

TWALA, EL REY

No será necesario que dé minuciosos detalles de los incidentes de nuestro viaje hasta Loo. Nos tomó dos días enteros de
viaje por la Gran Ruta de Salomón, que proseguía su curso uniforme directamente al corazón de Kukuanaland. Baste con decir que,
a medida que avanzábamos, el país parecía cada vez más rico, y
los kraals, rodeados por anchas franjas de tierras cultivadas, eran
cada vez más numerosos. Estaban todos construidos según los
mismos principios que el primero al que habíamos llegado, y estaban protegidos por nutridas guarniciones de tropa. En realidad,
en Kukuanaland, como ocurre entre los alemanes, los zulúes y los
masai, todo hombre apto es un soldado, de modo que toda la
fuerza de la nación está disponible para sus guerras, ofensivas o
defensivas. Mientras viajábamos, nos alcanzaron millares de guerreros que se apresuraban hacia Loo para estar presentes en la gran
revista anual y en la fiesta, y nunca había yo visto tropas más
espléndidas.

A la puesta del sol del segundo día, nos detuvimos para descansar un rato en la cima de unas alturas sobre las que discurría
la ruta, y allí, frente a nosotros, en medio de una hermosa llanura
fértil, estaba la misma Loo. Para una ciudad nativa, es enorme,
de no menos de cinco millas de circunferencia, diría yo, con kraals
circundándola a todo su alrededor que sirven en las grandes ocasiones para el acantonamiento de los regimientos, y con una curiosa colina en forma de herradura, con la que estábamos destinados a trabar mejor conocimiento, a unas dos millas al norte.

La ciudad está hermosamente situada, y por el centro del kraal, dividiéndolo en dos partes, discurre un río, que según vimos estaba cruzado por puentes en distintos puntos, el mismo río, en realidad, que habíamos visto desde las laderas de los Senos de Sheba. A dieciséis o diecisiete millas se levantaban por encima de la llanura tres grandes montañas con las cumbres nevadas, situadas formando un triángulo. La conformación de estas montañas es distinta de la de los Senos de Sheba, ya que son enhiestas y escarpadas en vez de suaves y redondeadas.

Infadoos vio que las mirábamos, e hizo por propia iniciativa una observación.

«La ruta termina allí», dijo, señalando aquellas montañas, que son conocidas entre los kukuanas como las «Tres Brujas».

«¿Por qué termina allí? —pregunté.

—¿Quién lo sabe? —respondió, encogiéndose de hombros—. Las montañas están llenas de cavernas, y hay un gran pozo en medio de ellas. Es allí donde los hombres sabios de los viejos tiempos solían ir para conseguir lo que fuera por lo que vinieron a este país, y ahora es allí donde se entierra a nuestros reyes, en la Mansión de la Muerte.

—¿Y a qué iban? —pregunté, con interés.

—No lo sé, no. Mis señores que han descendido de las estrellas deberían saberlo —respondió, con una veloz mirada. Evidentemente sabía más de lo que deseaba aparentar.

—Sí —proseguí—, tienes razón; en las Estrellas nos enteramos de muchas cosas. He oído decir, por ejemplo, que los hombres sabios de los viejos tiempos iban a esas montañas para encontrar piedras brillantes, unos bonitos juguetes, y hierro amarillo.

—Mi señor es sabio —respondió, fríamente—; yo no soy más que un niño y no puedo hablar con mi señor sobre estas cosas. Mi señor debe hablar con la vieja Gagool, en la ciudad del rey, que es sabia como mi señor.» Y se retiró.

En cuanto se hubo marchado me volví hacia los demás y señalé las montañas.

«Allí están las minas de diamantes de Salomón», dije.

Umbopa estaba con ellos, sumido, aparentemente, en uno de esos accesos de abstracción que eran comunes en él, y oyó lo que decía.

«Sí, Macumazahn —incidió, en zulú—, los diamantes están allí sin duda, y los tendrás, ya que vosotros, los hombres blancos, amáis tanto los juguetes y el dinero.

—¿Cómo sabes tú esto, Umbopa?» pregunté, en tono cortante, ya que no me gustaban sus maneras misteriosas.

Se rió.

«Lo soñé por la noche, hombres blancos», dijo. Luego dio media vuelta y se alejó.

«¡Bueno! —dijo sir Henry—. ¿Qué se propone nuestro amigo negro? Sabe más de lo que quiere decir, eso está claro. A propósito, Quatermain, ¿sabe él algo de... de mi hermano?

—Nada; ha preguntado a todos aquellos con los que ha hecho cierta amistad, pero dicen que ningún hombre blanco ha sido visto antes en este país.

—¿Piensan ustedes que llegó siquiera aquí? —sugirió Good—. Hemos perseguido tan sólo un milagro; ¿es posible que llegara hasta aquí sin el mapa?

—No lo sé —dijo sir Henry, lúgubremente—, pero por algún motivo pienso que le encontraremos.»

El sol se puso lentamente; luego, unas súbitas tinieblas se abalanzaron sobre la tierra como una cosa tangible. No había espacio intermedio entre el día y la noche, no había ninguna escena de suave transformación, ya que en esas latitudes no existe la penumbra. El cambio del día en noche es tan veloz y absoluto como el cambio de la vida en muerte. El sol se puso y las sombras se enroscaron sobre la tierra. Pero no por largo rato, ya que en el oeste hay un resplandor, luego caen rayos de luz plateada, y, finalmente, la luna llena, gloriosa, luce sobre la llanura y dispara sus fechas centelleantes a todo lo ancho en la distancia, cubriendo la tierra de un débil resplandor.

Contemplábamos, de pie e inmóviles, el encantador paisaje, mientras las estrellas empalidecían ante esta limpia majestad, y nos sentíamos con el corazón ligero en presencia de una belleza que no puede describirse. Mi vida ha sido dura, pero existen algunas cosas por las que agradezco haber vivido, y una de ellas es haber contemplado aquella luna brillar sobre Kukuanaland.

Al cabo de un rato, nuestras meditaciones quedaron rotas por nuestro cortés amigo Infadoos.

«Si mis señores han descansado lo suficiente, seguiremos viaje hacia Loo, donde hay una cabaña dispuesta para que mis señores pasen esta noche. Ahora brilla la luna, de modo que no erraremos el camino.»

Asentimos, y al cabo de una hora nos encontrábamos en las inmediaciones de la ciudad, cuya extensión, señalizada por millares de hogueras de campamento, parecía absolutamente sin límites. Incluso, Good, que gusta en todo momento de hacer chistes malos, la bautizó como «la Ilimitada Loo». No tardamos en llegar junto a un foso, con su puente levadizo, y allí nos topamos con el tintineo de las armas y el rudo alto del centinela. Infadoos dio alguna consigna que no pude entender, fue respondido con un saludo, y avanzamos por la calle central de la gran ciudad de hierbas. Después de una caminata de cerca de media hora, dejando atrás inacabables filas de cabañas, Infadoos acabó por detenerse junto a la puerta de un pequeño grupo de cabañas rodeadas por un pequeño patio de lima en polvo, y nos informó de que esos eran nuestros «pobres» aposentos.

Entramos, encontrándonos con que teníamos una cabaña asignada para cada uno. Estas cabañas eran superiores a cualquiera que hubiéramos visto hasta entonces, y en cada una de ellas había un confortable lecho de pieles curtidas puestas encima de colchones de hierba aromática. También se nos había dispuesto comida, y, en cuanto nos hubimos lavado con el agua que teníamos a nuestra disposición en jarras de barro, algunas mujeres jóvenes y hermosas nos trajeron manjares asados y mazorcas de maíz delicadamente servidas en bandejas de madera, y se presentaron ante nosotros con profundas reverencias.

Comimos y bebimos, y luego, después de que las camas hubieran sido todas trasladadas a una sola cabaña, a petición nuestra, precaución ante la que sonrieron las jóvenes damas, nos echamos para dormir, profundamente fatigados de nuestro largo viaje.

Cuando nos despertamos, nos encontramos con que el sol estaba ya alto en el cielo, y con que nuestras servidoras femeninas, que no parecían turbadas por ninguna falsa vergüenza, estaban ya de pie dentro de la cabaña, ya que se les había ordenado servirnos y ayudarnos a «prepararnos».

«¡Eso! A prepararnos —refunfuñó Good—; cuando uno tiene tan sólo una camisa de franela y unos zapatos, eso no lleva mucho tiempo. Quisiera que les pidiera mis pantalones, Quatermain.»

Hice en consecuencia esta solicitud, pero se me informó de que esas sacras reliquias habían sido ya llevadas al rey, el cual nos vería en el curso de la mañana.

Tras pedir a las jóvenes damas que salieran, cosa que las dejó un tanto asombradas y decepcionadas, procedimos a llevar a cabo nuestro aseo lo mejor que nos permitían las circunstancias. Good llegó incluso a afeitarse de nuevo el lado derecho de la cara; le imbuimos de la idea de que el lado izquierdo, que mostraba ya una notable densidad pilosa, no debía tocarlo bajo ningún concepto. Curtis y yo nos contentamos con un buen lavado y con peinarnos los cabellos. Los bucles rubios de sir Henry le caían ya casi sobre los hombros, y tenía más que nunca el aspecto de un danés de otros tiempos, mientras que mis frondas grises tenían por lo menos una pulgada, en lugar de la media pulgada que yo consideraba como mi máxima longitud de barba.

Después de engullir nuestros desayunos y de fumar una pipa, Infadoos en persona nos trajo un mensaje comunicándonos que Twala, el rey, estaba dispuesto a vernos, si nos dignábamos ir.

En respuesta, hicimos la observación de que preferiríamos esperar hasta que el sol estuviera un poco más alto, ya que estábamos todavía fatigados por nuestro viaje, etcétera. Siempre va bien, cuando se trata con gente incivilizada, no demostrar grandes prisas. Son propensos a confundir la cortesía con el miedo o la servilidad. De modo que, aun estando absolutamente tan impacientes por ver a Twala como Twala por vernos a nosotros, nos sentamos y esperamos una hora, empleando ese tiempo en preparar los regalos que nuestros magros pertrechos nos permitían; en concreto, el rifle Winchester que había utilizado el pobre Ventvögel, y algunos abalorios. Nos decidimos a ofrecer a Su Alteza Real el rifle y las municiones, mientras que los abalorios serían para sus mujeres y los miembros de su corte. Habíamos dado ya algunos a Infadoos y a Scragga, descubriendo que quedaban encantados con ellos, ya que nunca antes habían visto objetos semejantes. Por fin declaramos que estábamos dispuestos, y, guiados por Infadoos, partimos hacia la audiencia, con Umbopa llevando el rifle y los abalorios.

Después de andar unos pocos cientos de yardas, llegamos a un recinto un tanto parecido al que rodeaba las cabañas que nos habían sido asignadas, sólo que quince veces mayor, ya que cubría no menos de seis o siete acres de terreno. Alrededor de la valla exterior había una fila de cabañas que eran las habitaciones de las mujeres del rey. Justo enfrente de la puerta de entrada, al otro lado del espacio abierto, había una cabaña muy grande, aislada, en la que vivía su majestad. Todo el resto era terreno libre; es decir, hubiera sido terreno libre de no haber estado repleto de compañías de guerreros, una junto a otra, que reunían allí a siete u ocho mil hombres. Aquellos hombres estaban inmóviles como estatuas mientras avanzábamos entre ellos, y sería im-

113

posible dar una idea adecuada de la grandiosidad del espectáculo que ofrecían con sus plumas ondulantes, sus lanzas centelleantes y sus escudos de reverso de hierro.

El espacio frente a la gran cabaña estaba vacío, pero ante ella habían sido colocados varios escabeles. Ante un signo de Infadoos, nos sentamos en tres de ellos, mientras que Umbopa permanecía en pie detrás de nosotros. En cuanto a Infadoos, ocupó su puesto junto a la puerta de la cabaña. De aquel modo esperamos durante diez minutos, o más, en medio de un silencio de muerte, pero con la conciencia de ser objeto de las miradas convergentes de algo así como ocho mil pares de ojos. Era aquello como una especie de ordalía, pero la pasamos todo lo bien que supimos. Finalmente, se abrió la puerta de la cabaña, y salió por ella una figura gigantesca, con un espléndido manto de piel de tigre sobre los hombros, seguida por el joven Scragga y por lo que nos pareció ser un mono marchito envuelto en una capa de pieles. La figura se sentó sobre un escabel, Scragga se quedó de pie junto a él, y el mono marchito reptó a gatas a la sombra de la cabaña y se acurrucó.

Todo siguió en silencio.

Luego, la figura gigantesca se despojó de la piel de tigre y se alzó ante nosotros. Un espectáculo realmente alarmante. La figura correspondía a un hombre enorme con la fisonomía más enteramente repulsiva que yo hubiera jamás contemplado. El hombre tenía los labios gruesos como un etíope, la nariz chata; tenía un solo y centelleante ojo negro, ya que el otro estaba sustituido por una cavidad en el rostro, y toda su expresión era inconcebiblemente cruel y sensual. En su enorme cabeza se alzaba una magnífica pluma blanca de avestruz, su cuerpo estaba cubierto por una brillante cota de mallas, y alrededor de su cintura y de su rodilla derecha llevaba los usuales anillos de colas de buey blanco. Sostenía en la mano derecha una lanza ancha, llevaba en el cuello un grueso collar de oro, y, prendido sobre su frente, brillaba un solo y enorme diamante sin tallar.

Siguió el silencio; pero no por mucho rato. Al cabo de unos instantes, aquel hombre, que, según supusimos acertadamente, era el rey, alzó en la mano su gran venablo. Al instante, en respuesta, se alzaron ocho mil lanzas, y de ocho mil gargantas surgió el saludo real de *Koom*. Fue repetido tres veces, y cada vez la tierra tembló con el estruendo, comparable tan sólo a los rugidos más profundos del trueno.

«¡Sé humilde, oh pueblo! —dijo una voz aflautada que parecía proceder del mono en la sombra—. ¡Es el rey!»

«¡Es el rey!» retumbó la respuesta de ocho mil gargantas, «¡Sé humilde, pueblo! ¡Es el rey!»

Luego volvió a producirse un silencio... un silencio de muerte. Sin embargo, se rompió al cabo de poco. A nuestra izquierda, un soldado dejó caer el escudo, que cayó ruidosamente sobre el suelo de polvo de lima.

Twala volvió su feroz mirada en dirección al ruido.

«Tú, ven aquí», dijo, con fría voz.

Un hombre joven y bien parecido salió de las filas y se quedó en pie ante él.

«Fue tu escudo el que se cayó, perro torpe. ¿Quieres avergonzarme delante de estos forasteros de las Estrellas? ¿Qué puedes decir en tu favor?»

Vimos al pobre tipo palidecer bajo su piel oscura.

«Ha sido un azar, oh, Becerro del Buey Negro —murmuró.

—Entonces, pagarás por un azar. Me has ridiculizado; prepárate a morir.

—Soy un buey del rey —fue la débil respuesta.

—Scragga —rugió el rey—, quiero ver cómo utilizas la lanza. Mátame a ese ridículo imbécil.»

Scragga dio unos pasos adelante con una fea mueca y alzó la lanza. La pobre víctima se tapó los ojos con las manos y permaneció inmóvil. En cuanto a nosotros, estábamos petrificados de horror.

«Uno, dos», balanceó la lanza, y luego golpeó, ¡ah! directo al blanco. La lanza se inmovilizó, sobresaliendo un pie por la espalda del soldado. Apartó las manos y cayó muerto. De la multitud detrás nuestro surgió algo así como un murmullo, que rodó unos instantes y luego se apagó. La tragedia había terminado; ahí yacía el cadáver; no habíamos acabado de comprender, y todo había ya sucedido. Sir Henry se puso en pie y soltó un tremendo juramento; luego, abrumado por la sensación de silencio, volvió a sentarse.

«Ha sido un buen golpe —dijo el rey—; lleváoslo.»

Cuatro hombres salieron de las filas, alzaron el cuerpo del hombre asesinado, y se lo llevaron de allí.

«Tapad las manchas de sangre, sí, tapadlas —silbó la delgada voz que procedía de la figura con aspecto de mono—; ¡la palabra del rey ha sido dicha, la sentencia del rey ha sido cumplida!»

A eso, se acercó una muchacha desde detrás de la cabaña, llevando una jarra llena de lima en polvo que derramó sobre la señal roja, tapándola.

Sir Henry estaba entretanto hirviendo de ira por lo que había sucedido; a decir verdad, tuvo dificultades para mantenerse inmóvil.

«¡Siéntese, por el amor de Dios! —susurré—. Nuestras vidas dependen de ello.»

Cedió, y permaneció quieto.

Twala estuvo sentado en silencio hasta que las huellas de la tragedia hubieron desaparecido. Luego se dirigió a nosotros.

«Gente blanca —dijo— que venís aquí de donde yo no sé, y por razones que no sé, os saludo.

—Saludos a Twala, rey de los kukuanas —respondí.

—Gente blanca, ¿de dónde venís, y qué buscáis?

—Venimos de las Estrellas, no nos preguntes cómo. Venimos a visitar este país.

—Habéis viajado de lejos para ver poca cosa. Y este hombre que está con vosotros —señaló a Umbopa—, ¿viene también de las Estrellas?

—También él; hay gente de tu color en los cielos, allí arriba; pero no preguntes cosas demasiado altas para ti, rey Twala.

—Habláis con voz fuerte, gente de las Estrellas —respondió Twala, en un tono que no me gustó demasiado—. Recordad que las Estrellas están lejos, y que vosotros estáis aquí. ¿Y si hago con vosotros cómo con ese que se llevan?»

Me reí muy fuerte, aunque poca risa tenía en el corazón.

«¡Oh, rey! —dije—. Sé precavido, camina con cautela sobre las piedras ardientes para no quemarte los pies; coge la lanza por el mango para no cortarte las manos. Toca un solo cabello de nuestras cabezas, y la destrucción caerá sobre ti. ¿Cómo? ¿No te han contado ésos —y señalé a Infadoos y a Scragga, ese joven villano, que se dedicaba a limpiar su lanza de la sangre del soldado— qué clase de hombres somos? ¿Has visto alguna vez algo que se nos asemeje? —y señalé a Good, sintiéndome totalmente seguro de que jamás había visto a nadie que se pareciera en lo más mínimo al capitán con su pinta actual.

—Es cierto, no lo he visto —dijo el rey, examinando a Good con inmenso interés.

—¿No te han contado cómo golpeamos de muerte desde lejos? —proseguí.

—Me lo han contado, pero no les creo. Quiero ver cómo matáis. Matadme a un hombre de esos que están ahí —y señaló hacia el otro lado del kraal—, y os creeré.

—No —respondí—; no derramamos sangre humana más que como justo castigo. Pero si quieres ver, ordena a tus sirvientes que traigan un buey por las puertas del kraal, y antes de que haya avanzado veinte pasos le haré caer muerto.

—No —dijo el rey—, matadme a un hombre y os creeré.

—Muy bien, oh rey, así sea —respondí fríamente—; camina por el espacio abierto, y antes de que tus pies alcancen la puerta estarás muerto; o si tú no quieres, envía a tu hijo Scragga» (al cual, en aquel momento, hubiera ejecutado con enorme placer).

Al oír esta sugerencia, Scragga emitió una especie de aullido y saltó dentro de la cabaña.

Twala frunció el ceño majestuosamente; la sugerencia no le gustaba.

«Que traigan un buey joven», dijo.

Dos hombres partieron de inmediato, corriendo muy ligeros.

«Ahora, sir Henry —dije—, disparará usted. Quiero demostrar a este rufián que no soy yo el único mago del grupo, y no podemos confiar en Good.»

De conformidad con esto, sir Henry tomó su Express y se dispuso a disparar.

«Espero hacer un buen disparo —gimió.

—Debe hacerlo —respondí—. Si falla con el primer cañón, dispare el segundo. Ponga el alza a ciento cincuenta yardas y espere a que la bestia esté totalmente de costado.»

Luego se hizo una pausa, y al cabo de poco pudimos ver un buey que corría atravesando la puerta del kraal. La atravesó, y luego, viendo la gran concurrencia de gente, se detuvo estúpidamente, dio media vuelta y mugió.

«Ahora es su momento», susurré.

Sonó el disparo.

¡Bang! ¡Pof! Y el buey pataleaba ya en el suelo con una bala en las costillas. La bala semihueca había hecho bien su trabajo, y un suspiro de asombro recorrió los millares de hombres.

Me volví, fríamente.

«¿Había mentido, oh rey?

—No, hombre blanco, era cierto —fue la respuesta, un tanto atemorizada.

—Escucha, Twala —proseguí—, ya has visto. Ahora debes

saber que venimos en paz, no en guerra. Mira —y levanté el Winchester de repetición—, aquí tienes un palo hueco que te permitirá matar igual que nosotros; sólo que pongo sobre él este hechizo: no matarás con él a ningún hombre. Si lo alzas contra un hombre, te matará a ti. Espera, voy a enseñarte. Ordena a un soldado que avance cuarenta pasos y deje en el suelo el mango de una lanza de tal modo que lo ancho de la hoja mire hacia nosotros.»

En pocos segundos fue cosa hecha.

«Ahora mira, voy a romper esa lanza.»

Apunté cuidadosamente y disparé. La bala golpeó el plano de la lanza e hizo pedazos la hoja.

Volvió a oírse el suspiro de asombro.

«Ahora, Twala, te damos este tubo mágico. Luego te enseñaré a manejarlo; pero ten cuidado de no volver la magia de las Estrellas contra un hombre en esta tierra.» Y le tendí el rifle.

El rey lo tomó muy cautelosamente y lo dejó en el suelo a sus pies. Mientras lo hacía, observé que la figura mustia y parecida a un mono reptaba saliendo de la sombra de la cabaña. Reptaba a gatas, pero cuando llegó al sitio en que estaba sentado el rey se alzó sobre los pies, y, apartando de la cara la envoltura de pieles, reveló una fisonomía absolutamente extraordinaria y horripilante. Aparentemente correspondía a una mujer de edad muy avanzada, tan contraída que no parecía mucho mayor que el rostro de un niño de un año, pero formada por incontables y profundas arrugas amarillas. Entre aquellas arrugas estaba hundida una hendidura que representaba la boca, y debajo de ella avanzaba hacia fuera la barbilla, terminada en punta. No podía hablarse de una nariz; a decir verdad, aquel rostro hubiera podido tomarse por el de un cadáver secado al sol, de no haber sido por un par de grandes ojos negros, todavía llenos de fuego y de inteligencia, que relumbraban y se movían debajo de unas cejas blancas como la nieve y la protuberante calavera color pergamino, como joyas en un osario. La cabeza de aquel ser estaba totalmente calva, y era de color amarillo, mientras que el desnudo y arrugado cuero cabelludo se movía y contraía como la cabeza de una cobra.

La figura a la que pertenecía esta espantosa fisonomía, una fisonomía realmente tan espantosa que a uno le venía un escalofrío de miedo cuando la miraba, se quedó inmóvil unos momentos. Luego, súbitamente, proyectó una garra esquelética provista de uñas de casi una pulgada de longitud, y, posándola en el hombro del rey Twala, empezó a hablar con voz delgada y penetrante.

«¡Escucha, oh rey! ¡Escuchad, oh guerreros! ¡Escuchad, oh montañas y llanuras y ríos, hogar de la raza kukuana! ¡Escuchad, oh estrellas y sol, oh lluvia y tormenta y bruma! ¡Escuchad, oh hombres y mujeres, oh jóvenes y doncellas, y vosotros, los aún no nacidos! ¡Escuchad, **vosotras, todas las** cosas que viven y deberán morir! ¡Escuchad, cosas muertas que volverán a vivir, para morir de nuevo! ¡Escuchad! ¡El espíritu de la vida está en mí, y yo profetizo! ¡Yo profetizo! ¡Yo profetizo!»

Las palabras se disolvieron en un débil gemido, y el espanto pareció apoderarse de los corazones de todos los que las habían oído, nosotros incluidos. Aquella vieja era realmente aterradora.

«¡Sangre! ¡Sangre! ¡Sangre! ¡Ríos de sangre; sangre por todas partes! La veo, la huelo, siento su sabor: ¡Es salada! Fluye roja por el suelo, llueve de los cielos.

»¡Huellas de pisadas! ¡Huellas de pisadas! ¡Huellas de pisadas! El rastro del hombre blanco venido de lejos. Sacude la tierra; la tierra tiembla ante su dueño.

»La sangre es buena, la roja sangre es brillante; no hay olor como el olor de la sangre recién derramada. Los leones la lamerán, y rugirán, los buitres se lavarán las alas en ella y chillarán de júbilo.

»¡Soy vieja! ¡Soy vieja! He visto mucha sangre. ¡Ja, ja! Pero veré más todavía antes de morir, y estaré alegre. ¿Cuán vieja pensáis que soy? Vuestros abuelos me conocieron, y sus padres me conocieron, y los padres de los padres de sus padres. Yo he visto al hombre blanco y sus deseos. Soy vieja, pero las montañas son más viejas que yo. ¿Quién hizo la gran ruta, decidme? ¿Quién escribió las pinturas de las rocas, decidme? ¿Quién levantó los Tres Silenciosos, allí, que miran por encima del pozo, decidme?» Y señalaba hacia las tres montañas escarpadas que habíamos observado la noche anterior.

«Vosotros no lo sabéis, pero yo lo sé. Fue un pueblo blanco que existió antes que nosotros, que existirá cuando vosotros ya no seáis, que os comerá y os destruirá. ¡Ja, ja, ja!

»¿Y a qué vienen, los Blancos, los Terribles, los que son duchos en la magia y en todos los conocimientos, los fuertes, los inquebrantables? ¿Qué es esta piedra brillante en tu frente, oh rey? ¿Qué manos han hecho los ornamentos de hierro de tu pecho, oh rey? No lo sabéis, pero yo lo sé Yo, la Vieja, yo, la Sabia, yo, la *isanusi*, la doctora bruja!»

Luego volvió hacia nosotros su calva cabeza de buitre.

«¿Qué buscáis, hombres blancos de las Estrellas... ah, sí, de las Estrellas? ¿Buscáis a uno que se ha perdido? No le encontraréis aquí. No está aquí. Nunca, en edades tras edades, ha pisado esta tierra ningún pie blanco; nunca, salvo una vez, y recuerdo que se fue para morir. Venís a por piedras brillantes; lo sé, lo sé; las encontraréis cuando la sangre esté seca; pero ¿volveréis luego a allí de donde venís, o bien os quedaréis conmigo? ¡Ja, ja, ja!

»Y tú, tú el de la piel oscura y el porte altivo —y apuntó sus flacos dedos hacia Umbopa—, ¿quién eres *tú*, qué buscas *tú?* No buscas piedras que brillan, ni metal amarillo que relumbra, eso se lo dejas a los "hombres blancos de las Estrellas". Creo que te conozco; creo que puedo oler el olor de la sangre en tu corazón. Muestra la cintura...»

En aquel momento se convulsionaron las facciones de aquella criatura asombrosa; cayó al suelo espumeando, presa de un ataque epiléptico, y se la llevaron dentro de la cabaña.

El rey se puso en pie, temblando, y movió la mano. Al instante los regimientos empezaron a desfilar, y a los diez minutos el gran espacio quedó vacío, salvo por nosotros, el rey y unos pocos servidores.

«Gente blanca —dijo—, me pasa por la mente el mataros. Gagool ha hablado palabras extrañas. ¿Qué decís?»

Me reí.

«Ve con cuidado, oh rey, no es fácil matarnos. Ya has visto la suerte del buey; ¿quieres verte como él?»

El rey frunció el ceño.

«No está bien amenazar a un rey.

—No amenazamos; hablamos la verdad. Trata de matarnos, oh rey, y aprenderás.»

El gran salvaje se puso la mano en la frente y meditó.

«Id en paz —dijo finalmente—. Esta noche es la gran danza. La veréis. No temáis que os tienda una trampa. Mañana pensaré.

—Está bien, oh rey», respondí despreocupadamente, y luego, acompañados por Infadoos, nos levantamos y volvimos a nuestro kraal.

10

LA CAZA DE BRUJOS

Cuando llegamos a nuestra cabaña, invité a Infadoos a entrar con nosotros.

«Ahora, Infadoos —le dije—, queremos hablar contigo.

—Digan pues mis señores.

—Nos parece, Infadoos, que el rey Twala es un hombre cruel.

—Así es, mis señores. ¡Ay! La tierra grita por sus crueldades. Esta noches veréis. Es la gran caza de brujos, y muchos serán olfateados como hechiceros y morirán. No está a salvo la vida de ningún hombre. Si el rey codicia el ganado de un hombre, o a la mujer de un hombre, o si teme que un hombre pueda incitar a la rebelión contra él, entonces, Gagool, a la que habéis visto, o algunas de las cazadoras de brujos enseñadas por ella, olfatearán a ese hombre como hechicero, y morirá. Hasta ahora yo me he librado porque soy experto en la guerra y querido por los soldados; pero no sé cuánto me queda por vivir. La tierra gime con las maldades del rey Twala; está fatigada de él y de sus rojos procederes.

—¿Cómo es entonces, Infadoos, que el pueblo no lo derriba?

—No, mis señores, él es el rey, y si lo mataran Scragga reinaría en su lugar, y el corazón de Scragga es todavía más negro que el corazón de su padre Twala. Si Scragga fuera rey, su yugo pesaría más en nuestra nuca que el yugo de Twala. Si Imotu no hubiera sido asesinado, o si su hijo Ignosi huviera vivido, podría haber sido de otro modo; pero ambos están muertos.

—¿Cómo sabes tú que Ignosi está muerto?» dijo una voz

detrás de nosotros. Miramos a nuestro alrededor para ver quién había hablado. Era Umbopa.

«¿Qué quieres decir, muchacho? —preguntó Infadoos—. ¿Quién te ha dicho que hablaras?

—Escucha, Infadoos —fue la respuesta—, y te contaré una historia. Hace años, el rey Imotu fue asesinado en este país, y su mujer huyó con su hijo Ignosi. ¿No es así?

—Así es.

—Se dijo que la mujer y su hijo habían muerto en las montañas. ¿No es así?

—Así es, ciertamente.

—Bien, pues lo que sucedió fue que la madre y el niño Ignosi no murieron. Cruzaron las montañas, y fueron conducidos más allá de la arena, por una tribu de hombres errantes del desierto, hasta que llegaron de nuevo al agua y a la hierba y a los árboles.

—¿Cómo sabes tú esto?

—Escucha. Viajaron, siempre adelante, durante muchos meses, hasta que llegaron a una tierra donde vive un pueblo llamado Amazulú, que es de la misma estirpe de los Kukuanas y vive con la guerra, y con él se quedaron muchos años, hasta que por fin la madre murió. Entonces, el hijo Ignosi erró de nuevo, y viajó a una tierra de maravillas en la que vive gente blanca; y durante muchos años estudió la sabiduría de la gente blanca.

—Es una bonita historia —dijo Infadoos, incrédulo.

—Durante años vivió allí, trabajando de sirviente y de soldado, pero conservó en el corazón todo lo que su madre le había contado de su propio país, y meditó en su espíritu cómo podría viajar hasta aquí para ver a su pueblo y la casa de su padre antes de morir. Durante muchos años vivió y esperó, y finalmente llegó el momento, como llega siempre para aquel que sabe esperar, y encontró a ciertos hombres blancos que iban a buscar la tierra desconocida, y se unió a ellos. Los hombres blancos partieron y viajaron, siempre adelante, en busca de uno que se ha perdido. Cruzaron el ardiente desierto, cruzaron las montañas cubiertas de nieve, y finalmente alcanzaron la tierra de los kukuanas, y allí *te* encontraron, oh Infadoos.

—Sin duda estás loco para hablar de este modo —exclamó el viejo soldado, atónito.

—¿Eso piensas? Mira, vas a ver, oh tío.

»Yo soy Ignosi, verdadero rey de los kukuanas.»

Luego, de un solo movimiento, Umbopa dejó caer su *moocha*, o taparrabos, y quedó desnudo ante nosotros.

«Mira —dijo—, ¿qué es esto?» y señaló la imagen de una gran serpiente tatuada en azul alrededor de su cintura, con la cola desapareciendo en su boca abierta justo por encima del punto en que los muslos se unen al cuerpo.

Infadoos miró, con los ojos casi saliéndole de las órbitas. Luego cayó de rodillas.

«¡Koom! ¡Koom!» exclamó, «¡Es el hijo de mi hermano! ¡Es el rey!»

«¿No te lo había dicho, tío? Levántate; todavía no soy el rey, pero con tu ayuda, y con la ayuda de estos valientes hombres blancos, que son mis amigos, lo seré. Sin embargo, la vieja bruja Gagool tenía razón: primero la tierra se cubrirá de sangre, y la suya correrá también, si es que la tiene y es mortal, ya que mató a mi padre con sus palabras y desterró a mi madre. Y ahora, Infadoos, elige. ¿Pondrás tus manos en las mías y serás hombre mío? ¿Compartirás los peligros que tengo delante, y me ayudarás a derribar a ese tirano asesino, o no lo harás? Elige.»

El anciano se puso la mano en la cabeza y reflexionó. Luego se alzó, avanzó hacia donde estaba Umbopa, o mejor dicho Ignosi, se arrodilló y le tomó la mano.

«Ignosi, verdadero rey de los kukuanas, pongo mi mano entre tus manos, y soy hombre tuyo hasta la muerte. Cuando eras niño te hice saltar sobre mis rodillas; ahora mi viejo brazo golpeará por ti y por la libertad.

—Está bien, Infadoos; si venzo, tú serás el hombre más grande en mi reino después del rey. Si fracaso, sólo puedes morir, y la muerte no está lejos de ti. Levántate, tío.

»Y vosotros, hombres blancos, ¿me ayudaréis? ¡Tengo qué ofreceros! ¡Las piedras blancas! Si venzo y podemos encontrarlas, tendréis tantas como podáis llevaros. ¿Esto os bastará?»

Traduje esta observación.

«Dígale —respondió sir Henry— que se confunde con los ingleses. La riqueza es buena cosa, y si nos encontramos con ella en el camino la cogemos; pero un caballero no se vende por riqueza. Sin embargo, hablando por mí mismo, digo esto: siempre he apreciado a Umbopa, y en toda la medida de mis fuerzas estaré junto a él en este asunto. Me resultará agradable tratar de arreglar cuentas con ese cruel diablo de Twala. ¿Qué dice usted, Good? ¿Y usted, Quatermain?»

—Bien —dijo Good—, para adoptar el lenguaje de la hipér-
bole, que parece ser la debilidad de esta gente, puede decirle
que una buena pelea es sin duda buena cosa, y conforta las entrañas; en definitiva, que, en todo lo que a mí respecta, soy su
servidor. Mi única condición es que me permita llevar pantalones.»

Traduje el contenido de estos discursos.

«Está bien, amigos míos —dijo Ignosi, antes Umbopa—. Pero
¿qué dices tú, Macumazahn? ¿Estás tú también conmigo, tú, el
viejo que Vela por la Noche, más listo que un búfalo herido?»

Reflexioné un poco, rascándome la cabeza.

«Ignosi, o Umbopa —dije—, no me gustan las revoluciones.
Soy hombre de paz, y un poco cobarde» —aquí, Umbopa sonrió—;
«pero, por otra parte, tengo apego a mis amigos, Ignosi. Has estado junto a nosotros y te has comportado como un hombre, y ahora
yo estaré junto a ti. Pero piensa que yo soy un comerciante y que
tengo que ganarme la vida, de modo que acepto tu oferta sobre
esos diamantes en el caso de que lleguemos a estar en posición
de conseguirlos. Otra cosa: hemos venido, como sabes, en busca
del hermano perdido de Incubu (sir Henry). Debes ayudarnos a
encontrarle.

—Eso haré —respondió Ignosi—. Quédate, Infadoos. Por el
signo de la serpiente en mi cintura, dime la verdad. ¿Algún hombre blanco, que tú sepas, ha puesto el pie en esta tierra?

—Ninguno, oh Ignosi.

—Si algún hombre blanco hubiera sido visto o se hubiera
oído hablar de él, ¿te hubieras tú enterado?

—Sin duda me hubiera enterado.

—Ya lo oyes, Incubu —dijo Ignosi a sir Henry—; no ha estado aquí.

—Bien, bien —dijo sir Henry, con un suspiro—; es un hecho;
supongo que no llegó tan lejos. ¡Pobre muchacho! ¡Pobre muchacho! De modo que todo ha sido para nada. Se ha hecho la voluntad del Señor.

—Ahora, manos a la obra —incidí, impaciente por escapar de
un tema penoso—. Está muy bien ser rey por derecho divino,
Ignosi, pero ¿cómo te propones convertirte realmente en rey?

—No lo sé, no. Infadoos, ¿tienes un plan?

—Ignosi, hijo del Iluminador —respondió su tío—, esta noche
es la gran danza y la caza de brujos. Muchos serán olfateados y
morirán, y en los corazones de muchos otros habrá dolor, y angustia, y furia contra el rey Twala. Cuando termine la danza, yo

hablaré con algunos de los jefes principales, que, a su vez, si logro convencerles, hablarán con sus regimientos. Primero hablaré suavemente a los jefes, y les traeré a que vean que tú eres verdaderamente el rey, y pienso que cuando mañana amanezca tendrás veinte mil lanzas a tu mando. Y ahora debo irme y reflexionar, y escuchar, y prepararme. Cuando termine la danza, si es que sigo vivo, y seguimos todos vivos, te encontraré aquí, y podremos hablar. En el mejor de los casos, habrá guerra.»

En aquel momento nuestra conferencia fue interrumpida por el grito de que llegaban mensajeros del rey. Fuimos hasta la puerta de la cabaña y ordenamos que fueran admitidos, y al cabo de poco entraron tres hombres, llevando cada cual una reluciente cota de mallas y una espléndida hacha de combate.

«¡Los regalos de mi señor el rey para los hombres blancos de las Estrellas!» dijo un heraldo que venía con ellos.

«Estamos agradecidos al rey —respondí—. Marchaos.»

Los hombres se fueron, y examinamos la armadura con gran interés. Era el trabajo en malla más maravilloso que ninguno de nosotros hubiera jamás visto. Era todo un manto, que al caer formaba un montón tan apretado que apenas era demasiado grande para que se pudiera cubrir con ambas manos.

«¿Hacéis estas cosas en este país, Infadoos? —pregunté—. Son muy hermosas.

—No, mi señor, nos vienen de nuestros antepasados. No sabemos quién las hacía, y quedan pocas (1). Tan sólo los que tienen sangre real pueden envolverse en ellas. Son mantos mágicos que ninguna lanza puede atravesar, y los que los llevan están prácticamente a salvo en las batallas. El rey está muy complacido, o muy asustado, porque si no no os hubiera enviado estas vestiduras de hierro. Cubríos con ellas esta noche, mis señores.»

Pasamos tranquilamente el resto del día, descansando y hablando de la situación, que era notablemente excitante. Finalmente se puso el sol, brillaron las mil hogueras de vigilancia, y, a través de las tinieblas, oímos las pisadas de multitud de pies y el tintineo de millares de lanzas mientras los regimientos desfilaban hacia los puntos que tenían asignados, para estar dispuestos para la gran danza. Luego relució la luna nueva, esplendorosa, y, mientras estábamos contemplando sus rayos, llegó Infadoos, vestido

---

(1) En el Sudán los árabes llevan todavía lanzas y cotas de malla que sus antepasados debieron obtener de los cadáveres de los cruzados. (*Editor.*)

con sus atuendos de combate y acompañado por una guardia de veinte hombres, para escoltarnos hasta la danza. Tal como nos había recomendado, nos habíamos puesto ya las camisas de cota de malla que el rey nos había enviado, descubriendo, ante nuestra sorpresa, que no eran ni pesadas ni inconfortables. Aquellas camisas de acero, que evidentemente habían sido hechas para hombres de elevada estatura, nos venían un tanto anchas a Good y a mí, pero a sir Henry, con su magnífica estructura, le sentaba la suya como un guante. Luego nos colgamos del cinto los revólveres, y partimos, llevando las hachas de combate que el rey nos había enviado junto con las armaduras.

Al llegar al gran kraal, donde por la mañana nos había recibido el rey, nos encontramos con que había en él, en apretada formación, cosa de veinte mil hombres ordenados en regimientos. Aquellos regimientos estaban a su vez divididos en compañías, y entre cada compañía y la contigua había un estrecho camino para que las cazadoras de brujos pudieran pasar arriba y abajo. Es imposible concebir nada más imponente que el espectáculo que presentaba aquella vasta y ordenada aglomeración de hombres armados. Estaban erguidos en total silencio, y la luna derramaba su luz sobre el bosque de sus lanzas enhiestas, sobre sus formas majestuosas, sus plumas cimbreantes y la gama armoniosa de sus escudos multicolores. Miráramos donde miráramos había fila tras fila de rostros oscuros y, encima de ellos, fila tras fila de lanzas resplandecientes.

«Sin duda —dije a Infadoos— está aquí todo el ejército.

—No, Macumazahn —respondió—, sólo una tercera parte. Una tercera parte se presenta cada año a esta danza, otra tercera parte permanece fuera para el caso de que haya disturbios cuando empieza la matanza, diez mil hombres montan la guardia en los alrededores de Loo, y el resto vela en los kraals en el resto del país. Como ves, es un gran pueblo.

—Están muy silenciosos», observó Good; y lo cierto era que la intensa inmovilidad de una masa tan enorme de seres humanos era casi sobrecogedora.

«¿Qué dice Bougwan?» preguntó Infadoos.

Traduje.

«Aquellos sobre los que cae la sombra de la muerte están silenciosos —respondió, ceñudo.

—¿Matarán a muchos?

—A muchísimos.

—Según parece —dije a los demás—, vamos a asistir a un espectáculo de gladiadores montado sin reparar en gastos.»

Sir Henry se estremeció, y Good dijo que deseaba que pudiéramos no tomar parte activa.

«Dime— pregunté a Infadoos—, ¿estamos en peligro?

—No lo sé, mis señores; no lo creo; pero no parezcáis asustados. Si vivís toda la noche, todo irá bien para vosotros. Los soldados murmuran contra el rey.»

Todo este rato habíamos estado avanzando decididamente hacia el centro del espacio abierto, en cuyo centro habían sido colocados algunos escabeles. Mientras seguíamos avanzando, pudimos ver otro pequeño grupo que procedía de la cabaña real.

«Son el rey Twala, su hijo Scragga y la vieja Gagool; y, mirad, con ellos van los que matan», dijo Infadoos, señalando a un pequeño grupo de más o menos una docena de hombres gigantescos y de aspecto salvaje, cada uno de ellos armado con una lanza en una mano y una maza en la otra.

El rey se sentó en el escabel central, Gagool se acurrucó a sus pies, y los demás se quedaron en pie detrás suyo.

«Os saludo, señores blancos —nos gritó Twala mientras nos acercábamos a él—; sentaos, no perdamos un tiempo precioso; la noche es demasiado breve para lo que va a acontecer. Llegáis a buena hora, y veréis un espectáculo glorioso. Mirad alrededor, señores blancos, mirad alrededor —y paseó la mirada de su único ojo de regimiento en regimiento—. ¿Pueden las Estrellas mostraros un espectáculo semejante? Ved cómo tiemblan en su maldad, todos aquellos que tienen el mal en el corazón y temen el juicio del "Cielo que está arriba".

—¡Empezad! ¡Empezad! —silbó Gagool con su voz aguda—. Las hienas tienen hambre, aúllan por comida. ¡Empezad! ¡Empezad!»

Entonces se produjo un momento de intenso silencio que el presagio de lo que iba a suceder hacía horrible.

El rey alzó la lanza, y, súbitamente, veinte mil pies se levantaron como si fueran de un solo hombre y se abatieron con estruendo sobre la tierra. Esto se repitió tres veces, haciendo que el suelo sólido se estremeciera y temblara. Luego, desde un punto lejano del círculo, una voz solitaria inició un canto lastimero, cuyo estribillo era más o menos como sigue:

«¿Cuál es la suerte del hombre nacido de mujer?»

Luego seguía la réplica, que retumbaba surgiendo de todas las gargantas de aquella vasta compañía:

«¡La muerte!»

Gradualmente, la canción fue coreada por una compañía tras otra, hasta que toda la muchedumbre armada estuvo cantándola; y ya no pude seguir las palabras, salvo en cuanto a que aparentemente exponían distintas fases de las pasiones humanas, miedos y alegrías. Parecía ahora una canción de amor, ahora un robusto canto guerrero, y finalmente pareció un himno fúnebre que terminó abruptamente en un sollozo desgarrador que repercutió y se disolvió en el volumen de un sonido espeso como la sangre.

De nuevo cayó el silencio sobre aquel sitio, y de nuevo fue roto por la mano alzada del rey. Al instante oímos un patalear de numerosos pies, y de entre las masas de guerreros aparecieron formas extrañas y horrendas que corrían hacia nosotros. A medida que se fueron acercando pudimos ver que eran mujeres, en su mayoría de avanzada edad, ya que tenían los cabellos blancos, adornadas por pequeñas vejigas de pescado que se arrastraban en ristras detrás de ellas. Llevaban los rostros pintados con franjas blancas y amarillas; de la espalda les colgaban pieles de serpiente, y alrededor de la cintura les castañeteaban cíngulos de huesos humanos; cada una sostenía en su mano arrugada una pequeña vara en horquilla. Eran diez en total. Cuando llegaron frente a nosotros se detuvieron, y una de ellas, señalando con su varilla la forma acurrucada de Gagool, gritó:

«¡Madre, Vieja Madre, aquí estamos!

—¡Bien! ¡Bien! ¡Bien! ¿Tenéis abiertos los ojos, *isanusis* (doctoras brujas), vosotras que veis en los sitios oscuros?

—Madre, son penetrantes.

—¡Bien! ¡Bien! ¡Bien! ¿Tenéis abiertos los oídos, *isanusis,* vosotras que oís palabras que no proceden de la lengua?

—Madre, están abiertos.

—¡Bien! ¡Bien! ¡Bien! ¿Tenéis despiertos los sentidos, *isanusis*? ¿Podéis oler la sangre, podéis purgar la tierra de los malvados que maquinan el mal contra el rey y contra sus vecinos? ¿Estáis preparadas para hacer la justicia del «Cielo que está arriba», vosotras a quienes he enseñado, vosotras que habéis comido el pan de mi sabiduría y bebido el agua de mi magia?

—Madre, sí podemos.

—¡Id pues! No tardéis, buitres; ¡ved! Los ejecutores —y señaló el siniestro grupo de los verdugos, detrás suyo— afilan sus

lanzas; los hombres blancos venidos de lejos tienen hambre de
ver. ¡Id!»

Con un alarido salvaje, las horrendas ministras de Gagool se
dispersaron en todas direcciones, como fragmentos de metralla, con
los huesos resecos castañeteando en sus cinturas mientras corrían,
y se dirigieron a distintos puntos del denso círculo humano. No
pudimos seguirlas a todas con la mirada, de modo que mantuvimos los ojos fijos en la *isanusi* más cercana a nosotros. Cuando
llegó a unos pocos pasos de los guerreros, se detuvo y empezó a
bailar salvajemente, girando sobre sí misma con increíble velocidad y aullando frases como: «¡Lo huelo, al malvado! ¡Está cerca,
el que envenenó a su madre! ¡Oigo los pensamientos del que ha
planeado el mal contra el rey!»

Bailó cada vez más aprisa, hasta que se sacudió en un frenesí
tal de excitación que de sus mandíbulas rechinantes surgieron copos
de espuma, que sus ojos parecieron salírsele de las órbitas y que
su carne palpitó visiblemente. De repente, se detuvo en seco
y se envaró todo su cuerpo, como un perro de caza que huele la
presa, y luego, con la varilla extendida, se puso a reptar hacia
los soldados que tenía delante. Nos pareció que a medida que
se les acercaba iba cediendo su estoicismo y que retrocedían frente a ella. En cuanto a nosotros, seguimos sus movimientos con
una horrible fascinación. Al poco rato, sin dejar de reptar y acucli-
llarse como un perro, la *isanusi* estaba frente a ellos. Luego se
detuvo y señaló, y de nuevo reptó un paso o dos.

De repente vino el desenlace. Con un chillido, saltó adelante y
tocó a un guerrero de elevada estatura con su varilla ahorquillada.
Al instante, dos de sus camaradas, los que el guerrero tenía a
lado y lado, asieron al hombre condenado, cada cual por un brazo,
y avanzaron con él hacia el rey.

No se resistió, pero vimos que arrastraba las piernas como
si estuviera paralizado, y que sus dedos, de los que había caído
la lanza, estaban fláccidos como los de un hombre recién muerto.

Cuando llegó, dos de los canallescos verdugos salieron a su
encuentro. Cuando se encontraron, los verdugos se pusieron a su
espalda, mirando hacia el rey como esperando órdenes.

«¡Matad! —dijo el rey.

—¡Matad! —chirrió Gagool.

—¡Matad!» se hizo eco Scragga, con un cavernoso cloqueo de
alegría.

Antes prácticamente de que fueran pronunciadas las palabras, el horrendo acto se había cometido. Uno de los hombres había atravesado con su lanza el corazón de la víctima, y, para doble seguridad, el otro le había machacado el cráneo con una gran maza.

«Uno», contó el rey Twala, exactamente igual que una Madame Defarge negra, según dijo Good; y el cuerpo fue arrastrado a unos pocos pasos de distancia y dejado tendido en el suelo.

Apenas se había terminado la cosa cuando trajeron a otro pobre desdichado, como un buey al matadero. Esta vez pudimos ver, por la capa de piel de leopardo que llevaba, que se trataba de una persona de cierto rango. De nuevo fueron pronunciadas las horribles sílabas, y la víctima cayó muerta.

«Dos», contó el rey.

Y de este modo prosiguió el mortífero juego, hasta que un centenar de cuerpos quedaron tendidos en filas a nuestro lado. Yo había oído hablar de los espectáculos de gladiadores de los Césares, y de las corridas de toros españolas, pero me permitiré poner en duda el que pudieran ser unos y otras ni la mitad de horribles que aquella caza de brujos kukuana. Por lo menos, los espectáculos de gladiadores y las corridas de toros contribuían a la diversión pública, y ése no era precisamente el caso allí. El más empedernido traficante de sensaciones se saciaría de sensaciones si supiera que estaba en el aire la posibilidad de convertirse, en propia persona, en el objeto del siguiente «acontecimiento».

Una vez nos levantamos y tratamos de protestar, pero fuimos enérgicamente retenidos de ello por Twala.

«Dejad que la ley siga su curso, hombres blancos. Esos perros son magos y cometen maldades; es bueno que mueran», fue la única respuesta que nos fue concedida.

Hacia las diez y media hubo una pausa. Las rastreadoras de brujos se agruparon, aparentemente exhaustas por su sangriento trabajo, y pensamos que la función había terminado. Pero no era así, ya que al cabo de un rato, ante nuestra sorpresa, la vieja Gagool se alzó de su posición acurrucada y, sosteniéndose con un bastón, se arrastró al espacio abierto. Era una visión extraordinaria aquella vieja criatura espantosa, con su cabeza de buitre, doblada casi por la mitad por su avanzadísima edad, haciendo un gradual acopio de fuerzas hasta abalanzarse hacia delante casi tan furiosamente como sus tétricas discípulas. Corrió de un lado para otro, cantándose a sí misma, hasta que, súbitamente, se arrojó hacia un hombre alto que estaba frente a uno de los regimientos, y lo tocó. Cuando lo hizo, una especie de gemido surgió del regimiento a cuyo mando, evidentemente, se encontraba. Pero dos de sus oficiales le asieron, de todos modos, y lo llevaron a su ejecución. Supimos posteriormente que se trataba de un hombre de gran riqueza e importancia, que era incluso primo del rey.

Fue asesinado, y Twala contó ciento tres. Luego, Gagool volvió a saltar de un lado para otro, acercándose gradualmente a nosotros.

«Que me cuelguen si no pienso que trata de hacernos entrar en su juego», exclamó Good, horrorizado.

«¡Tonterías!» dijo sir Henry.

En cuanto a mí, cuando vi al viejo diablo bailar cada vez más cerca, sentí que el corazón se me caía a los pies. Miré detrás nuestro la larga fila de cadáveres y me estremecí.

Cada vez más cerca bailaba Gagool, parecida como una gota de agua a otra a un palo ganchudo o una coma animada, con sus horribles ojos centelleando y brillando con un resplandor absolutamente nada sacro.

Se acercó, y siguió acercándose, mientras toda criatura en aquella vasta reunión seguía sus movimientos con intensa ansiedad. Finalmente, se quedó quieta y apuntó.

«¿Quién va a ser?» se preguntó sir Henry en voz baja.

Al cabo de un momento todas las dudas quedaron disipadas, ya que la vieja bruja se había abalanzado a tocar a Umbopa, alias Ignosi, en el hombro.

«Lo huelo —chilló—. ¡Matadlo, matadlo, está lleno del mal! ¡Matadlo, al extranjero, antes de que de él mane la sangre! ¡Mátale, oh rey!»

Se hizo una pausa, que yo aproveché de inmediato.

«¡Oh, rey! —grité, levantándome de mi asiento—. Este hombre es el servidor de tus huéspedes, es su perro; cualquiera que vierta la sangre de nuestro perro vierte nuestra sangre. Por la sagrada ley de la hospitalidad pido protección para él.

—Gagool, la vieja madre de las rastreadoras de brujos, le ha olido; debe morir, hombre blanco —fue la hosca réplica.

—No. No morirá —contesté—; si alguien intenta tocarlo, será él quien muera.

—¡Cogedle!» rugió Twala a los verdugos, que estaban rojos hasta las cejas con la sangre de sus víctimas.

Avanzaron hacia nosotros, y luego titubearon. En cuanto a

Ignosi, empuñó su lanza y la alzó, como dispuesto a vender cara su vida.

«¡Quietos, perros! —grité—. ¡Quietos, si queréis ver otra vez la luz del día! Tocad un cabello de su cabeza, y vuestro rey morirá.» Y apunté a Twala con mi revólver. Sir Henry y Good desenfundaron también sus revólveres. Sir Henry apuntó al jefe de los verdugos, que avanzaba para ejecutar la sentencia, y Good dirigió lentamente su arma hacia Gagool.

Twala se sobresaltó visiblemente cuando el cañón de mi arma entró en línea con su ancho tórax.

«¡Bueno, Twala! —dije—. ¿Qué decides?»

Entonces habló.

«Bajad vuestros tubos mágicos —dijo—; me habéis invocado en nombre de la hospitalidad, y por esta razón, y no por miedo de lo que podáis hacer, le perdono. Id en paz.

—Está bien —dije, despreocupadamente—; estamos cansados de matanza y queremos dormir. ¿Ha terminado la danza?

—Ha terminado —respondió Twala, arisco—. Que estos perros muertos —y señaló la larga fila de cadáveres— sean arrojados a las hienas y los buitres.» Y alzó su lanza.

Al instante, los regimientos se pusieron a desfilar por la puerta de entrada en total silencio, quedando atrás tan sólo un pelotón para arrastrar los cuerpos de los que habían sido sacrificados.

Entonces nos pusimos en pie también nosotros, y, saludando a su majestad, que apenas se dignó responder, partimos hacia nuestras cabañas.

«Bien —dijo sir Henry cuando nos sentamos, después de encender una lámpara como las que utilizan los kukuanas, con mecha compuesta por la fibra de una especie de palmera y aceite de grasa de hipopótamo clarificada—, bien, siento una poco común propensión a sentir náuseas.

—Si es que me quedaba alguna duda en cuanto a ayudar a Umbopa a rebelarse contra ese pícaro infernal —intervino Good—, está ahora disipada. Tuve que emplear todas mis fuerzas para quedarme sentado durante la matanza. Traté de mantener los ojos cerrados, pero los abrí precisamente en los momentos menos oportunos. Me pregunto dónde estará Infadoos. Umbopa, amigo mío, deberías estarnos agradecido; tu piel estuvo a punto de tener una entrada de aire.

—Estoy agradecido, Bougwan —fue la respuesta de Umbopa, una vez hube traducido—, y no olvidaré. En cuanto a Infadoos, luego vendrá. Debemos esperar.»

De modo que encendimos las pipas y esperamos.

11

DAMOS UN SIGNO

Durante largo rato —dos horas, diría yo—, estuvimos sentados en silencio, demasiado abrumados por los horrores que habíamos presenciado para conversar. Por fin, cuando estábamos pensando ya en retirarnos, pues la noche rondaba ya el amanecer, oímos ruido de pasos. Luego se oyó el alto del centinela apostado en la entrada del kraal, y aparentemente le fue dada la consigna, aunque no en tono audible, ya que los pasos siguieron avanzando. Un segundo más, y entraba Infadoos en la cabaña, seguido por media docena de jefes de aspecto altivo.

«Mis señores —dijo—, he venido, de conformidad con mi palabra. Mis señores e Ignosi, rey verdadero de los kukuanas, he traído conmigo a estos hombres —y señaló a los jefes en fila— que son grandes entre nosotros, ya que cada uno tiene el mando de tres mil soldados que sólo viven para cumplir sus órdenes después de las del rey. Les he contado lo que yo he visto, y lo que mis oídos han escuchado. Que ahora vean ellos también la serpiente sagrada en ti, y escuchen tu historia, Ignosi, para que puedan decir si será suya tu causa contra Twala, el rey.»

A modo de respuesta, Ignosi volvió a dejar caer su taparrabos y exhibió la serpiente tatuada. Todos los jefes se acercaron, uno tras otro, y examinaron el signo a la débil luz de la lámpara, y, sin decir palabra, pasaron al lado opuesto.

Luego, Ignosi volvió a ponerse su moocha, y se dirigió a ellos, repitiéndoles la historia que había ya narrado por la mañana.

«Ahora habéis oído, jefes —dijo Infadoos, cuando Ignosi hubo

terminado—. ¿Qué decís? ¿Estaréis junto a este hombre y le
ayudaréis a subir al trono de su padre, o no lo haréis? La tierra
clama contra Twala, y la sangre del pueblo fluye como las aguas
en primavera. Lo habéis visto esta noche. Había otros dos jefes
con los que yo tenía en mente hablar, y ¿dónde están ahora?
Las hienas aúllan sobre sus cadáveres. Pronto estaréis donde están
ellos si no golpeáis. Elegid pues, hermanos.»

El más anciano de los seis hombres, un guerrero de corta
estatura y fornido, de cabellos blancos, dio un paso adelante y
respondió:

«Tus palabras son ciertas, Infadoos; la tierra clama. Mi propio
hermano está entre los que han muerto esta noche. Pero el asunto
es muy grave, y la cosa difícil de creer. ¿Cómo sabemos que si
alzamos las lanzas no lo estaremos haciendo por un impostor y
un embustero? Es un asunto grave, digo, del que nadie puede ver
el final. Porque una cosa es segura: la sangre correrá a ríos antes
de que el acto se haga. Muchos habrá que tomen partido por el
rey, ya que los hombres adoran el sol que todavía brilla fuertemente en el cielo antes que aquel que todavía no ha salido. Es
grande la magia de estos hombres blancos que vienen de las Estrellas, e Ignosi está bajo la protección de sus alas. Si es realmente
el verdadero rey, que nos den un signo, y que el pueblo reciba un
signo que todos puedan ver. De este modo, los hombres tomarán
partido por nosotros, sabiendo con certeza que la magia del hombre blanco está con ellos.

—Ya tenéis el signo de la serpiente —respondí.

—Mi señor, eso no basta. La serpiente puede haber sido puesta ahí después de la infancia del hombre. Dadnos un signo, y eso
bastará. Pero no nos moveremos sin un signo.»

Los otros asintieron decididamente, y yo me volví, perplejo,
hacia sir Henry y Good, explicándoles la situación.

«Creo que ya lo tengo —dijo Good, exultante—; pídales que
nos den un momento para reflexionar.»

Así lo hice, y los jefes se retiraron. En cuanto hubieron
salido, Good se dirigió hacia la pequeña caja en la que guardaba
sus medicamentos, la abrió, y sacó de ella un cuaderno de notas,
que llevaba como apéndice un almanaque.

«¡Miren aquí, muchachos! ¿No es mañana el 4 de junio?»
preguntó.

Habíamos tomado cuidadosamente nota de los días, de modo
que pudimos afirmar que sí.

«Muy bien. Entonces, lo tenemos... "4 de junio: eclipse total de luna; empieza a las 8,15, hora de Greenwich; visible en Tenerife, *Sudáfrica, etc.*" Aquí tenemos un signo. Digámosles que haremos que la luna oscurezca mañana por la noche.»

La idea era espléndida; a decir verdad, su único punto débil estaba en la posibilidad de un error en el almanaque de Good. Si hacíamos una falsa profecía sobre un asunto semejante, nuestro prestigio se hundiría para siempre, y lo mismo ocurriría con las posibilidades de Ignosi de acceder al trono de los kukuanas.

«Supongamos que su almanaque se equivoque —sugirió sir Henry a Good, que estaba enormemente atareado anotando alguna cosa en una de las páginas en blanco del cuaderno.

—No veo ninguna razón para suponer cosa semejante —fue su respuesta—. Los eclipses siempre llegan puntuales; al menos, ésa es mi experiencia con ellos, y ahí se dice especialmente que será visible en Sudáfrica. He hecho los cálculos todo lo bien que he podido, sin conocer nuestra situación exacta; y he establecido que el eclipse tiene que empezar hacia las diez de la noche de mañana, y durar hasta las doce y media. Durante hora y media o algo así habrá tinieblas totales.

—Está bien —dijo sir Henry—, supongo que lo mejor será correr el riesgo.»

Estuve de acuerdo, aunque lleno de dudas, ya que los eclipses son unos bichos curiosos para vérselas con ellos: podía haber una noche nublada, por ejemplo, o podíamos habernos equivocado de día... y enviamos a Umbopa a que dijera a los jefes que regresaran. Al cabo de poco entraron, y me dirigí a ellos de este modo:

«Hombres ilustres de los kukuanas, y tú, Infadoos, escuchad. No nos gusta exhibir nuestros poderes, porque al hacerlo nos interferimos en el curso de la naturaleza, y sumimos al mundo en el miedo y la confusión. Pero puesto que este asunto es tan grave, y puesto que estamos irritados con el rey por la matanza que hemos presenciado y por el acto de la *isanusi* Gagool, que hubiera podido llevar a la muerte a nuestro amigo Ignosi, nos hemos decidido a romper la norma, y a dar un signo que todos los hombres podrán ver. Venid aquí —y los conduje a la puerta de la cabaña, señalándoles la bola roja de la luna—. ¿Qué veis allí?

—Vemos la luna que se esconde —dijo el portavoz del grupo.

—Eso es. Ahora, decidme: ¿puede un hombre mortal apartar

137

a la luna antes de que se ponga, y hacer bajar sobre la tierra la negra cortina de la noche?»

El jefe se rió un poco ante esta pregunta.

«No, mi señor, eso ningún hombre puede hacerlo. La luna es más fuerte que el hombre que la mira, y éste no puede hacer que varíe su curso.

—Tú lo dices. Sin embargo, te digo que mañana por la noche, unas dos horas antes de medianoche, haremos que la luna sea devorada por el espacio de una hora y la mitad de una hora. Sí, profundas tinieblas cubrirán la tierra, y será un signo de que Ignosi es realmente el rey de los kukuanas. Si hacemos esto, ¿quedaréis satisfechos?

—Sí, mis señores —respondió el jefe, con una sonrisa que se reflejó en los rostros de sus compañeros—, *si* hacéis esto, nos daremos realmente por satisfechos.

—Será hecho; nosotros tres, Incubu, Bougwan y Macumazahn, lo hemos dicho, y será hecho. ¿Lo has oído, Infadoos?

—Lo oigo, mi señor, pero es una cosa maravillosa la que prometes, apartar la luna, la madre del mundo, estando llena.

—Lo haremos, Infadoos.

—Está bien, mis señores. Mañana, dos horas después de la puesta del sol, Twala mandará a buscar a mis señores para que presencien la Danza de las Doncellas, y una hora después de que empiece la danza la muchacha que Twala considere la más hermosa será muerta por Scragga, el hijo del rey, como sacrificio a las Rocas silenciosas, que reposan y velan allá, junto a las montañas —y señaló hacia los tres picos de extraño aspecto en los que supuestamente terminaba la ruta de Salomón—. Que entonces oscurezcan la luna mis señores, y salven la vida de la muchacha, y el pueblo creerá.

—Sí —dijo el viejo jefe, sonriendo un poco—, el pueblo creerá, realmente.

—A dos millas de Loo —prosiguió Infadoos—, hay una colina curva como la luna nueva, una plaza fuerte en la que están acantonados mi regimiento y otros tres regimientos al mando de estos jefes. Esta mañana haremos un plan para que otros dos o tres regimientos se trasladen también allí. Entonces, si en verdad mis señores pueden oscurecer la luna, en las tinieblas tomaré de la mano a mis señores y los conduciré fuera de Loo, a esa plaza, donde estarán a salvo, y desde allí podremos comenzar la guerra contra el rey Twala.

—Está bien —dije yo—. Ahora, dejadnos dormir un poco y prepararnos para nuestra magia.»

Infadoos se puso en pie, y, tras saludarnos, partió con los jefes.

«Amigos míos —dijo Ignosi en cuanto hubieron partido—, ¿podéis hacer esta cosa maravillosa, o hablabais palabras vacías a los capitanes?

—Creemos poder hacerlo, Umbopa... Ignosi, quiero decir.

—Es extraño —respondió—, y si no fuerais ingleses no lo creería; pero he aprendido que los «caballeros» ingleses no mienten. Si salimos con vida de todo esto, estad seguros de que os devolveré los favores.

—Ignosi —dijo sir Henry—, prométeme una cosa.

—Te la prometo, Incubu, amigo mío, incluso antes de oírla —respondió el hombre con una sonrisa—. ¿De qué se trata?

—De esto: que si llegas a ser rey de este pueblo, acabarás con el rastreo de brujos como el que hemos visto esta noche; y que no volverá a darse muerte a un hombre sin juicio en esta tierra.»

Ignosi reflexionó unos momentos después de que yo hube traducido esta petición, y luego respondió:

«El proceder de la gente negra no es como el de los hombres blancos, Incubu; no valoramos tanto la vida. Sin embargo, te lo prometo. Si llega a estar en mis manos el contenerlas, las rastreadoras de brujos no volverán a cazar, y ningún hombre será dado a muerte sin juicio y sentencia.

—Queda pues hecho el trato —dijo sir Henry—; ahora descansemos un poco.»

Estábamos profundamente cansados, de modo que pronto nos quedamos dormidos, y dormimos hasta que Ignosi nos despertó hacia las once. Entonces nos levantamos, nos lavamos y nos comimos el desayuno con buen apetito. Después salimos de la cabaña y paseamos un poco, entreteniéndonos con el examen de la estructura de las cabañas kukuanas y observando las costumbres de las mujeres.

«Espero que el eclipse se produzca —dijo sir Henry.

—Si no lo hace, no tardará en terminar todo para nosotros —respondí, lúgubremente—; porque, tan seguro como que estamos vivos, algunos de esos jefes contarán al rey todo el asunto. Entonces habrá otra clase de eclipse, y será de una especie que no nos va a gustar.»·

Volvimos a la cabaña, comimos un poco, y pasamos el resto del día recibiendo visitas de cumplido o motivadas por la curiosidad. Por fin se puso el sol, y disfrutamos de un par de horas de toda la tranquilidad que nos permitían nuestros melancólicos presagios. Finalmente, hacia las ocho y media, llegó un mensajero de Twala para invitarnos a la gran «Danza de las Doncellas» anual, que estaba a punto de celebrarse.

Nos pusimos apresuradamente las cotas de malla que el rey nos había enviado, y, tomando nuestros rifles y municiones, para tenerlos a mano en el caso de que debiéramos huir, tal como nos había sugerido Infadoos, partimos bastante valientemente aunque temblando de miedo por dentro. El gran espacio frente al kraal del rey tenía un aspecto muy distinto del que había presentado la noche anterior. En lugar de las apretadas filas de guerreros ceñudos, había ahora una compañía tras otra de muchachas kukuanas, ni mucho menos tapadas con exceso en lo que a ropa se refería, pero cada una de ellas coronada por una guirnalda de flores y llevando una hoja de palma en una mano y una tragontina en la otra. En el centro del espacio abierto, iluminado por la luna, estaba sentado el rey Twala, con la vieja Gagool a sus pies, escoltado por Infadoos, el joven Scragga y una guardia de doce hombres. También estaban presentes una serie de jefes, entre los cuales reconocí a la mayoría de nuestros amigos de la noche anterior.

Twala nos saludó con una gran cordialidad aparente, aunque le vi fijar malignamente su único ojo sobre Umbopa.

«Sed bienvenidos, hombres blancos de las Estrellas —dijo—; éste es un espectáculo distinto del que vuestras miradas presenciaron bajo la luz de la luna de ayer, si bien no es un espectáculo igual de bueno. Las muchachas son agradables de ver, y si no fuera por muchachas como éstas —y señaló a su alrededor— ninguno de nosotros estaría hoy aquí; pero los hombres son mejores. Los besos y las palabras tiernas de las mujeres son deliciosos, pero el sonido del entrechocar de lanzas de guerreros, y el olor de la sangre de los hombres, son mucho mejores. ¿Queréis tener mujeres de nuestro pueblo, hombres blancos? Si es así, elegid las más hermosas, y las tendréis, tantas como queráis.»

Hizo una pausa, esperando respuesta. Aquella perspectiva no parecía desprovista de atractivos para Good, el cual, como la mayoría de los marinos, es de natural enamoradizo. Pero yo, siendo de más edad y más prudente, preví las inacabables complicaciones que una cosa semejante comportaría, ya que las mujeres traen problemas con tanta seguridad como la noche sigue al día, y di una respuesta apresurada.

«Gracias, oh rey, pero nosotros, los hombres blancos, sólo nos unimos con mujeres blancas como nosotros mismos. ¡Tus muchachas son hermosas, pero no son para nosotros!»

El rey se rió.

«Está bien. En nuestra tierra hay un proverbio que dice: "Los ojos de las mujeres son siempre brillantes, sea cual sea el color"; y hay otro que dice: "Ama a la que está presente, porque puedes dar por seguro que la que está ausente te es desleal." Pero quizá estas cosas no sean así en las Estrellas. En una tierra donde los hombres son blancos, cualquier cosa es posible. Así sea, hombres blancos; ¡las muchachas no vendrán a rogaros! De nuevo os doy la bienvenida; y sé bienvenido tú también, negro; si Gagool se hubiera salido ayer con la suya, ahora estarías rígido y frío. ¡Es una suerte para ti el haber venido también de las Estrellas! ¡Ja, ja, ja!

—Puedo matarte a ti antes de que tú me mates, oh rey —fue la tranquila respuesta de Ignosi—, y hacer que quedes rígido antes de que mis miembros dejen de doblarse.»

Twala dio un salto.

«Hablas con mucho valor, muchacho —replicó con ira—; no presumas demasiado.

—Puede ser valeroso aquel que tiene la verdad en sus labios. La verdad es una lanza aguda que vuela a su blanco y no lo yerra. Este es un mensaje de "las Estrellas", oh rey.»

Twala frunció el ceño, y su único ojo brilló con ferocidad, pero no dijo nada más.

«Que empiece la danza», gritó.

Entonces, las muchachas coronadas de flores saltaron adelante en compañías, cantando una canción deliciosa mientras hacían ondular las delicadas hojas de palma y las tragontinas blancas. Mientras bailaban, se las veía frágiles y espirituales bajo la luz suve y melancólica de la luna que salía; ahora giraban una y otra vez, ahora se encaraban en una guerra mímica; se cimbraban, se arremolinaban aquí y allí, avanzaban, retrocedían en una ordenada confusión deliciosa de presenciar. Finalmente se detuvieron, y una hermosa mujer joven saltó de las filas e inició frente a nosotros una pirueta con una gracia y un vigor que hubieran hecho ruborizarse a la mayoría de nuestras bailarinas. Al cabo de un rato se retiró, exhausta, y otra tomó su lugar; y luego otra, y otra, pero ninguna de ellas, ya fuera en gracia, destreza o atractivo personal, igualó a la primera.

Cuando las muchachas elegidas hubieron danzado todas, el rey alzó la mano.

«¿A cuál consideráis la más bella, hombres blancos? —preguntó.

—A la primera», dije, atolondradamente.

Al instante me arrepentí, ya que recordé que Infadoos nos había dicho que la mujer más hermosa sería ofrendada en sacrificio.

«Entonces mi idea es como la vuestra, y mis ojos como los vuestros. ¡Es la más hermosa! ¡Y mala cosa es para ella, puesto que debe morir!

—¡Sí, debe morir!» silbó Gagool, arrojando una rápida mirada en dirección a la pobre muchacha, la cual, ignorando todavía la suerte espantosa que le estaba reservada, esperaba de pie, a unas diez yardas, al frente de una compañía de doncellas, dedicándose a deshacer a pedacitos, de puro nerviosa, una flor de su guirnalda, pétalo a pétalo.

«¿Por qué, oh rey? —pregunté, reteniendo mi indignación con dificultad—. La muchacha ha danzado bien, y nos ha complacido; es muy hermosa; sería muy duro recompensarla con la muerte.»

Twala se rió al contestar:

«Es nuestra costumbre, y las Formas que descansan allá en la piedra —y señaló hacia los tres picos distantes— deben tener lo que es suyo. Si no diera muerte hoy a la muchacha más hermosa, la desgracia caería sobre mí y sobre mi casa. Así dice la profecía de mi pueblo: «Si el rey no ofrece en sacrificio una hermosa muchacha, el día de la Danza de las Doncellas, a los Viejos que están sentados y vigilan en las montañas, entonces caerá, él y su Casa.» Mirad, hombres blancos, mi hermano, que reinó antes que yo, no ofreció el sacrificio, por las lágrimas de la mujer, y cayó, y cayó su Casa, y yo reino en su lugar. Se acabó. ¡Debe morir! —y se volvió hacia los de la guardia—. Traedla aquí. Scragga, afila tu lanza.»

Dos de los hombres avanzaron, y, a medida que lo hacían, la muchacha, comprendiendo por primera vez su suerte inminente, gritó y se volvió para huir. Pero las fuertes manos la asieron, y la trajeron, debatiéndose y llorando, ante nosotros.

«¿Cómo te llamas, muchacha? —silbó Gagool—. ¡Cómo! ¿No contestas? ¿Tendrá que cumplir inmediatamente su trabajo el hijo del rey?»

Ante esta insinuación, Scragga, con aspecto más maligno que nunca, dio un paso adelante y alzó su gran lanza; y en aquel momento vi la mano de Good deslizarse a su revólver. La pobre muchacha vio el débil brillo del acero a través de sus lágrimas, y aquello la aquietó en su angustia. Dejó de luchar, entrelazó las manos convulsivamente y se quedó de pie, temblando de pies a cabeza.

«¡Mirad! —gritó Scragga, lleno de gozo—, Tiembla ante la vista de mi juguetito incluso antes de probarlo.» Y dio un golpe en el ancha hoja de su lanza.

«¡Si alguna vez tengo ocasión, pagarás por esto, perro! —oí murmurar a Good en voz baja.

—Ahora que te has calmado, dinos tu nombre, querida. Ven, habla y no temas —dijo Gagool, burlándose.

—Oh, madre —respondió la muchacha, con voz temblorosa—, mi nombre es Foulata, de la casa de Suko. ¡Oh, madre! ¿Por qué debo morir? ¡No he hecho ningún mal!

—Consuélate —prosiguió la vieja con su odioso tono de burla—; cierto que debes morir, como sacrificio a los Viejos que están sentados lejos —y señaló hacia los picos—; pero es mejor dormir en la noche que trabajar en el día; es mejor morir que vivir, y morirás por la mano regia del propio hijo del rey.»

La muchacha, Foulata, se retorció las manos en su angustia, y gritó:

«¡Oh, cruel! ¡Soy tan joven! ¿Qué he hecho, que no volveré nunca a ver salir el sol después de la noche, o caer las estrellas, siguiéndole, al atardecer, que no volveré a coger flores cuando pesa en ellas el rocío ni oiré el reír de las aguas? ¡Desdichada yo, que no volveré a ver la cabaña de mis padres, ni a sentir los besos de mi madre, ni a cuidar al corderillo enfermo! ¡Desdichada yo, a la que ningún enamorado pondrá el brazo alrededor de la cintura para mirarme a los ojos! ¡Ni nacerán de mí hijos del hombre! ¡Oh, cruel! ¡Cruel!»

Y de nuevo se retorció las manos y volvió su rostro bañado de lágrimas y cubierto de flores hacia el cielo, viéndose tan deliciosa en su desesperación —ya que era una mujer realmente muy hermosa— que, sin duda, el verla hubiera ablandado el corazón de cualquiera menos cruel que los tres diablos que teníamos enfrente. Las súplicas del príncipe Arturo a los rufianes que iban a cegarle no fue más conmovedora que la de aquella muchacha salvaje.

Pero no conmovió ni a Gagool ni al amo de Gagool, aunque sí vi signos de piedad entre los guardias que teníamos detrás y en los rostos de los jefes. En cuanto a Good, dio un feroz resoplido de indignación e hizo un movimiento como para acudir en su ayuda. Con toda la celeridad femenina, la muchacha sentenciada interpretó lo que pasaba por la mente de Good. Con un súbito movimiento, saltó hacia él y se abrazó a sus «hermosas piernas blancas».

«¡Oh, padre blanco de las Estrellas! —gritó—. ¡Arroja sobre mí el manto de tu protección; déjame reptar en la sombra de tu fuerza, y podré salvarme! ¡Oh! ¡Protégeme de esos hombres crueles y de la clemencia de Gagool!

—Está bien, linda, velaré por ti —profirió Good, en nervioso sajón—. Vamos, ponte en pie, sé buena chica», y se agachó, tomándola de la mano.

Twala se volvió e hizo un gesto a su hijo, que avanzaba con su lanza levantada.

«Ahora es su momento —me susurró sir Henry—; ¿a qué está usted esperando?

—Estoy esperando el eclipse —respondí—; he tenido la mirada fija en la luna durante la última media hora, y nunca la he visto brillar más saludablemente.

—Bueno, debemos arriesgarnos ahora, o matarán a la muchacha. Twala está perdiendo la paciencia.

Tras reconocer la fuerza del argumento, y tras echar una nueva mirada de desespero al rostro brillante de la luna (ya que jamás ningún astrónomo con una teoría que demostrar ha esperado con tanta ansiedad un acontecimiento celeste), me coloqué, con toda la dignidad que pude, entre la muchacha postrada y la lanza de Scragga, que seguía avanzando.

«Rey —dije—, esto no debe ser; no admitiremos esto; deja que la muchacha se vaya sana y salva.»

Twala se levantó de su asiento, lleno de ira y de asombro; y surgió un murmullo desconcertado de entre los jefes y las apretadas filas de las muchachas, que se habían ido juntando cada vez más en anticipación de la tragedia.

«¡*Que no debe ser!* ¡Tú, perro blanco que ladras al león en su cueva! ¡*Que no debe ser!* ¿Estás loco? Ten cuidado, no sea que la suerte de este polluelo sea la tuya, y de ésos junto contigo. ¿Cómo puedes salvarla a ella, o salvarte a ti mismo? ¿Quién eres tú para interponerte entre yo y mi voluntad? Atrás, te digo. ¡Scragga, mátala! ¡Guardias! ¡Coged a estos hombres!»

A estas palabras surgieron velozmente de detrás de la cabaña unos hombres armados, que habían sido evidentemente colocados allí de antemano.

Sir Henry, Good y Umbopa se alinearon junto a mí y alzaron los rifles.

«¡Deteneos! —grité, decididamente, aun cuando en aquel momento tenía el alma en los pies—. ¡Deteneos! Nosotros, los hombres blancos de las Estrellas, decimos que esto no debe ser. Dad un solo paso más y apagaremos la luna como una lámpara al viento, ya que nosotros, que vivimos en su casa, podemos hacerlo y dejar a la tierra en tinieblas. Atreveos a desobedecer y probaréis nuestra magia.»

Mi amenaza produjo su efecto; los hombres se detuvieron, y Scragga se detuvo delante nuestro, con su lanza en alto.

«¡Oídle! ¡Oídle! —silbó Gagool—. ¡Oíd al embustero que dice poder apagar la luna como una lámpara! ¡Que lo haga, y la muchacha será perdonada! Sí, que lo haga, o que muera junto con la muchacha, él y los que están con él.»

Miré hacia la luna, desesperado, y en aquel momento, ante mi inmensa alegría y con enorme alivio, vi que no nos habíamos equivocado, o mejor dicho, que no se había equivocado nuestro almanaque. En el borde de la gran esfera había un ligero reborde oscuro, mientras que una sombra humosa crecía y se aglomeraba sobre su brillante superficie. Nunca olvidaré aquel momento supremo de supremo alivio.

Entonces alcé solemnemente la mano hacia el cielo, ejemplo que siguieron sir Henry y Good, y recité una línea o dos de las «Leyendas de Ingoldsby» en el tono más impresionante que pude adoptar. Sir Henry me tomó el relevo con un versículo del Viejo Testamento y con algo relativo a Balbus construyendo un muro, en latín, mientras que Good se dirigía a la Reina de la Noche con una retahíla de los peores reniegos clásicos que se le ocurrieron.

Lentamente, la penumbra, la sombra de una sombra, reptó sobre la superficie brillante, y mientras reptaba oí profundos gemidos de miedo que surgían de la muchedumbre que nos rodeaba.

«¡Mira, oh rey! —grité—. ¡Mira, Gagool! ¡Mirad, jefes y pueblo y mujeres! ¡Ved si los hombres blancos de las Estrellas cumplen su palabra, o si son tan sólo unos vacíos embusteros! La luna se hace negra ante vuestras miradas; pronto estará todo en tinieblas; ¡sí! Tinieblas en la hora de la luna llena. Habéis pedido un signo; os está dado. ¡Oscurécete, luna! Retira tu luz, tu pura y sagrada Luz; arrastra por el polvo el corazón de los asesinos usurpadores y cómete al mundo en las sombras.»

Un gemido de terror surgió entre los espectadores. Algunos se quedaron petrificados de miedo; otros cayeron de rodillas y gritaron. En cuanto al rey, permaneció sentado, inmóvil, y se puso pálido debajo de su piel oscura. Tan sólo Gagool conservó el valor.

«¡Eso pasará! —gritó—. A menudo he visto esto antes; ningún hombre puede apagar la luna; no perdáis el valor; quedaos quietos... la sombra se irá.

—¡Esperad y veréis! —repliqué, vociferando con excitación—. ¡Oh, luna! ¡Luna! ¡Luna! ¿Por qué eres tan fría e inconstante?»

Esta pertinente cita procedía de las páginas de un romance popular que casualmente había leído hacía poco. Sin embargo, ahora que me venía a la memoria me servía para tomarle ingratamente el pelo a la Dama de los Cielos, a

«Esa plena doncella de joven fuego blanco
que los mortales llaman luna»,

y que se nos mostraba la mejor de las amigas, fuera como fuera que se comportara con el apasionado enamorado de la novela. Luego añadí:

«Siga, Good, no me acuerdo de más poesías. Maldiga, sea buen chico.»

Good respondió noblemente a esa carga sobre sus facultades inventivas. Nunca hasta aquel momento había tenido la menor sospecha del aliento, y la profundidad, y la altura de los poderes imprecatorios de un oficial de marina. Estuvo lanzado durante diez minutos, en distintos idiomas, y sin apenas repetirse.

Entretanto, el anillo oscuro seguía reptando, mientras toda la gran asamblea mantenía los ojos fijos en el cielo y lo contemplaba incansablemente, en un silencio fascinado. Unas sombras extrañas y malignas aminoraron la luz lunar, y una quietud amenazadora ocupó su espacio. Todo estaba en un silencio de muerte. Lentamente, y en medio de ese solemnísimo silencio, los minutos fueron transcurriendo, y, mientras lo hacían, la luna llena entró cada

vez más profundamente en la sombra de la tierra, y el segmento
negro tinta de su círculo se deslizó con terrible majestad por encima de los cráteres lunares. La gran esfera pálida parecía acercar-
se y aumentar de tamaño. Se volvió de un tinte cobrizo; luego,
la porción de su superficie que seguía sin estar oscura hasta entonces se hizo gris ceniza, y, finalmente, cerca ya del eclipse total, sus
montañas y sus llanuras se veían relumbrar fantásticamente a través de unas tinieblas escarlata.

Y siguió reptando el anillo de tinieblas. Ahora cubría más de
la mitad de la esfera rojo sangre. El aire se espesó y se tiñó cada
vez más intensamente de un escarlata sombrío. Y siguió. Finalmente, apenas pudimos ver los rostros torvos del grupo frente a nosotros. Ningún sonido surgía entre los espectadores. Good acabó por
fin de blasfemar.

«La luna se muere... ¡Los hechiceros blancos han matado a la
luna! —aulló el príncipe Scragga, finalmente—. ¡Moriremos en las
tinieblas!»

Luego, animado por el miedo o la ira, o por ambos, alzó su
lanza y la arrojó con toda su fuerza contra el pecho de sir Henry.
Pero se había olvidado de la cota de mallas que el rey nos había
dado y que llevábamos debajo de la ropa. El acero rebotó sin
causar herida, y, antes de que pudiera repetir el golpe, Curtis le
había arrancado la lanza de las manos y le golpeaba con ella
.resueltamente.

Scragga cayó muerto.

Viendo esto, y enloquecidas por las crecientes tinieblas y por
la sombra maligna que, según ellas creían, estaban engullendo a la
luna, las compañías de muchachas se dispersaron en salvaje confusión y corrieron, chillando, a través de la puerta. El pánico no
se detuvo ahí. El mismo rey, seguido por su guardia, algunos de
los jefes y Gagool, que renqueó detrás de ellos con maravillosa
celeridad, huyeron hacia las cabañas. De modo que, al cabo de un
minuto, nosotros mismos, la frustrada víctima Foulata, Infadoos,
y la mayoría de los jefes con los que nos habíamos entrevistado
la noche anterior, nos quedamos solos en el escenario, junto al
cuerpo sin vida de Scragga, hijo de Twala.

«Jefes —dije yo—, os hemos dado el signo. Si estáis satisfechos, corramos al sitio que nos dijisteis. El hechizo no puede
romperse ahora. Durará una hora y la mitad de una hora. Prote-
jámonos en las tinieblas.

—Venid», dijo Infadoos, volviéndose para partir, ejemplo que fue seguido por los asustados capitanes, por nosotros mismos y por la muchacha Foulata, que Good tomó del brazo.

Antes de que hubiéramos alcanzado la puerta del kraal, la luna desapareció por completo, y de todos los rincones del firmamento las estrellas se precipitaron al cielo negro tinta.

Cogidos de la mano, avanzamos a tropezones por las tinieblas.

12

ANTES DE LA BATALLA

Afortunadamente para nosotros, Infadoos y los jefes conocían perfectamente el trazado de la ciudad, de modo que pasamos sin obstáculos por vías apartadas, y, a pesar de la oscuridad, avanzamos rápidamente.

Viajamos durante una hora, o más, hasta que al fin el eclipse empezó a deshacerse, y el lado de la luna que había sido el primero en desaparecer volvió a ser visible. Súbitamente, mientras nosotros mirábamos, partió de él un rayo de luz plateada, acompañado por un maravilloso resplandor rojizo que quedó colgando en la negrura del cielo como una lámpara celestial. Era un espectáculo salvaje y delicioso. Al cabo de cinco minutos, las estrellas empezaron a palidecer, y hubo luz suficiente para ver por dónde íbamos. Descubrimos entonces que nos encontrábamos fuera de la ciudad de Loo y que nos acercábamos a una ancha colina aplanada que medía unas dos millas de circunferencia. Esta colina, que es de una formación común en Sudáfrica, no es muy alta; a decir verdad, su mayor altura apenas sobrepasa los doscientos pies; pero tiene forma de herradura, y sus laderas son bastante escarpadas y están salpicadas de peñascos. Sobre la explanada herbosa de su cima hay un espacio ancho para acampar, que había sido utilizado para un acantonamiento militar de nada negligible potencial. Su guarnición habitual era un regimiento de tres mil hombres, pero mientras subíamos penosamente por la fuerte pendiente de la ladera percibimos, bajo la luz de la luna, que había vuelto, que había varios regimientos acampados allí.

Alcanzamos por fin la explanada, y nos encontramos con una multitud de hombres que se habían despertado de su sueño y que temblaban de miedo y se apiñaban unos contra otros, presas de la más extrema consternación ante el fenómeno natural que estaban presenciando. Pasamos a través de ellos sin decir palabra, y llegamos a una cabaña en el centro del campo. Allí nos quedamos atónitos al encontrarnos con que dos hombres estaban de guardia, al cargo de nuestros escasos bienes y enseres, que, naturalmente, habíamos tenido que abandonar en nuestra apresurada huida.

«Envié por ellos —explicó Infadoos—; también por eso», y alzó los pantalones de Good, tanto tiempo perdidos.

Con una exclamación de extasiado deleite, Good saltó sobre ellos, e instantáneamente procedió a ponérselos.

«¡Sin duda mi señor no ocultará sus hermosas piernas blancas!» exclamó Infadoos, nostálgico.

Pero Good persistió en su propósito, y sólo una vez más pudo el pueblo kukuana gozar de la oportunidad de contemplar sus hermosas piernas. Good es un hombre muy tímido. De entonces en adelante, tuvieron que satisfacer sus anhelos estéticos con su cara medio afeitada, su ojo transparente y sus dientes móviles.

Sin dejar de mirar con dulce rememoración los pantalones de Good, Infadoos nos informó acto seguido de que había ordenado que los regimientos formaran en cuanto despuntara el alba, con objeto de explicarles enteramente el origen y las circunstancias de la rebelión que había sido decidida por los jefes y de presentarles al legítimo heredero del trono, Ignosi.

De conformidad con ello, apenas salió el sol, las tropas —unos veinte mil hombres en total, la flor del ejército kukuana— formaron en un amplio espacio abierto al que nos dirigimos. Los hombres estaban dispuestos en tres lados de un compacto cuadrado, y constituían un espectáculo espléndido. Ocupamos nuestros puestos en el lado abierto del cuadrado, y no tardamos en estar flanqueados por los principales jefes y oficiales.

A todos ellos, después que se hubo ordenado silencio, procedió a dirigirse Infadoos. Les narró, en un lenguaje vivo y vigoroso —ya que, como la mayoría de los kukuanas de alto rango, era un orador nato—, la historia del padre de Ignosi, y cómo había sido vilmente asesinado por el rey Twala, y cómo su mujer y su hijo habían sido arrojados al hambre. Luego señaló que el pueblo sufría y gemía bajo el cruel gobierno de Twala, poniendo como ejemplo los procedimientos de la noche anterior, cuando, con el pretexto de ser portadores del mal, muchos de los hombres más nobles del país habían sido arrastrados y miserablemente ejecutados. Luego procedió a explicar que los señores blancos de las Estrellas, mirando hacia abajo a su país, se habían dado cuenta de sus pesares, y habían decidido, con grandes molestias personales, aliviar su suerte; que, de conformidad con ello, habían cogido de la mano al verdadero rey de los kukuanas, Ignosi, que languidecía en el destierro, y lo habían conducido a través de las montañas; que todos ellos habían visto la malignidad de los actos de Twala, y que, como signo para los indecisos, y para salvar la vida de la doncella Foulata, mediante el ejercicio de su alta magia, habían realmente apagado la luna y dado muerte al joven diablo Scragga; y que estaban dispuestos a quedarse junto a ellos, para ayudarles a derribar a Twala y para llevar al trono en su lugar a Ignosi, el legítimo rey.

Acabó su discurso en medio de un murmullo aprobatorio. Luego, Ignosi dio unos pasos adelante y empezó a hablar. Después de reiterar todo lo que su tío Infadoos había dicho, concluyó con una poderosa arenga con estas palabras:

«¡Oh, jefes, capitanes, soldados, y pueblo, habéis escuchado mis palabras! Ahora debéis elegirme a mí o a aquel que se sienta en mi trono, el tío que mató a su hermano y abocó a su sobrino a morir en el hambre y la noche. Que yo soy el rey, ésos —y señaló a los jefes— pueden decíroslo, porque han visto la serpiente en mi cintura. Si yo no fuera el rey, ¿habrían estado a mi lado estos hombres blancos con toda su magia? ¡Temblad, jefes, capitanes, soldados, pueblo! ¿No siguen en vuestros ojos las tinieblas que ellos han hecho bajar sobre la tierra para confundir a Twala y para cubrir nuestra huida, unas tinieblas que han caído en la hora misma de la luna llena?

—Así es —respondieron los soldados.

—Yo soy el rey; eso os digo, yo soy el rey —prosiguió Ignosi, alzándose en toda su estatura y levantando el hacha de combate de ancha hoja por encima de la cabeza—. Si hay algún hombre entre vosotros que diga que no lo soy, que se adelante, y lucharé con él ahora, y su sangre será la señal roja de que os digo la verdad. Que se adelante, digo», y blandió la gran hacha, haciéndola flamear al sol.

Como nadie pareció inclinarse a responder a esa versión heroica del juego de las prendas, nuestro ex criado continuó con este discurso:

«En verdad soy el rey, y si estáis a mi lado en la batalla, si la jornada es mía vendréis conmigo a la victoria y al honor. Os daré bueyes y mujeres, y tendréis rango en todos los regimientos; y si caéis, yo caeré con vosotros.

»Mirad, os hago también esta promesa: si me siento en el puesto de mis antepasados, dejará de haber derramamiento de sangre en el país. Ya no os encontraréis con la muerte cuando gritéis pidiendo justicia, las rastreadoras de brujos ya no os cazarán para que os abatan sin juzgaros. No morirá ningún hombre que no quebrante las leyes. Cesará la ruina de vuestros kraals; cada cual podrá dormir seguro en su cabaña y no temer nada, y la ciega justicia caminará por toda esta tierra. ¿Habéis elegido, jefes, capitanes, soldados, pueblo?

—¡Hemos elegido, oh rey! —fue la respuesta.

—Está bien. Volved la cabeza y ved cómo los mensajeros de Twala salen de la gran ciudad, hacia el este y hacia el oeste, hacia el norte y hacia el sur, para reunir un gran ejército con que matarme, y con que mataros a vosotros, y a estos amigos y protectores míos. Mañana, o quizá pasado mañana, vendrá contra nosotros con todos los que le son leales. Entonces veré cuál es el hombre que de verdad es mío, cuál es el que no teme morir por su causa; y os digo que no será olvidado a la hora del botín. He hablado, oh jefes, capitanes, soldados, pueblo. Ahora id a vuestras cabañas y preparaos para la guerra.»

Se produjo un silencio, hasta que a los pocos momentos uno de los jefes alzó la mano y retumbó el saludo real de «Koom». Era la señal de que los soldados aceptaban a Ignosi como su rey. Luego desfilaron en batallones.

Media hora después celebramos un consejo de guerra al que asistieron todos los comandantes de regimiento. Nos resultaba evidente que no tardaríamos en ser atacados por fuerzas superiores. Con la ventaja de nuestra posición en la montaña, podíamos ver cómo se concentraban tropas, y cómo los mensajeros salían de Loo en todas direcciones, sin duda para convocar a los soldados en ayuda del rey. Teníamos de nuestro lado a unos veinte mil hombres, la suma de siete de los mejores regimientos del país. Twala, así lo calcularon Infadoos y los jefes, tenía ya reunidos en Loo a treinta o treinta y cinco mil en los que podía confiar, y pensaban que hacia el mediodía del día siguiente podría haber reunido a otros cinco mil, o quizá más, para su causa. Era posible, desde luego, que parte de sus tropas desertara y se uniera a nosotros, pero no era ésa una eventualidad de la que pudiéramos depender. Entretanto, estaba claro que Twala hacía activos preparativos para vencernos. Había ya fuertes columnas de hombres armados que patrullaban alrededor de la colina. Había también otros signos de la proximidad de un ataque.

Infadoos y los demás jefes opinaban, sin embargo, que no se produciría ningún ataque aquel mismo día, el cual sería empleado en preparativos y en disipar por todos los medios posibles el efecto moral producido sobre la imaginación de los soldados por el supuestamente mágico oscurecimiento de la luna. El asalto tendría lugar al día siguiente, decían ellos, y se demostró que tenían razón.

Entretanto, pusimos manos a la obra para fortificar la posición con todos los medios a nuestro alcance. Casi todos los hombres fueron puestos en movimiento, y a lo largo del día, que pareció corto en exceso, se hizo mucho. Los senderos que subían por la colina —era más bien un sanatorio que no una fortaleza, ya que generalmente era utilizada como campamento de los regimientos que habían soportado recientemente el servicio en zonas insalubres del país— fueron cuidadosamente bloqueados con masas de piedras, y toda otra vía de aproximación se hizo tan intomable como el tiempo lo permitió. Se apilaron rocas en varios sitios para hacerlas rodar sobre el enemigo cuando avanzara, se asignaron los puestos a los distintos regimientos, y se hicieron todos los preparativos que nos pudo sugerir nuestro ingenio.

Justo antes de la puesta del sol, mientras descansábamos del trabajo, apercibimos un pequeño grupo de hombres que avanzaban hacia nosotros desde Loo, llevando uno de ellos una hoja de palma en la mano como signo de que venía a hablarnos como emisario.

Cuando estuvieron cerca, Ignosi, Infadoos, uno o dos jefes y nosotros bajamos al pie de la colina para salirle al encuentro. Era un tipo de magnífica presencia, y llevaba la habitual capa de piel de leopardo.

«¡Saludos! —gritó mientras se acercaba—. Saludos del rey a aquellos que van a hacer una guerra impía contra el rey; saludos del león a los chacales que gruñen sobre sus huellas.

—Habla —dije yo.

—Estas son las palabras del rey: rendíos a merced del rey, antes de que algo peor os acontezca. Ya ha sido desgarrada la espalda del toro negro, y el rey lo conduce sangrando por todo el campo (1).

—¿Cuáles son las condiciones de Twala? —pregunté, por curiosidad.

—Sus condiciones son clementes y dignas de un gran rey. Estas son las palabras de Twala, el de un solo ojo, el poderoso, marido de mil mujeres, señor de los kukuanas, guardián de la Gran Ruta (la ruta de Salomón), amado por los Extraños que están sentados en silencio en las montañas, allá (las Tres Brujas), Becerro del Buey Negro, Elefante cuyo paso hace temblar la tierra, Terror que los que portan el mal, Avestruz cuyos pies devoran el desierto, el grande, el negro, el sabio, rey de generación en generación; éstas son las palabras de Twala: "Tendré piedad y me contentaré con un poco de sangre. Morirá uno de cada diez, y los demás quedarán libres; pero el hombre blanco Incubu, que asesinó a mi hijo Scragga, y el hombre negro que es su criado, que pretende a mi trono, y mi hermano Infadoos, que urde la rebelión contra mí, ésos serán muertos bajo tormento como oferta a los Silenciosos." Estas son las clementes palabras de Twala.»

Tras breve consulta con los demás, le respondí con voz fuerte para que los soldados pudieran oírme, lo siguiente:

«Vete, perro, a Twala, que te envía, y dile que nosotros, Ignosi, verdadero rey de los kukuanas, Incubu, Bougwan y Macumazahn, los sabios de las Estrellas, que oscurecieron la luna; Infadoos, de la familia real, y los jefes, capitanes, y pueblo aquí reunidos, respondemos y decimos: "Que no nos rendiremos; que antes de que el sol haya caído dos veces, el cadáver de Twala estará rígido en la puerta de Twala, y que Ignosi, cuyo padre fue asesinado por Twala, reinará en su lugar." Ahora vete, no sea que te echemos a latigazos, y cuidado con que levante la mano contra los que aquí estamos.»

El heraldo se rió muy fuerte.

«No asustáis a los hombres con esas palabras hinchadas —gritó—. Mostraos mañana así de valientes, oh, vosotros los que oscurecéis la luna. Sed valientes, luchad y estad alegres antes de que los cuervos os den picotazos en los huesos hasta dejarlos más blancos que vuestro rostro. ¡Adiós! Puede que nos encontremos

---

(1) Esta cruel costumbre no está confinada a los kukuanas, sino que no es infrecuente entre las tribus africanas con ocasión del estallido de una guerra o de otros acontecimientos públicos importantes. (A. Q.)

en el combate; no voléis a las Estrellas, esperad a encontraros conmigo, os lo ruego, hombres blancos.»

Se retiró tras arrojar este dardo de sarcasmo, y casi inmediatamente después se puso el sol.

Fue aquélla una noche atareada, ya que, aun estando fatigados, proseguimos los preparativos para el combate del día siguiente en toda la medida en que lo permitió la luz de la luna, y constantemente iban y venían mensajeros del sitio en que celebrábamos consejo. Finalmente, cosa de una hora después de medianoche, estaba hecho todo lo que podía hacerse, y el campamento, salvo por el alto ocasional de algún centinela, se sumió en el silencio. Sir Henry y yo, acompañados por Ignosi y uno de los jefes, descendimos la colina e hicimos una ronda por los puestos de guardia. Mientras andábamos, súbitamente, de toda clase de sitios inesperados, surgían lanzas brillando a la luz de la luna para desvanecerse en cuanto dábamos la consigna. Nos convencimos de que nadie dormía en su puesto. Luego regresamos, caminando cautelosamente entre millares de guerreros dormidos, muchos de los cuales estaban tomándose su último descanso en la tierra.

Los rayos lunares, revoloteando en sus lanzas, jugaban sobre sus rostros, dándoles un aspecto fantasmal; el frío viento de la noche agitaba sus lúgubres plumas. Allí yacían, tendidos en una confusión salvaje, con los brazos extendidos y las piernas recogidas; sus cuerpos fornidos, membrudos, parecían fantásticos y extrahumanos bajo la luz de la luna.

«¿Cuántos de ellos supone que estarán vivos mañana a estas horas?» preguntó sir Henry.

Meneé la cabeza, volví a mirar a los hombres dormidos, y, en mi imaginación excitada, me pareció como si la Muerte ya los hubiera tocado. El ojo de mi mente aisló a aquellos que estaban marcados para morir, y se precipitó en mi corazón una sensación intensa del misterio de la vida humana y una pena abrumadora ante su futilidad y su tristeza. Aquella noche, aquellos millares dormían su sueño saludable, y, mañana, ellos y otros muchos, quizá nosotros entre ellos, estarían cobrando rigidez en el frío; sus mujeres serían viudas, sus hijos huérfanos y su pueblo no volvería a verlos jamás. Sólo la vieja luna seguiría brillando, serena, el viento de la noche agitaría la hierba, y la ancha tierra tomaría su reposo, igual como hizo evo antes de que nosotros fuéramos, igual como hará evo después de que hayamos sido olvidados.

Sin embargo, el hombre no muere mientras el mundo, que es

a la vez su madre y su monumento, perdure. Su nombre se pierde, es cierto, pero el aliento que ha respirado sigue soplando sobre la cima de los montes, el sonido de las palabras que ha pronunciado sigue encontrando eco en el espacio; los pensamientos nacidos en su mente los hemos heredado hoy nosotros; sus pasiones son la causa de nuestra vida; las alegrías y los dolores que ha conocido los conocemos nosotros como amigos familiares; ¡y el fin del que él huía despavorido nos alcanzará también a nosotros!

El universo, es cierto, está lleno de fantasmas, de espectros de cementerio sin mortaja, pero los elementos inextinguibles de la vida individual que una vez ha sido no pueden *morir,* aunque se mezclen y cambien, y sigan cambiando por siempre.

Toda clase de reflexiones de esta clase me cruzaron la mente —ya que, a medida que me hago viejo, lamento decir que la detestable costumbre de la meditación parece apoderarse de mí— mientras estaba allí, en pie, contemplando aquellas filas torvas y fantásticas de guerreros dormidos, como reza su dicho, «sobre las lanzas».

«Curtis —dije—, estoy en una situación de lamentable miedo.»

Sir Henry se mesó su barba rubia, y se rió al contestar:

«Ya antes le he oído hacer esta clase de observación, Quatermain.

—Bueno, ahora, quiero decir. ¿Sabe usted? Dudo mucho que ninguno de nosotros esté vivo mañana por la noche. Nos atacarán fuerzas muy superiores, y será una gran suerte que podamos conservar esta posición.

—Daremos cuenta de algunos de ellos, de cualquier modo. Mire, Quatermain, éste es un feo asunto, y un asunto en el que, hablando con propiedad, no deberíamos estar mezclados; pero lo estamos, de modo que debemos hacer nuestro trabajo lo mejor posible. Hablando por mí mismo, prefiero morir combatiendo que no de cualquier otro modo, y ahora que parecen existir pocas posibilidades de encontrar a mi pobre hermano esta idea me resulta más llevadera. Pero la fortuna favorece al valiente, y puede que venzamos. Sea como sea, la batalla será terrible, y, puesto que tenemos una reputación que defender, tendremos que estar en el núcleo del asunto.»

Hizo esta última observación con voz lúgubre, pero tenía en la mirada un brillo que desmentía su melancolía. Tengo para mí que a sir Curtis le gusta de veras el combate.

Después de esto nos echamos a dormir un par de horas o cosa así.

Justo al amanecer nos despertó Infadoos, que venía a decirnos que se observaba en Loo una intensa actividad, y que estaban llegando a nuestros puestos avanzados patrullas de escaramuzadores del rey.

Nos levantamos y nos vestimos para la refriega, poniéndonos cada cual nuestra cota de mallas, atavíos por los que, en nuestra coyuntura, nos sentimos enormemente agradecidos. Sir Henry llevó la cosa a fondo, y se vistió como un guerrero nativo.

«Si vas a Kukuanaland, haz lo que hacen los kukuanas», sentenció, y se puso el brillante acero sobre su ancho tórax; le sentaba como un guante. Y no se detuvo ahí. A petición suya, Infadoos le había proporcionado un juego completo del uniforme de combate de los nativos. Se abrochó en la garganta la capa de piel de leopardo de oficial con mando, se puso sobre las cejas la pluma negra de avestruz que sólo llevaban los generales de alto rango y se ciñó los riñones con una moocha de colas blancas de buey. Un par de sandalias, un guardapiernas de pelo de macho cabrío, una pesada hacha de combate con mango de cuerno de rinoceronte, un escudo redondo de hierro cubierto de cuero de buey blanco, y el número reglamentario de *tollas,* o cuchillos arrojadizos, completaban su equipo, al que, sin embargo, añadió su revólver. Los atuendos eran salvajes, sin duda, pero debo decir que raramente he visto nada tan espléndido como sir Curtis ataviado de aquel modo. Aquello hacía resaltar muy favorecedoramente su espléndida estructura corporal, y cuando al cabo de un rato llegó Ignosi, guarnecido de modo similar, pensé para mí que nunca antes había visto a dos hombres tan espléndidos.

En cuanto a Good y a mí mismo, la armadura no se nos ajustaba bien. Para empezar, Good insistió en ponerse sus recién encontrados pantalones; y un caballero fornido y de corta estatura, con monóculo y media cara afeitada, ataviado con una cota de mallas, cuidadosamente embutido en unos pantalones de pana sumamente andrajosos, resulta mucho más asombroso que imponente. En mi caso, como la cota de mallas era demasiado grande para mí, me la puse por encima de toda la ropa, y aquello abultaba de un modo no demasiado favorecedor. Deseché los pantalones, sin embargo, y me quedé sólo con los veldschoens, ya que había decidido entrar en batalla con las piernas desnudas con objeto de poder correr más ligero en el caso de que fuera necesario retirarse precipitadamente. La cota de mallas, una lanza, un escudo que no sabía cómo utilizar, un par de *tollas,* un revólver y una gran pluma que clavé en la copa de mi sombrero de caza, con objeto de dar a mi aspecto un acabado de ansia de sangre, completaban mi modesto equipo. Adicionalmente a estos artículos, naturalmente, llevaba nuestros rifles, pero, como la munición era escasa y no serían útiles en caso de carga, dispusimos que los trajeran detrás de nosotros unos portadores.

Cuando por fin estuvimos equipados, engullimos apresuradamente algo de comida, y luego nos pusimos en marcha para ver cómo iban las cosas. En un punto de la cima plana de la montaña había un pequeño koppie de roca gris que servía para el doble propósito de cuartel general y de torre de mando. Allí encontramos a Infadoos rodeado por su propio regimiento los Pardos, que era sin duda el mejor del ejército kukuana, y el mismo que habíamos visto en el primer kraal. Aquel regimiento compuesto entonces de tres mil quinientos hombres, se mantenía en reserva, y los hombres descansaban en la hierba por compañías, mirando a las tropas del rey que salían de Loo en largas columnas como de hormigas. Aquellas columnas parecían no tener límite en su longitud. Había tres, y cada una de ellas contaba, según pude juzgar, con al menos once o doce mil hombres.

En cuanto estuvieron fuera de la ciudad, los regimientos formaron. Luego, uno de los cuerpos marchó hacia la derecha, otro hacia la izquierda, y el tercero se dirigió lentamente hacia nosotros.

«¡Ah! —dijo Infadoos—. Van a atacarnos por tres lados a la vez.»

Esta noticia tenía visos de gravedad, ya que nuestra posición en la cima de la montaña, que medía milla y media de circunferencia, era demasiado extensa, y era importante para nosotros concentrar todo lo posible nuestra fuerza defensiva, comparativamente pequeña. Pero puesto que no estaba a nuestro alcance el dictar de qué modo seríamos atacados, teníamos que tomarnos la cosa como era; y, de conformidad con ello, enviamos órdenes a los distintos regimientos para que se dispusieran a recibir las acometidas separadas.

13

EL ATAQUE

Lentamente, y sin la menor apariencia de prisa o excitación, las tres columnas avanzaron. Cuando estuvieron a cosa de cinco mil yardas de nosotros, la columna principal, o central, se detuvo al comienzo de una lengua de tierra llana abierta que llegaba hasta la colina, para dar tiempo a las otras divisiones de rodear nuestra posición, que estaba conformada más o menos en herradura con sus dos extremos apuntando hacia la ciudad de Loo. El objeto de esta maniobra era lanzar el ataque simultáneamente por tres lados.

«¡Oh, si tuviera una Gatling! —gimió Good, contemplando debajo nuestro las densas falanges—. Limpiaría esa llanura en veinte minutos.

—No tenemos ninguna, de modo que de nada sirve lamentar su ausencia; pero ¿por qué no intenta un disparo, Quatermain? —dijo sir Henry—. Vea si puede darle a ese tipo alto que parece estar al mando. Dos contra uno a que falla; apuesto incluso un soberano, que le pagaré religiosamente si salimos de ésta, a que la bala no le cae a menos de cinco yardas.»

Me piqué, de modo que cargué el Express con una bala llena, y esperé hasta que aquel amigo estuvo diez pasos por delante de sus tropas, con objeto de ver mejor nuestra posición, acompañado tan sólo por un ordenanza; luego, tumbado y apoyando el Express en una roca, apunté. El rifle, como todos los Express, tenía el alza graduada para tan sólo trescientas cincuenta yardas, de modo que, dando margen al descenso de la bala en su trayectoria, le apunté al centro del cuello para alcanzarle, según calculé, en el pecho. El tipo estaba absolutamente inmóvil y me dio toda clase de oportunidades, pero, ya fuera la excitación, ya el viento, ya el hecho de que fuera un tiro muy largo, no lo sé, he aquí lo que sucedió: proyectando la muerte, según pensaba, y apuntando cuidadosamente, apreté el gatillo. Cuando la nubecilla de humo se hubo disipado, vi, con gran disgusto, que el tipo seguía en pie, sin daño alguno, mientras que su ordenanza, que se encontraba al menos tres pasos a su izquierda, estaba tendido en el suelo, aparentemente muerto. El oficial al que había apuntado dio media vuelta a toda prisa y se puso a correr hacia sus hombres, evidentemente alarmado.

«¡Bravo, Quatermain! —gritó Good—. Le ha asustado.»

Aquello me puso de mal humor, ya que, si es posible evitarlo, detesto errar el tiro en público. Cuando un hombre es maestro en un solo arte, le gusta conservar su reputación· en ese arte. Completamente fuera de mí ante mi fracaso, hice una cosa irreflexiva: apunté rápidamente al general mientras corría y disparé con el segundo cañón. Al instante, el pobre hombre alzó los brazos y cayó de bruces. Esta vez no había cometido ningún error; y —lo cuento como prueba de lo poco que pensamos en los demás cuando están en juego nuestra seguridad, nuestro orgullo y nuestra reputación— fui lo bastante bruto para sentirme encantado ante el panorama.

Los regimientos que habían visto la proeza dieron vítores salvajes a esta exhibición de la magia del hombre blanco, y tomaron aquello por un presagio de éxito, mientras que las fuerzas a las que pertenecía el general —y a las que, realmente, como supe más tarde, mandaba— retrocedieron en desorden. Sir Henry y Good tomaron entonces sus rifles y empezaron a disparar, el último tirando aplicadamente a bulto contra la densa masa con un Winchester de repetición, y yo también hice uno o dos disparos más, con el resultado, por lo que pudimos ver, de poner de seis a ocho hombres *hors de combat* antes de que estuvieran fuera de tiro.

Justo en el momento en que dejamos de hacer fuego nos llegó un intranquilizador rugido por la derecha, lejos, y luego otro similar se elevó a nuestra izquierda. Las otras dos divisiones habían entrado en combate con nosotros.

Ante ese sonido, la masa de hombres frente a nosotros se abrió un poco y avanzó hacia la colina, por la lengua de tierra sin hierba, cantando una ronca canción mientras corrían. Mantuvimos un fuego continuo con nuestros rifles mientras se acercaban, sumándose a él Ignosi de vez en cuando, y dimos cuenta de varios hombres, pero, naturalmente, no produjimos mayor efecto sobre aquella torrencial acometida de hombres armados del que producen unos guijarros en una ola que rompe.

Llegaron sobre nosotros, con alaridos y entrechocar de lanzas; estaban haciendo retroceder a los destacamentos que habíamos colocado entre las rocas, al pie de la colina. Después de aquello, su avance fue un poco más lento, ya que, si bien no habíamos ofrecido ninguna oposición seria, las fuerzas atacantes tenían que subir por la colina, y aminoraron la marcha para reservarse el aliento. Nuestra primera línea de defensa estaba más o menos en mitad de la ladera, la segunda unas cincuenta yardas más atrás y la tercera ocupaba el borde de la explanada.

Avanzaron como una tormenta, aullando su grito de guerra: «¡Twala! ¡Twala! ¡Chiele! ¡Chiele!» (¡Twala, Twala! ¡Hiere, hiere!) y nuestros hombres respondían: «¡Ignosi! ¡Ignosi! ¡Chiele! ¡Chiele!» Estaban ya muy cerca, y las *tollas,* o cuchillos arrojadizos, empezaron a volar en ambos sentidos; y luego, con un espantoso rugido, la batalla entró en el cuerpo a cuerpo.

La masa de guerreros luchando ondulaba de un lado a otro, y los hombres caían con la rapidez de las hojas en el viento de otoño; pero no tardó en hacerse sentir el peso superior de las fuerzas atacantes, y nuestra primera línea de defensa fue echada hacia atrás lentamente, hasta mezclarse con la segunda. Allí el combate fue terrible, pero una vez más los nuestros tuvieron que retroceder colina arriba, hasta que por fin, a cosa de veinte minutos del comienzo de la lucha, entró en combate nuestra tercera línea.

Pero por entonces los atacantes estaban ya muy cansados, y habían tenido además muchos muertos y heridos, y romper esta tercera e impenetrable muralla de lanzas demostró estar más allá de sus fuerzas. Durante un rato, las hirvientes líneas de los salvajes oscilaron adelante y atrás en los feroces flujos y reflujos de la batalla, y el resultado fue dudoso. Sir Henry observaba la desesperada lucha con mirada enardecida, y luego, sin una palabra, se abalanzó, seguido por Good, arrojándose en lo más ardiente de la refriega. En cuanto a mí, permanecí donde estaba.

Los soldados vieron su alta estatura cuando se sumergía en la batalla, y lanzaron un grito de:

«¡Nanzia Incubu! ¡Nanzia Incubu! (¡Aquí está el Elefante!) ¡Chiele! ¡Chiele!»

A partir de aquel momento, el resultado ya no fue dudoso mucho rato. Pulgada a pulgada, y luchando con espléndida valentía, la fuerza atacante fue empujada colina abajo, hasta que al fin se retiró sobre sus reservas en cierto desorden. En aquel mismo instante, llegó un mensajero para decirnos que el ataque sobre la izquierda había sido rechazado; y empezaba ya a pensar en congratularme, creyendo que el asunto había terminado por el momento, cuando, ante nuestro horror, vimos a los hombres que habían combatido defendiendo nuestra derecha empujados atrás por la explanada, seguidos por enjambres de enemigos que, evidentemente, habían vencido en aquel punto.

Ignosi, que estaba junto a mí, abarcó la situación de una mirada y dio una breve orden. Al instante, el regimiento de reserva alrededor nuestro, los Pardos, se desplegó.

De nuevo Ignosi dio una voz de mando, que fue recibida y repetida por los capitanes, y al cabo de un segundo, ante mi profundo desagrado, me encontré envuelto en una furiosa carga contra el enemigo que avanzaba. Protegiéndome lo más que pude detrás del enorme cuerpo de Ignosi, hice un mal trabajo lo mejor que supe, y entré en coqueteos con la muerte, como si me gustara ser asesinado. En un minuto o dos —el tiempo me pareció excesivamente breve— nos zambullíamos en los grupos en huida de nuestros hombres, que al instante empezaron a reconstituir sus filas detrás de nosotros, y, luego, doy mi palabra de que no sé lo que sucedió. Todo lo que puedo recordar es un horrendo estruendo retumbante de entrechocar de escudos, y la súbita aparición de un enorme rufián, cuyos ojos parecían literalmente salírsele de las órbitas, viniendo directo hacia mí con una lanza ensangrentada. Pero —lo digo con orgullo— me elevé —o más bien descendí— a la altura de las circunstancias, que eran de tal naturaleza que la mayoría de la gente se hubiera derrumbado de una vez para siempre. Viendo que si me quedaba quieto iba a morir, en el momento en que la horrenda aparición llegaba hasta mí me arrojé al suelo delante suyo de tal manera que el tipo, incapaz de detenerse, tropezó en mi postrado cuerpo. Antes de que pudiera levantarse, *yo* lo había hecho, zanjando el asunto por detrás, con mi revólver.

Poco después de esto, alguien me dejó sin sentido, y no recuerdo nada más de esa carga.

Cuando recobré el sentido me encontré junto al koppie, con Good inclinado sobre mí y sosteniendo una calabaza con agua.

«¿Cómo se siente, vejestorio?» preguntó, ansiosamente.

Me puse en pie y me sacudí antes de contestar.

«Muy bien, gracias —respondí.

—¡Gracias a Dios! Cuando vi que le traían, me sentí muy mal; pensé que había muerto.

—No por esta vez, muchacho. Supongo que me dieron un golpe en la cabeza que me dejó lelo. ¿Cómo acabó el asunto?

—Los hemos rechazado en todas partes por el momento. Las pérdidas han sido espantosamente elevadas; tenemos no menos de dos mil muertos y heridos, y ellos deben haber perdido tres mil hombres. ¡Mire qué espectáculo!» y señaló largas hileras de hombres que avanzaban de cuatro en cuatro.

En el centro de cada grupo de cuatro, y sostenida por ellos, había una especie de bandeja tapada, de las que cada unidad kukuana lleva cierto número, con un gazo como asa en cada punta. En esas bandejas —y su número parecía infinito— había hombres heridos que, a medida que llegaban, eran apresuradamente examinados por curanderos, de los que cada regimiento cuenta con diez. Si la herida no era mortal, se llevaban al paciente y lo cuidaban con todo el esmero que permitían las circunstancias. Pero si el estado del hombre herido se demostraba sin esperanza, lo que seguía era realmente espantoso, aunque puede que fuera un acto de auténtica caridad. Uno de los doctores, bajo el pretexto de hacer un examen, abría rápidamente una arteria con un afilado cuchillo, y en un minuto o dos el paciente moría sin dolores. Esto se hizo aquel día en muchos casos. De hecho, se hizo en la mayoría de los casos en que la herida era en el cuerpo, ya que el boquete abierto por la entrada de las lanzas, enormemente anchas, que utilizan los kukuanas hace generalmente imposible la curación. En la mayoría de los casos, los pobres sufrientes estaban ya inconscientes, y en otros el fatal corte en la arteria se infligió con tanta rapidez y tan sin dolor que parecieron no darse cuenta. Sin embargo, era un espectáculo sobrecogedor del que estuvimos encantados de huir. A decir verdad, no recuerdo nada de esta especie que me haya afectado tanto como ver a aquellos valerosos soldados liberados del dolor de aquel modo por los curanderos de manos ensangrentadas, excepto, quizá, cuando vi en cierta ocasión, después de un ataque, a una tropa de swazis enterrando a sus heridos sin esperanza, *vivos*.

Huí de aquella escena espantosa hacia el lado opuesto del koppie, y me encontré con sir Henry, con un hacha de combate todavía en la mano, Ignosi, Infadoos, y uno o dos jefes, en concentrada deliberación.

«¡Gracias a Dios que está usted aquí Quatermain! No puedo comprender del todo lo que quiere hacer Ignosi. Según parece, si bien hemos vencido a los atacantes, Twala está recibiendo grandes refuerzos, y se están viendo preparativos para cercarnos con objeto de derrotarnos por hambre.

—Eso es terrible.

—Sí; sobre todo porque Infadoos dice que las reservas de agua se han agotado.

—Así es, mi señor —dijo Infadoos—; la fuente no puede suministrar toda el agua que necesita tan gran muchedumbre, y· está faltando rápidamente. Antes de la noche estaremos todos sedientos. Escucha, Macumazahn. Eres sabio, y sin duda has visto muchas guerras en las tierras de donde vienes, si es que se hacen guerras en las Estrellas. Ahora dinos: ¿qué debemos hacer? Twala ha hecho venir a muchos hombres de refresco para sustituir a los que han caído. Pero Twala ha aprendido la lección; el halcón no pensaba encontrar preparada a la garza; pero nuestro pico le ha hecho un agujero en el pecho; teme volver a golpearnos. También nosotros estamos heridos, y esperará a que muramos; se enroscará a· nuestro alrededor como una serpiente alrededor de un gamo, y hará la guerra de la «sentada».

—Te oigo —dije yo.

—Así pues, Macumazahn, como ves, no tenemos agua, y sólo poca comida, y debemos elegir entre estas tres cosas; languidecer como un león hambriento en su guarida, o tratar de romper el cerco hacia el norte, o, si no —y en este punto se alzó y señaló la densa masa de nuestros enemigos—, lanzarnos directamente a la garganta de Twala. Incubu, el gran guerrero —ya que durante la jornada se había batido como un búfalo cogido en las redes, y los soldados de Twala habían caído bajo su hacha como el trigo joven bajo el pedrisco; con estos mismos ojos lo vi yo—, dice: «A la carga»; pero el elefante siempre se inclina a cargar. ¿Qué dice ahora Macumazahn, el astuto zorro viejo, que ha visto mucho y que gusta de morder a su enemigo por detrás? La última palabra está en Ignosi, el rey, ya que es derecho del rey decidir en la guerra; pero oigamos tu voz, oh Macumazahn, que velas de noche, y oigamos también la voz del que tiene un ojo transparente.

—¿Qué dices tú, Ignosi? —pregunté.

—No, padre —respondió nuestro antiguo sirviente, que ahora, cubierto como estaba por toda la panoplia de la guerra salvaje, tenía todo el aspecto de un rey guerrero—, habla tú, y deja que yo, que sólo soy un niño en sabiduría a tu lado, oiga tus palabras.»

Impetrado de esta forma, y después de tomar apresuradamente consejo de Good y de sir Henry, di brevemente mi opinión en el sentido de que, puesto que estábamos atrapados, nuestra única oportunidad, especialmente teniendo en cuenta la falta de agua, consistía en lanzar un ataque contra el ejército de Twala. Luego aconsejé que el ataque se llevara a cabo de inmediato, «antes de que nuestras heridas se agraven»; y también antes de que el espectáculo de las fuerzas abrumadoramente superiores de Twala hiciera que los corazones de nuestros soldados «se derritieran como la grasa ante el fuego». De otro modo, indiqué, algunos de nuestros capitanes podrían cambiar de opinión, y, haciendo las paces con Twala, desertar para unírsele, o incluso traicionarnos y entregarnos en sus manos.

Esta opinión, una vez manifestada, pareció, en general, ser favorablemente acogida; a decir verdad, entre los kukuanas mis frases eran recibidas con un respeto que nunca se les ha concedido antes ni después. Pero la real decisión acerca de nuestros planes estaba en Ignosi, el cual, desde que había sido reconocido como verdadero rey, podía ejercer los derechos casi ilimitados de la soberanía, incluyendo, naturalmente, la decisión final en materia de mando de tropas, y hacia él estaban ahora vueltas todas las miradas.

Por fin, después de una pausa, durante la cual pareció reflexionar profundamente, habló.

«Incubu, Macumazahn, y Bougwan, valientes hombres blancos y amigos míos; Infadoos, tío mío, y jefes; mi corazón está decidido. Hoy golpearé a Twala, y pondré mi fortuna al viento, sí, y mi vida... mi vida y también vuestras vidas. Escuchad: así golpearé. ¿Veis que la colina es curva como la media luna, y que la llanura discurre como una lengua verde hacia nosotros dentro de la curva?

—Lo vemos —respondí.

—Muy bien; ahora es mediodía, y los hombres comen y descansan después de las fatigas de la batalla. Cuando el sol se haya inclinado y haya viajado un poco hacia las tinieblas, que tu regimiento, tío, avance junto con otro por la lengua verde; y sucederá que Twala, cuando lo vea, lanzará sus fuerzas adelante para aplastarlo. Pero el sitio es estrecho, y los regimientos sólo podrán venir contra ti uno por uno; así que podrán ser destruidos uno por uno, y los ojos de todo el ejército de Twala estarán clavados en una lucha como ningún hombre viviente ha presenciado todavía. Y contigo, tío, irá Incubu, mi amigo, para que cuando Twala vea su hacha de combate llameando en primera línea de los Pardos desfallezca su corazón. Y yo iré con el segundo regimiento, que te seguirá, para que, si sois destruidos, cosa que puede suceder, quede todavía un rey para seguir luchando; y conmigo vendrá Macumazahn, el prudente.

—Está bien, oh rey», dijo Infadoos, contemplando, aparentemente, con perfecta tranquilidad la certidumbre de la total aniquilación de su regimiento.

Esos kukuanas constituyen indudablemente un pueblo maravilloso. La muerte no encierra terrores para ellos cuando cumplen con su deber.

«Y mientras los ojos de la muchedumbre de los soldados de Twala estén fijos en el combate —prosiguió Ignosi—, ¡mirad! Un tercio de los hombres que nos quedan con vida (es decir, unos seis mil) se deslizará por el cuerno derecho de la colina y caerá sobre el flanco izquierdo del ejército de Twala; y el otro tercio se deslizará por el cuerno izquierdo y caerá sobre el flanco derecho de Twala. Y cuando yo vea que los cuernos están a punto de arrojarse sobre Twala, entonces yo, con los hombres que me queden, cargaré directamente contra el frente de Twala, y si la fortuna nos acompaña la jornada será nuestra, y antes de que la Noche conduzca sus bueyes negros de las montañas a las montañas estaremos instalados en paz en Loo. Ahora comamos y preparémonos; y tú, Infadoos, dispone a que el plan se ejecute sin errores; y, esperad, que mi padre blanco Bougwan vaya al cuerno derecho, para que su ojo brillante dé valor a los capitanes.»

Los preparativos para el ataque tan concisamente planeado se iniciaron con una rapidez que dice mucho en favor de la perfección del sistema militar de los kukuanas. En poco más de una hora las raciones se habían repartido y devorado, las divisiones estuvieron formadas, el esquema de la acometida había sido explicado a los jefes, y todo el ejército, compuesto por unos dieciocho mil hombres, estaba listo para ponerse en marcha, con la excepción de una guardia que quedaba a cargo de los heridos.

Al cabo de un rato, Good vino hacia sir Henry y yo.

—«Adiós, muchachos —dijo—; me voy al ala derecha cumpliendo órdenes. De modo que he venido a estrecharles la mano, para el caso de que no volvamos a vernos, ya saben», añadió, significativamente.

Nos dimos la mano en silencio, y no sin exteriorizar todo el sentimiento que son capaces de mostrar los anglosajones.

«Es un curioso asunto —dijo sir Henry, con su profunda voz un poco temblorosa—, y confieso que no espero en absoluto ver el sol de mañana. Por lo que puedo prever, los Pardos, con los que voy a ir, van a combatir hasta que sean barridos con objeto de permitir a las dos alas deslizarse sin ser vistas y coger de flanco a Twala. Adiós, viejo amigo. ¡Dios le bendiga! Espero que salga de ésta y sobreviva para ponerse un collar de diamantes; pero si es así, ¡siga mi consejo y no vuelva a mezclarse con pretendientes a ningún trono!»

Al cabo de un segundo, Good nos había apretado fuertemente la mano a ambos y se había ido. Luego, vino Infadoos y condujo a sir Henry a su puesto frente a los Pardos, mientras que, cargado de presentimientos, yo partí con Ignosi a mi puesto en el segundo regimiento de ataque.

14

LA ULTIMA POSICION DE LOS PARDOS

En unos pocos minutos más, los regimientos destinados a llevar a cabo los movimientos de flanqueo se habían puesto en marcha en silencio, manteniéndose cuidadosamente al amparo de la elevación de terreno con objeto de ocultar su avance a la mirada aguda de los exploradores de Twala.

Se dejó pasar media hora o más desde la partida de los cuernos o alas del ejército antes de poner en movimiento a los Pardos y a su regimiento de apoyo, conocido como los Búfalos, que constituían su pecho y estaban destinados a soportar el peso principal de la batalla.

Estos dos regimientos estaban casi totalmente frescos, y conservaban toda su fuerza, ya que los Pardos habían permanecido en reserva por la mañana y sólo habían perdido un pequeño número de hombres al rechazar la parte del ataque que había podido romper las líneas de defensa, en la ocasión en que yo había cargado con ellos y había sido aturdido para mis penas; y, en cuanto a los Búfalos, habían formado la tercera línea de defensa en la izquierda, y, como la fuerza atacante no había conseguido, en aquella parte, romper la segunda línea, apenas habían entrado siquiera en acción.

Infadoos, que era un viejo general curtido, y conocía la absoluta importancia de mantener alta la moral de sus hombres en vísperas de un combate tan desesperado, aprovechó la pausa para dirigirse a su propio regimiento, los Pardos, en un lenguaje poético. Les explicó el honor que recibían al ser colocados de este modo al frente de la batalla y en que el gran guerrero blanco de las Estrellas combatiera con ellos en sus filas. También prometió grandes recompensas en ganado y ascensos a todos los que sobrevivieran, en el caso de que las armas de Ignosi salieran victoriosas.

Miré las largas líneas de plumas cimbreantes y de rostros austeros debajo de ellas, y suspiré al pensar que, al cabo de una hora, quizá todos aquellos magníficos guerreros veteranos, ni uno solo de los cuales estaba por debajo de los cuarenta años, yacerían en el polvo muertos o moribundos. No podía ser de otro modo; la sagaz indiferencia por la vida humana que marca a los grandes generales, y a menudo salva sus fuerzas y logra sus objetivos, les había condenado a una inevitable matanza con objeto de proporcionar a su causa y al resto del ejército una oportunidad de éxito. Estaban destinados a la muerte, y ellos conocían la verdad. Su tarea iba a consistir en enfrentarse, regimiento tras regimiento, con todo el ejército de Twala, sobre la estrecha lengua de tierra que teníamos debajo, hasta ser exterminados, o hasta que las alas encontraran una oportunidad favorable para lanzarse a la carga. Y, sin embargo, no dudaron un momento, ni pude descubrir ningún signo de miedo en el rostro de un solo guerrero. Ahí estaban, erguidos, dirigiéndose a una muerte cierta, a punto de pasar por el horrendo puente de las lanzas, a punto de abandonar la bendita luz del día; y, sin embargo, eran capaces de contemplar su destino sin un estremecimiento. En aquel momento no pude evitar el contrastar su estado de espíritu con el mío, que estaba lejos de la apacibilidad, y tuve un suspiro de envidia y de admiración. Nunca antes había visto una devoción tan absoluta a la idea del deber, ni una indiferencia tan completa para sus amargos frutos.

«¡Mirad a vuestro rey! —acabó el viejo Infadoos, señalando a Ignosi—. Id a luchar y a caer por él, como es de deber para los hombres valientes, y caiga la maldición y la vergüenza para siempre sobre el nombre de aquel que retroceda ante la muerte por su rey o que vuelva la espalda al enemigo. ¡Jefes, capitanes y soldados, mirad a vuestro rey! Ahora, rendid vuestro homenaje a la Serpiente sagrada, y seguidnos, que Incubu y yo os mostraremos el camino al corazón de las huestes de Twala.»

Hubo un momento de pausa, y luego, súbitamente, surgió un murmullo de las apretadas falanges ante nosotros, un sonido como el lejano susurro del mar, causado por el suave golpear de los mangos de seis mil lanzas contra las asas de los escudos. Ascendió lentamente, hasta que su creciente volumen se hizo profundo y se ensanchó en el aire en un rugido retumbante que repercutió como el trueno contra las montañas y llenó el aire con pesadas oleadas de sonido. Luego decreció, hasta que gradualmente se disolvió en el silencio, y repentinamente estalló el saludo real.

Ignosi, pensé para mí, podía perfectamente sentirse orgulloso aquel día, ya que ningún emperador romano escuchó jamás un saludo semejante de los gladiadores «que iban a morir.»

Ignosi agradeció este magnífico acto de homenaje alzando su hacha de combate, y luego los Pardos desfilaron en triple formación, conteniendo cada línea alrededor de un millar de combatientes sin contar los oficiales. Cuando las últimas compañías hubieron avanzado unas cinco mil yardas, Ignosi se puso en persona en cabeza de los Búfalos, regimiento que estaba formado de modo similar en tres columnas, y dio la orden de marcha. Y partimos, conmigo, no hace falta decirlo, elevando las más fervientes plegarias con el ruego de salir de aquella diversión con la piel entera. Me había encontrado muchas veces en situaciones extrañas, pero raramente en una tan desapacible, o en una en que mis oportunidades de salir sano y salvo fueran más ínfimas.

Cuando alcanzamos el borde de la explanada, los Pardos habían llegado ya a medio camino de la pendiente que terminaba en la lengua de hierba que penetraba en la comba de la montaña, de un modo un tanto semejante a cómo la ranilla de un caballo entra en el casco. Parecía muy grande la excitación allá abajo, en la llanura, en el campo de Twala. Regimiento tras regimiento partían a paso ligero con objeto de alcanzar la raíz de la lengua de tierra antes de que las fuerzas atacantes pudieran desembocar en la llanura de Loo.

Aquella lengua, que tenía unas cuatro mil yardas de profundidad, no tenía, ni siquiera en su raíz, que era la parte más ancha, una anchura superior a seiscientos cincuenta pasos, mientras que en su punta apenas tenía noventa. Los Pardos, que al descender la ladera y entrar en la punta de la lengua habían formado en columna, volvieron a su triple formación al alcanzar el punto en que se ensanchaba, y se detuvieron en seco.

Entonces nosotros —es decir, los Búfalos— nos dirigimos a la punta de la lengua y tomamos nuestra posición como reserva, a unas mil yardas detrás de la última fila de los Pardos y sobre un terreno ligeramente más elevado. Entretanto, teníamos ocasión de observar a todo el ejército de Twala, que evidentemente se había reforzado después del ataque de la mañana y que ahora, a pesar de sus pérdidas, contaba con no menos de cuarenta mil hombres, y que se movía rápidamente en nuestra dirección. Pero cuando llegaron cerca de la raíz de la lengua, titubearon al descubrir que tan sólo podía avanzar un regimiento por la garganta y que allí, a unas setenta yardas de la boca, sin que se le pudiera atacar más que de frente, debido a las altas murallas de suelo salpicado de peñascos a lado y lado, estaba el célebre regimiento de los Pardos, el orgullo y la gloria del ejército kukuana, dispuesto a defender el camino contra sus fuerzas del mismo modo que, cierta vez, los tres romanos defendieron el puente contra las filas de Tusculum.

Titubearon, y finalmente detuvieron su avance; no estaban muy impacientes por cruzar lanzas con esas tres hoscas filas de guerreros que les esperaban, tan firmes y dispuestos. Al cabo de poco, sin embargo, un general de elevada estatura, que llevaba el habitual tocado de ondulantes plumas de avestruz, hizo su aparición, flanqueado por un grupo de jefes y ordenanzas; era, me parece, no otro que el propio Twala. Dio una orden, y el primer regimiento, con un alarido, cargó contra los Pardos, los cuales permanecieron perfectamente inmóviles y silenciosos hasta que las tropas atacantes se encontraron a menos de cuarenta yardas y una andanada de *tollas,* o cuchillos arrojadizos, repiqueteó entre las filas.

Luego, súbitamente, con un salto y un rugido, los Pardos saltaron adelante con las lanzas en alto, y los regimientos chocaron en mortífera contienda. Al segundo siguiente llegó a nuestros oídos el retumbar de los escudos que entrechocaban, como el rugido del trueno, y la llanura pareció cobrar vida con los destellos luminosos de las lanzas resplandecientes. La masa ondulante de hombres combatiendo a estocadas oscilaba arriba y abajo, pero no lo hizo mucho rato. Súbitamente las líneas atacantes se pusieron a menguar, y luego, con un lento y largo henchimiento, los Pardos pasaron sobre ellas como una gran ola henche su mole y pasa sobre un puente, inundándolo. Se había logrado: aquel regimiento quedaba completamente destruido, pero ahora a los Pardos sólo les quedaban dos líneas; una tercera parte de sus hombres había muerto.

Hombro contra hombro, se detuvieron una vez más en silencio y esperaron el ataque; y me alegró percibir la barba rubia de sir Henry moviéndose arriba y abajo ordenando las filas. ¡Estaba todavía vivo!

Entretanto avanzamos hacia el campo del encuentro, que estaba atestado por unos cuatro mil seres humanos postrados, muertos, moribundos o heridos, y literalmente teñido de rojo por la sangre. Ignosi dio una orden, que rápidamente recorrió las filas, al efecto de que no se diera muerte a ningún enemigo herido y, en toda la medida en que pudimos observar, su orden fue escrupulosamente obedecida. Hubiera sido un espectáculo chocante, si es que hubiéramos tenido tiempo para pensar en esas cosas.

Pero ahora un segundo regimiento, distinguido por plumas, toneletes y escudos de color blanco, se lanzaba al ataque contra los dos mil Pardos que quedaban, y que quedaron a la espera en el mismo amenazador silencio de antes hasta que el enemigo estuvo a treinta yardas o cosa así; entonces se abalanzaron contra ellos con una fuerza irresistible. De nuevo se produjo el espantoso retumbar de los escudos que chocaban, y, bajo nuestra mirada, se repitió la tragedia.

Pero esta vez el resultado quedó más largo tiempo en suspenso; a decir verdad, durante un rato pareció casi imposible que los Pardos pudieran vencer nuevamente. El regimiento atacante, que estaba compuesto por hombres jóvenes, combatió con extremada furia, y al comienzo pareció que por puro peso iba a hacer retroceder a los veteranos. La matanza fue auténticamente espantosa, y cada minuto caían cientos de hombres; y entre los alaridos de los guerreros y los gemidos de los moribundos, y acompañando la música del entrecruzarse de las lanzas, nos llegaba en tono más bajo el sonido silbante y continuo de los «S'gee, s'gee», la nota de triunfo de cada vencedor cuando su azagaya atravesaba una y otra vez el cuerpo de su enemigo caído.

Pero la perfecta disciplina y el valor decidido e inmutable pueden hacer prodigios, y un soldado veterano vale por dos jóvenes, como pudo pronto verse en este caso. Ya que justo cuando empezábamos a pensar que ya todo estaba consumado para los Pardos, y nos disponíamos a ocupar su puesto en cuanto dejaran espacio mediante su total destrucción, oí la profunda voz de sir Henry perforando el estruendo, y pude ver por un instante el remolino de su hacha de combate agitándose por encima de sus plumas. Luego se produjo un cambio; los Pardos se quedaron quietos como una roca, contra la cual se estrellaron una y otra vez las furiosas oleadas de los lanceros que se arrojaban sobre ella tan sólo para luego retroceder. Al cabo de poco empezaron a moverse una vez más, esta vez adelante; como no tenían armas de fuego no había humo, de modo que pudimos verlo todo. Al cabo de un minuto' el ataque aminoró.

«¡Ah! Esos son verdaderos hombres; volverán a vencer —exclamó Ignosi, que rechinaba de dientes de pura excitación, a mi lado—. ¡Mirad! ¡Lo han conseguido!»

Súbitamente, como volutas de humo en la boca de un cañón, el regimiento atacante huyó en grupos dispersos, con sus blancos tocados agitándose al viento detrás de ellos, dejando vencedores a sus oponentes; pero ¡ay! éstos no eran ya un regimiento. De la valiente línea triple que cuarenta minutos antes había ido al combate con un total de tres mil hombres, quedaban todo lo más seiscientos hombres cubiertos de sangre; los restantes habían caído. Y, sin embargo, dieron vítores y alzaron las lanzas triunfadoras, y luego, en lugar de retroceder hacia nosotros, como esperábamos, se lanzaron adelante a la carrera, sobre un centenar de yardas, persiguiendo a los grupos de enemigos en huida; ocuparon una loma, y, volviendo a su triple formación, formaron un triple anillo alrededor de su base. Y allí, gracias a Dios, de pie en la cima del montículo durante unos instantes, vi a sir Henry, aparentemente ileso, y junto a él a nuestro viejo amigo Infadoos. Luego, los regimientos de Twala se abalanzaron sobre la fatal franja de tierra, y una vez más se reanudó la batalla.

Como los que lean esta historia deben haber conjeturado hace rato, soy, honradamente hablando, un poco cobarde, y, ciertamente, de ningún modo aficionado a los combates, aunque por distintas razones mi destino haya sido encontrarme en situaciones desagradables y verme obligado a derramar sangre humana. Pero siempre he detestado esto, y he conservado mi sangre lo menos disminuida en cantidad que me ha sido posible, algunas veces mediante el juicioso empleo de mis tobillos. En aquel momento, sin embargo, quizá por primera vez en mi vida, sentí bullir mi pecho con ardor marcial. Fragmentos bélicos de las «Leyendas de Ingoldsby», junto con numerosos versículos sanguinarios del Viejo Testamento, me saltaron a la mente como hongos en la oscuridad; mi sangre, hasta entonces medio helada de horror, se puso a batir en mis venas, y me vino un deseo salvaje de matar sin piedad. Miré a mi alrededor las apretadas filas de guerreros detrás nuestro, y, de algún modo, en el mismo instante, me puse a preguntarme si mi rostro tendría un aspecto semejante al suyo. Allí estaban, erguidos, con las cabezas tendiéndose por encima de los escudos, las manos inquietas, los labios entreabiertos, con sus feroces facciones animadas por el ansia vehemente de la batalla y una mirada en sus ojos como la de un sabueso cuando, después de una larga persecución, avista a su presa.

Tan sólo el corazón de Ignosi, a juzgar por su comparativo autodominio, parecía, según toda apariencia, latir con la tranquilidad de siempre debajo de su manto de piel de leopardo, aunque incluso *él* rechinaba de dientes. No pude seguir soportándolo.

«¿Vamos a quedarnos aquí hasta echar raíces, Umbopa... Ignosi, quiero decir... mientras Twala se engulle a nuestros hermanos allá abajo? —pregunté.

—No, Macumazahn —fue la respuesta—; mira, ahora el momento está maduro: cojámoslo.»

Mientras hablaba, un regimiento fresco desbordaba el anillo en torno a la loma y, rodeándolo, lo atacó por el lado opuesto.

Entonces, alzando su hacha de combate, Ignosi dio la señal de avanzar, y, gritando el salvaje grito de guerra kukuana, los Búfalos cargaron en un embate como el del mar.

Lo que siguió a esto es algo que está más allá de mis fuerzas narrar. Todo lo que recuerdo es un avance irregular, aunque ordenado, que pareció sacudir la tierra; un súbito cambio de frente y una toma de posiciones del regimiento contra el que la carga estaba dirigida; luego, un choque espantoso, un sordo rugido de voces, y un continuo llamear de lanzas a través de una bruma roja de sangre.

Cuando mi mente se despejó, me encontré en medio de lo que quedaba de los Pardos, cerca de la cima de la loma, y junto a mí estaba ni más ni menos que el mismísimo sir Henry. Cómo llegué allí, no tenía ni idea en aquel momento, pero posteriormente sir Henry me contó que fui arrastrado por la furiosa carga de los Búfalos casi a sus mismos pies, y que me quedé allí cuando ellos, a su vez, fueron echados atrás. Entonces, él había salido del círculo y me había puesto a salvo.

En cuanto a la lucha que siguió, ¿cómo puedo describirla? Una y otra vez, las multitudes se lanzaban contra nuestro círculo, momentáneamente estrechado, y una y otra vez las rechazábamos vencidas.

«Los obstinados lanceros siguen sosteniendo
el oscuro impenetrable bosque,

> avanzando cada uno donde otro estaba
> en el instante mismo en que ha caído»,

como dice alguien hermosamente en alguna parte.

Era un espectáculo espléndido ver a aquellos valientes batallones correr una y otra vez contra la muralla de su muerte, a veces llevando delante de ellos a cadáveres para recibir nuestros lanzazos, para luego dejar que sus propios cadáveres aumentaran las pilas crecientes. Era una cosa bizarra oír a aquel obstinado viejo guerrero, Infadoos, tan sereno como si estuviera en un desfile, gritar sus órdenes, sus vituperios e incluso sus bromas, para mantener alta la moral de los hombres que le quedaban, y luego, cuando llegaba otra carga, ver cómo se abalanzaba allí donde la lucha era más reñida para tener su parte en su rechazo. Y todavía más bizarro era ver a sir Henry, cuyas plumas de avestruz habían sido esquiladas por un lanzazo, de modo que sus cabellos rubios ondulaban al viento detrás de él. Allí se erguía, el gran normando, ya que no era otra cosa, con las manos, el hacha y la armadura rojas de sangre; y nadie vivía después de su golpe. Una y otra vez le vi abatir a los altos guerreros que se aventuraban a darle batalla; y cuando golpeaba gritaba: «¡O-joy! ¡O-joy!» como sus frenéticos antepasados, y el golpe rompía crujiendo escudo y lanza, tocado, cabello y cráneo, hasta que por fin nadie, por propia voluntad, llegaba a las inmediataciones del gran «umtagati» (hechicero) blanco, que mataba sin errar.

Pero de repente se oyó un grito de «¡Twala, y'Twala!» y de la masa combatiente surgió ni más ni menos que el gigantesco rey de un solo ojo, armado también con hacha de combate y escudo, y cubierto por una cota de mallas.

«¿Dónde estás, Incubu, hombre blanco, que mataste a mi hijo Scragga? ¡A ver si puedes matarme a mí!» aulló, y al mismo tiempo una *tolla* voló directamente a sir Henry, el cual, afortunadamente, la vio llegar y la recibió con su escudo, que la *tolla* atravesó, quedando hincada en la plancha de hierro posterior.

Luego, lanzando un grito, Twala saltó directamente hacia Curtis, y con su hacha de combate le asestó un golpe tal en el escudo que éste, siendo un hombre tan fuerte, cayó sobre las rodillas.

Mas por el momento la cosa no fue más lejos, ya que en aquel instante surgió de los regimientos atacantes algo así como un aullido de desaliento, y mirando hacia arriba pude ver el motivo.

A derecha e izquierda la llanura estaba animada por las plumas de guerreros lanzados a la carga. Las columnas de flanqueo llegaban para aliviarnos. El momento no pudo estar mejor elegido. Todo el ejército de Twala, tal como había predicho Ignosi, había fijado toda su atención en la lucha sangrienta que rugía en torno a lo que quedaba de los Pardos y de los Búfalos, que ahora estaban librando una batalla por su cuenta a cierta distancia, los regimientos que habían formado el pecho de nuestro ejército. No fue sino cuando nuestros cuernos estuvieron a punto de cerrarse sobre ellos cuando se apercibieron de su proximidad, ya que creían que esas fuerzas estaban ocultas como reserva en la cresta de la colina en forma de luna. Y ahora, antes de que pudieran siquiera adoptar una formación adecuada para la defensa, los *impis* de flanqueo habían saltado, como perros de presa, sobre sus flancos.

En cinco minutos quedó decidida la suerte de la batalla. Atacados por ambos flancos, y desmoralizados por la tremenda matanza que habían sufrido a manos de los Pardos y los Búfalos, los regimientos de Twala emprendieron la huida, y toda la llanura entre nosotros y Loo no tardó en estar sembrada de grupos de soldados que corrían, poniéndose a salvo en su retirada. En cuanto a las tropas que momentos antes todavía nos rodeaban a nosotros y a los Búfalos, se disiparon como por arte de magia, y al cabo de poco estábamos en nuestros puestos como una roca de la que el mar se ha retirado. Pero ¡qué espectáculo! Alrededor nuestro, los muertos y los moribundos yacían en masas amontonadas, y de los valientes Pardos quedaban en pie tan sólo noventa y cinco hombres. Más de tres mil cuatrocientos habían caído en aquel regimiento, la mayoría para no volver a levantarse.

«Hombres —dijo Infadoos, que, serenamente, en los intervalos que dejaba mientras se vendaba una herida en el brazo, contemplaba lo que le quedaba de su tropa—, habéis mantenido la reputación de vuestro regimiento, y de esta jornada de combate hablarán los hijos de vuestros hijos.»

Luego se volvió en redondo y cogió a sir Henry de la mano.

«Eres un gran capitán, Incubu —dijo simplemente—; he vivido una vida larga entre guerreros, y he conocido a muchos valientes, pero nunca había visto entre ellos a un hombre como tú.»

En aquel momento, los Búfalos empezaron a marchar, sobrepasando nuestra posición, hacia la ruta de Loo, y mientras avanzaban nos llegó un mensaje de Ignósi pidiendo que Infadoos, sir

Henry y yo nos uniéramos con él. De conformidad con ello, se dieron órdenes para que los noventa hombres que quedaban de los Pardos se pusieran a recoger a los heridos, y fuimos a unirnos a Ignosi, el cual nos informó de que iba a marchar sobre Loo para completar la victoria con la captura de Twala, si era posible. Antes de que hubiéramos llegado muy lejos, descubrimos súbitamente la figura de Good sentado en un hormiguero a unos cien pasos de nosotros. Muy cerca de él estaba el cuerpo de un kukuana.

«Debe estar herido», dijo sir Henry, inquieto. Mientras hacía esta observación, una cosa enojosa vino a suceder. El cadáver del soldado kukuana, o mejor dicho lo que había parecido ser su cadáver, saltó repentinamente sobre sus pies, derribó a Good del hormiguero, patas arriba, y se puso a lancearlo. Nos abalanzamos hacia adelante, aterrados, y, cuando estuvimos cerca, vimos al membrudo guerrero dando un golpe tras otro contra el postrado Good, que ante cada aguijonazo sacudía los miembros en el aire. Viéndonos venir, el kukuana asestó un último y maligno golpe, y, con un grito de «¡Toma esto, hechicero!» se echó a correr. Good no se movió, y concluimos que nuestro pobre compañero había muerto. Llegamos tristes junto a él, y nos quedamos atónitos al encontrarle pálido y desmadejado, ciertamente, pero con una tranquila sonrisa en el rostro y el monóculo todavía fijo en su ojo.

«Excelente armadura —murmuró, al ver nuestros rostros inclinados sobre él—. Cómo debe haberse cansado ese fulano.» Y luego se desmayó. Al examinarle, descubrimos que había sido herido seriamente en una pierna por una *tolla* en el curso de la persecución, pero que su cota de mallas había impedido que la lanza de su último atacante hiciera otra cosa que magullarle de mala manera. Era un desenlace benigno. Como por el momento nada podía hacerse por él, se le colocó en una de las bandejas para heridos, y nos lo llevamos con nosotros.

Al llegar a la puerta más cercana de Loo, nos encontramos con uno de los regimientos montando guardia de acuerdo con las órdenes de Ignosi. Los demás regimientos estaban igualmente montando guardia en las demás salidas de la ciudad. El oficial al mando de este regimiento saludó a Ignosi como rey, y le informó de que el ejército de Twala se había refugiado en la ciudad, mientras que el propio Twala había escapado; pero él pensaba que estaban todos profundamente desmoralizados y se rendirían. Entonces Ignosi, después de tomar consejo de nosotros, envió a mensajeros a todas las puertas con órdenes a los defensores de que las abrieran, dándoles su palabra regia de que otorgaría la vida y el perdón a todo soldado que depusiera las armas; pero comunicaba que si no lo hacían, antes de la noche quemaría Loo con todo lo que hubiera detrás de sus puertas. Este mensaje no dejó de tener su efecto. Al cabo de media hora, en medio de los alaridos y los vítores de los Búfalos, el puente quedó tendido sobre el foso, y las puertas, al otro lado, se abrieron de par en par.

Con las precauciones adecuadas contra una eventual traición, penetramos en la ciudad. A lo largo de las calles había millares de guerreros desalentados, cabizbajos, con los escudos y las lanzas a sus pies, y, encabezados por sus oficiales, saludaron a Ignosi como rey a su paso. Proseguimos, dirigiéndonos directamente al kraal de Twala. Cuando alcanzamos el gran espacio abierto en el que uno o dos días antes habíamos presenciado la revista y la caza de brujos, lo encontramos desierto. No, no del todo desierto, ya que allí, al extremo opuesto, frente a su cabaña, estaba sentado el propio Twala, con un solo acompañante: Gagool.

Era un espectáculo melancólico verle sentado de aquel modo, con el hacha de combate y el escudo a su lado y el mentón sobre su pecho cubierto por la cota de mallas, con tan sólo una vieja apergaminada por acompañante; y, a pesar de sus crueldades y sus maldades, sentí una punzada de pena al mirar a Twala, «caído de su alto estado» de aquel modo. Ni un soldado de sus ejércitos, ni un cortesano de los cientos que le habían adulado, ni una sola de sus mujeres quedaba para compartir su suerte o para endulzar la amargura de su caída. ¡Pobre salvaje! Estaba aprendiendo la lección que el Destino enseña a la mayoría de nosotros, si vivimos lo bastante, de que los ojos de la humanidad son ciegos para los desacreditados, y que aquel que está indefenso y arruinado encuentra pocos amigos y escasa misericordia. Y, a decir verdad, en este caso la cosa no era inmerecida.

Entramos en hilera por la puerta del kraal, y caminamos por el espacio abierto hacia donde estaba sentado el ex rey. A unas cincuenta yardas de él se ordenó alto al regimiento, y, acompañados tan sólo por una pequeña guardia, nos dirigimos hacia él, mientras Gagool nos increpaba amargamente a medida que nos acercábamos. Cuando estuvimos cerca, Twala, por primera vez, alzó su cabeza con plumas y clavó su único ojo, que parecía centellear con furia contenida casi tan intensamente como el gran diamante en su frente, en su victorioso rival Ignosi.

«¡Saludos, oh rey! —dijo, con amarga burla—. ¡Tú, que has comido mi pan, y que ahora, con la ayuda de la magia del hombre blanco, has engañado a mis regimientos y has vencido a mi ejército recibe mis saludos! ¿Qué suerte me reservas, oh rey?

—La suerte que infligiste a mi padre, en cuyo trono te has sentado todos estos años— fue la dura respuesta.

—Está bien. Te demostraré cómo se muere, para que puedas acordarte cuando a ti te llegue el momento. Mira, el sol se esconde ensangrentado —y señaló con su hacha de combate el globo que se ocultaba—; está bien que mi sol se marche con sangre. Y ahora, ¡oh, rey! estoy dispuesto a morir, pero invoco el privilegio de la casa real Kukuana de morir combatiendo (1). No puedes negarte, porque si lo haces incluso esos cobardes que hoy han huido se avergonzarán de ti.

—Otorgado. Elige: ¿con quién deseas luchar? Yo no puedo luchar personalmente contigo, ya que el rey no combate más que en la guerra.»

El siniestro ojo de Twala se paseó por nuestras filas, y sentí, cuando por un momento se detuvo en mí, que la situación se había desarrollado en un nuevo horror. ¡Y si elegía empezar luchando *conmigo!* ¿Qué oportunidades tendría contra un salvaje desesperado de seis pies cinco pulgadas de estatura, y de una anchura proporcionada? Igual podía suicidarme acto seguido. Rápidamente decidí negarme al combate, aunque ello me costara ser expulsado acto seguido de Kukuanaland. Es mejor, pienso yo, ser abucheado que no despedazado por un hacha de combate.

Al poco rato habló Twala.

«Incubu, ¿qué dices tú? ¿Acabaremos lo que empezamos hoy mismo, o podré llamarte cobarde, hombre blanco, cobarde hasta el hígado?

—No —objetó Ignosi apresuradamente—; no debes combatir con Incubu.

—No si tiene miedo», dijo Twala.

---

(1) Es una ley de los kukuanas el que ningún hombre de la línea real directa puede ser dado a muerte, salvo por propio consentimiento, el cual, sin embargo, nunca es negado. Se le permite elegir una sucesión de antagonistas, que el rey debe aprobar, con los que combate hasta que uno de ellos le da muerte. (A. Q.)

Desdichadamente, sir Henry entendió esta observación, y la sangre afluyó a sus mejillas.

«Lucharé con él —dijo—; ya verá si tengo o no miedo.

—Por el amor del Cielo —intervine—, no arriesgue su vida contra la de un hombre desesperado. Cualquiera que le haya visto hoy sabe que es usted un valiente.

—Lucharé con él —fue la hosca respuesta—. Ningún ser humano me llamará cobarde. ¡Ya estoy dispuesto!» y caminó hacia delante, alzando el hacha.

Me retorcí las manos ante ese absurdo acto de quijotismo; pero si estaba decidido a llevar adelante aquel duelo, yo, naturalmente, no podía impedírselo.

«No luches, hermano blanco —dijo Ignosi, poniendo afectuosamente la mano en el brazo de sir Henry—; ya has luchado bastante, y si te viera morir en sus manos mi corazón se partiría en dos pedazos.

—Lucharé, Ignosi —fue la respuesta de sir Henry.

—Está bien, Incubu; eres un hombre valiente. Será una buena pelea. Mira, Twala, el Elefante está dispuesto.»

El ex rey se rió salvajemente, caminó hacia delante y se encaró a Curtis. Por un momento permanecieron inmóviles, y la luz del sol poniente golpeó sus fornidos cuerpos y les envolvió en fuego. Estaban bien emparejados.

Luego empezaron a caminar en círculo cada cual en torno al otro, con las hachas alzadas.

Súbitamente sir Henry saltó adelante y asestó un golpe formidable a Twala, que lo detuvo de lado. El golpe fue tan fuerte que el que había golpeado medio perdió el equilibrio, circunstancia que pronto aprovechó su antagonista. Hizo girar la pesada hacha sobre su cabeza y la abatió con tremenda fuerza. El corazón me saltó a la boca; pensé que el asunto estaba ya terminado. Pero no; con un rápido movimiento hacia arriba del brazo izquierdo, sir Henry interpuso su escudo entre su cuerpo y el hacha, con el resultado de que voló un trozo del escudo y que el hacha le cayó sobre el hombro izquierdo, pero sin causar ningún daño serio. Al cabo de un instante sir Henry ensayó un nuevo golpe, que Twala recibió también sobre su escudo.

Luego vino un golpe tras otro, y todos eran recibidos alternativamente en el escudo, o esquivados. La excitación se hizo intensa; el regimiento, que estaba contemplando el enfrentamiento, olvidó su disciplina, y, acercándose, aulló y gimió a cada golpe.

Justo en aquel momento, Good, que había sido dejado en el suelo a mi lado, recobró el conocimiento, e incorporándose vio lo que estaba sucediendo. En un instante estuvo en pie, y, cogiéndome del brazo, saltó alternativamente sobre ambos pies, gritando alentadoramente a sir Henry:

«¡Dale, muchacho! —vociferaba—. ¡Esta fue buena! ¡Dale fuerte!» y así todo.

Al cabo de un rato, sir Henry, después de parar un nuevo golpe con su escudo, golpeó con todas sus fuerzas. El hachazo cortó el escudo de Twala y atravesó la cota de mallas, hiriéndole en el hombro. Con un aullido de dolor y de ira, Twala devolvió el golpe con intereses, y su fuerza era tal que pasó a través del mango de cuerno de rinoceronte del hacha de su antagonista, reforzado además por fajas de acero, e hirió a Curtis en la cara.

Un grito de desaliento se elevó de los Búfalos cuando la cabeza del hacha de nuestro héroe cayó al suelo; y Twala, volviendo a alzar su arma, se lanzó contra él con un aullido. Cerré los ojos. Cuando volví a abrirlos, fue para ver el escudo de sir Henry en el suelo, y al propio sir Henry estrujando con sus enormes brazos a Twala por la cintura. Oscilaron de un lado a otro, abrazados como osos, con una tensión máxima de todos sus músculos por la amada vida y el todavía más amado honor. Con un esfuerzo supremo, Twala hizo perder pie al inglés. Cayeron juntos, rodando uno sobre otro por el pavimento de lima en polvo, tratando Twala de golpear la cabeza de Curtis con su hacha, y sir Henry tratando de atravesar la armadura de Twala con la *tolla* que se había sacado del cinto.

Fue una poderosa lucha, y una cosa terrible de ver.

«¡Cójele el hacha!» aulló Good; y puede que nuestro campeón le oyera.

De cualquier modo, dejando caer la *tolla,* luchó por adueñarse del hacha, que Twala llevaba sujeta a la muñeca por una cinta de cuero de búfalo, y, mientras rodaban, luchaban por ella como gatos salvajes mientras jadeaban entrecortadamente. De pronto, se rompió la cinta de cuero, y luego, con un gran esfuerzo, sir Henry se liberó, con el arma en sus manos. Un segundo más y estaba de pie, con la roja sangre manando de la herida en la cara, y también Twala. Desenfundando de su cinto la pesada *tolla,* se tambaleó hacia Curtis y le golpeó en el pecho. La estocada dio fuerte en la diana, pero quien fuera que construyó la armadura conocía su oficio, ya que desvió el acero. Twala volvió a golpear con un aullido salvaje; de nuevo rebotó el afilado cuchillo, y sir Henry retrocedió dando traspiés. Una vez más atacó Twala, y, ante su acometida, sir Henry hizo acopio de fuerzas y, haciendo rodar la gran hacha sobre su cabeza con ambas manos, la abatió contra Twala con todas sus energías.

Surgió un chillido de excitación de miles de gargantas, y ¡mirad! La cabeza de Twala pareció saltar de sus hombros. Cayó y fue rodando y rebotando por el suelo hacia Ignosi, deteniéndose justo a sus pies. Durante un segundo el cadáver se mantuvo en pie; luego, con un choque sordo, cayó a tierra, y el collar de oro de su cuello rodó por el suelo. Mientras, sir Henry, vencido por la fatiga y la pérdida de sangre, cayó pesadamente sobre el cuerpo del rey muerto.

En pocos momentos le alzaron, y varias manos solícitas le echaron agua al rostro. Al cabo de un minuto se abrieron sus ojos grises.

No estaba muerto.

Luego yo, justo en el momento en que se ponía el sol, caminé hasta donde la cabeza de Twala yacía en el polvo, desaté el diamante de las cejas muertas y se lo tendí a Ignosi.

«Tómalo —dije—, rey legítimo de los kukuanas, rey por el nacimiento y por la victoria.»

Ignosi se ató la diadema sobre las cejas. Luego avanzó, puso un pie sobre el ancho tórax de su enemigo decapitado, e inició un canto, o más bien un himno triunfal, tan hermoso, y, sin embargo, tan extremadamente salvaje, que no tengo esperanzas de poder ofrecer una traducción adecuada de sus palabras. En cierta ocasión oí a un erudito con buena voz leer algo del poeta griego Homero, y recuerdo que la resonante sonoridad de aquellas líneas me heló la sangre. El canto de Ignosi, que se alzaba en una lengua tan hermosa y sonora como el griego antiguo, me produjo exactamente el mismo efecto, pese a que estaba agotado por las penalidades y las innumerables emociones.

«Ahora —empezó— nuestra rebelión ha sido engullida por la victoria, y nuestro mal proceder queda justificado por la fuerza.

Por la mañana, nuestros opresores se alzaron y se desplegaron; se pusieron sus arreos de guerra y se dispusieron para el combate.

Se alzaron y agitaron sus lanzas; los soldados pedían a los capitanes: «Conducidnos», y los capitanes gritaban al rey: «Conduce tú la batalla.»

Se reían en su orgullo, veinte mil hombres, y otros veinte mil.

Sus plumas cubrían los valles como las plumas de un pájaro cubren su nido; golpeaban sus escudos y gritaban, sí, golpeaban sus escudos a la luz del sol; anhelaban la batalla y estaban alegres.

Vinieron contra mí; los más fuertes entre ellos vinieron a matarme; gritaban: «¡Ja, ja! Ese ya está muerto.»

Luego soplé sobre ellos, y mi aliento fue como el del viento, y ¡mirad! Ya no existían.

Mis relámpagos los atravesaron; les chupé la fuerza con la luz de mis lanzas; les derribé al suelo con el trueno de mis gritos.

Cedieron, se dispersaron, se disiparon como la bruma del amanecer.

Son comida para milanos y zorros, y la tierra del campo de batalla se ha henchido con su sangre.

¿Dónde están los hombres fuertes que se levantaron por la mañana?

¿Dónde están los orgullosos que blandían las lanzas y gritaban: «Ese hombre ya está muerto»?

Inclinan la cabeza, pero no dormidos; están tendidos, pero no dormidos.

Están olvidados; han ido a las tinieblas; habitan en las lunas muertas; sí, otros gozarán sus viudas, y sus hijos no les recordarán.

¡Y yo! El rey, como el águila he hallado mi nido.

¡Mirad! Lejos volé en la estación nocturna, pero he vuelto a mi juventud al romper el día.

Protégete bajo mis alas, oh pueblo, y te confortaré, y no conocerás el desaliento.

Ha llegado el tiempo bueno, el tiempo del botín.

Mío es el ganado en las montañas, mías son las vírgenes en los kraals.

Quedan atrás el invierno y sus tormentas, ha llegado la primavera con sus flores.

Ahora el Mal se cubre el rostro, ahora la Clemencia y la Alegría habitarán la tierra.

¡Alégrate, alégrate, pueblo mío!

Que todo el mundo sienta júbilo, la tiranía ha sido pisoteada y yo soy el rey.»

Ignosi terminó su canto, y de la oscuridad que había caído surgió la profunda réplica:

«¡Tú eres el rey!»

Así se cumplió mi profecía al heraldo, y en el plazo de cuarenta y ocho horas el cuerpo de Twala cobraba rigidez ante la puerta de Twala.

15

GOOD CAE ENFERMO

Terminado el combate, sir Henry y Good fueron transportados a la cabaña de Twala, donde yo me uní a ellos. Estaban ambos absolutamente exhaustos por el esfuerzo y la pérdida de sangre, y, a decir verdad, mi estado no era mucho mejor. Soy muy delgado, y puedo soportar la fatiga mejor que la mayoría, probablemente debido al poco peso y al largo entrenamiento; pero aquella noche estaba hecho polvo, y, como sucede siempre con los hombres exhaustos, la vieja herida causada por el león empezó a dolerme. También la cabeza me dolía violentamente a causa del golpe que había recibido por la mañana, cuando me habían dejado sin sentido. En conjunto, hubiera sido difícil descubrir un terceto más mísero que el que nosotros formábamos aquella noche. Lo único que nos reconfortaba era la idea de que éramos extraordinariamente afortunados al estar ahí sufriendo nuestras penalidades en lugar de estar tendidos en la llanura, como tantos millares de hombres valientes aquella noche, de hombres que por la mañana se habían levantado sanos y fuertes.

De un modo u otro, con la ayuda de la hermosa Foulata, que, desde que habíamos logrado salvarle la vida, se había constituido en nuestra asistenta, especialmente en la de Good, nos las compusimos para quitarnos las cotas de malla, que, indudablemente, nos habían salvado la vida en aquella jornada. Tal como yo suponía, nos encontramos con que debajo de ellas teníamos la carne terriblemente tumefacta, ya que, si bien las mallas de acero habían impedido la penetración de las armas, no les habían impedido magullarnos. Tanto sir Henry como Good eran una masa de contusiones, y yo no estaba en absoluto desprovisto de ellas. Como remedio, Foulata nos trajo ciertas hojas verdes machadas, de olor aromático, que, aplicadas como emplasto, nos aliviaron considerablemente.

Pero aunque las magulladuras dolieran, no nos causaban tanta inquietud como las heridas de sir Henry y de Good. Good tenía un boquete que atravesaba de parte a parte la carne de su «hermosa pierna blanca», y había perdido mucha sangre; y, en cuanto a sir Henry, tenía, junto con otras heridas, un profundo corte en la mandíbula, infligido por el hacha de Twala. Afortunadamente, Good es un cirujano muy aceptable, y, tan pronto tuvo a mano su pequeña caja de medicamentos, se las arregló para coser primero las heridas de sir Henry, y luego las suyas propias, bastante satisfactoriamente si se tiene en cuenta la luz imperfecta que proporcionaba la primitiva lámpara kukuana dentro de la cabaña. Luego untó los sitios heridos con buenas cantidades de cierto ungüento antiséptico del que había un bote en la cajita, y los tapamos con lo que quedaba de un pañuelo de bolsillo que poseíamos.

Entretanto, Foulata nos había preparado un caldo fuerte, ya que estábamos demasiado cansados para comer. Lo engullimos, y luego nos arrojamos sobre las pilas de magníficos cueros o pieles que estaban esparcidas por la gran cabaña del rey muerto. Como chocante ejemplo de las ironías del destino, fue en el lecho de Twala, y envuelto en la capa de pieles particular de Twala, que sir Henry, el hombre que le había dado muerte, durmió aquella noche.

Digo durmió; pero después de los trabajos de aquella jornada dormir era realmente difícil. Para empezar, el aire estaba, en estricta verdad, lleno

> «De adioses a los moribundos
> y llantos por los ya muertos.»

De todas partes llegaba el sonido de los llantos de las mujeres cuyos maridos, hijos y hermanos habían muerto en la batalla. Nada tenían de sorprendente los llantos, ya que más de doce mil hombres, es decir, cerca de la quinta parte del ejército kukuana, habían sido aniquilados en aquella lucha atroz. Desgarraba el corazón estar allí tendido y oír los llantos por aquellos que nunca volverían;

y aquello me hacía comprender todo el horror del trabajo reali-
zado aquel día en apoyo de las ambiciones humanas. Hacia medianoche, sin embargo, el incesante llanto de las mujeres se hizo
menos frecuente, hasta que por fin el silencio sólo quedó roto, a
intervalos de unos pocos minutos, por un largo aullido punzante
que procedía de una cabaña inmediatamente detrás de la nuestra.
Procedía, según descubrí posteriormente, de Gagool «plañendo»
sobre el rey muerto Twala.

Después entré en un sueño inquieto, despertándome de vez
en cuando con un sobresalto, creyéndome una vez más actor en
los terribles acontecimientos de las últimas veinticuatro horas.
Unas veces me parecía ver a aquel guerrero del que mi mano
había dado cuenta, cargando contra mí en la cima de la montaña;
otras me veía una vez más en aquel glorioso anillo de los Pardos
que había ejecutado su inmortal defensa contra todos los regimientos de Twala en la loma, y otras, por fin, veía rodar ante mí
la cabeza emplumada y ensangrentada de Twala, con los dientes
rechinando y el ojo centelleante.

Por fin, de un modo u otro, la noche acabó; pero cuando rompió el alba descubrí que mis compañeros no habían dormido mejor
que yo mismo. Good, además, tenía mucha fiebre; muy poco después empezó a delirar, y también, ante mi gran alarma, a escupir
sangre a consecuencia, sin duda, de alguna herida interna recibida
durante los desesperados esfuerzos hechos por el guerrero kukuana
para perforar con su lanza la cota de mallas. Sir Henry, sin embargo, aunque estaba tan dolorido y embotado que apenas podía
moverse, parecía bastante fresco, a pesar de su herida en la cara,
que le dificultaba el comer y le imposibilitaba el reír.

Hacia las ocho recibimos la visita de Infadoos, que no parecía
mucho peor que de costumbre —era un rudo guerrero viejo— por
sus esfuerzos en la batalla, pese a que, según nos informó, no se
había acostado en toda la noche. Nos estrechó la mano cordial-
mente, y se mostró encantado de vernos, pero muy apenado por
la situación de Good. Observé, de todos modos, que se dirigía a
sir Henry con una especie de respeto, como si fuera algo más que
humano; y, realmente, tal como descubrimos después, el gran
inglés era considerado en todo Kukuanaland como un ser sobre-
natural. Ningún hombre, decían los soldados, podía haber combatido como él lo había hecho, ni, después de semejante jornada
de trabajos y pérdida de sangre, podía haber dado muerte a Twala,
el cual, además de ser el rey, se suponía el guerrero más fuerte

del país, en combate singular, ni cortarle su cuello de buey de un solo golpe. Aquel golpe se convirtió incluso en un proverbio kukuana, y todo golpe extraordinario o proeza de fuerza fue en adelante «el golpe de Incubu».

Infados nos informó también de que todos los regimientos de Twala se habían sometido a Ignosi, y de que igualmente empezaban a llegar sumisiones de los jefes en el resto del país. La muerte de Twala en manos de sir Henry había puesto fin a toda posibilidad de ulteriores disturbios; Scragga era su único hijo legitimado, de modo que no quedaba en vida ningún rival con pretensiones al trono.

Observé que Ignosi había nadado en sangre para llegar al trono. El viejo jefe se encogió de hombros.

«Sí —respondió—, pero el pueblo kukuana sólo mantiene fría su temperatura dejando que su sangre fluya de vez en cuando. Muchos han muerto, es cierto, pero quedan las mujeres, y otros se harán hombres pronto y ocuparán el puesto de los caídos. Después de esto, el país estará tranquilo una temporada.»

Posteriormente, en el curso de la mañana, recibimos una breve visita de Ignosi, que llevaba ahora en la frente la diadema real. Al verle avanzar con regia dignidad, con una guardia de honor siguiéndole los pasos, no pude evitar el acordarme del zulú de elevada estatura que se nos había presentado en Durbán unos meses antes solicitando entrar a nuestro servicio, y el reflexionar sobre los extraños giros de la rueda de la fortuna.

«¡Saludos, oh rey! —dije, poniéndome en pie.

—Sí, Macumazahn. Rey por fin, por la fuerza de vuestras tres diestras», fue la pronta respuesta.

Todo iba bien, nos dijo; y esperaba organizar al cabo de dos semanas una fiesta con objeto de presentarse al pueblo.

Le pregunté qué había decidido hacer con Gagool.

«Es el genio malo de esta tierra —respondió—, y la mataré, y junto con ella a todas las doctoras brujas. Ha vivido tanto, que nadie puede recordar tiempos en que no fuera ya muy vieja, y ella es la que siempre ha entrenado a las cazadoras de brujos, y ha hecho que la tierra sea maldita ante los ojos de los cielos, allá arriba.

—Sí, sabe muchas cosas —repliqué—; es más fácil destruir el conocimiento, Ignosi, que acumularlo.

—Así es —dijo, pensativo—. Ella, y sólo ella, conoce el secreto de las «Tres Brujas» allá lejos, donde termina la gran ruta, donde los reyes son enterrados y están sentados los Silenciosos.

—Sí, y donde están los diamantes. No olvides tu promesa, Ignosi; debes conducirnos a las minas, aunque para ello tengas que mantener en vida a Gagool para mostrar el camino.

—No olvido, Macumazahn, y pensaré en lo que has dicho.»

Después de la visita de Ignosi fui a ver a Good, y lo encontré en pleno delirio. La fiebre que le daba su herida parecía haber hecho fuerte presa en toda su persona y complicarse con daños internos. Durante cuatro o cinco días, su estado fue muy crítico; a decir verdad, creo firmemente que hubiera muerto de no haber sido por los incansables cuidados de Foulata.

Las mujeres son mujeres en todo el mundo, sea cual sea su color. Sin embargo, resultaba curioso ver a aquella oscura belleza inclinada día y noche sobre el lecho del hombre presa de fiebre, dedicándole todos los cuidados piadosos de una alcoba de enfermo, suavemente, dulcemente, y con todo el fino instinto de una experta enfermera de hospital. Durante una o dos noches intenté ayudarla, y lo mismo hizo sir Henry en cuanto su entumecimiento le permitió moverse. Pero Foulata soportaba con impaciencia nuestra intromisión, y finalmente insistió para que se lo dejáramos a su cuidado, diciendo que nuestros movimientos le inquietaban, y pienso que era cierto. Veló y le atendió día y noche, administrándole su único medicamento, una bebida nativa febrífuga hecha en base a leche en la que se diluía el jugo del bulbo de una especie de tulipán, y apartaba de él las moscas. Aún puedo ver el cuadro tal como lo presencié noche tras noche a la luz de nuestra primitiva lámpara: Good se agitaba de un lado a otro, con las facciones demacradas y los ojos brillantes, abiertos y luminosos, balbuceando disparates junto al patio; y, sentada al suelo a su lado, con la espalda apoyada en la pared de la cabaña, la belleza kukuana, de ojos dulces y cuerpo bien formado, con el rostro, aunque fatigado por la larga vigilia, animado por una mirada de compasión infinita... ¿o era algo más que compasión?

Durante dos días pensamos que Good moriría, y nos arrastrábamos con el corazón acongojado.

Tan sólo Foulata no lo pensaba.

«Vivirá», decía.

En trescientas yardas, o quizá más, a la redonda de la cabaña principal de Twala, donde yacía el enfermo, había silencio, ya que por orden del rey todos los que vivían en las habitaciones que había detrás, excepto sir Henry y yo, se habían mudado para que

191

ningún ruido llegara a los oídos del sufriente. Cierta noche, la quinta de la enfermedad de Good, fui, según mi costumbre, a ver cómo seguía antes de irme a dormir unas pocas horas.

Entré con precaución en la cabaña. La lámpara situada en el suelo me mostró a Good, que ya no se agitaba, sino que yacía totalmente inmóvil.

¡Así que había sucedido! En la amargura de mi corazón, tuve algo así como un sollozo.

«Shhh... shhh...» oí desde la mancha de sombra que había detrás de la cabeza de Good.

Luego, acercándome cautelosamente, vi que no estaba muerto, sino profundamente dormido, con los finos dedos de Foulata cogiéndole firmemente su pobre mano blanca. La crisis había pasado, y viviría. Durmió de aquel modo durante dieciocho horas; y, apenas me atrevo a decirlo por miedo a que no se me crea, durante todo este tiempo la abnegada muchacha estuvo sentada a su lado, temiendo despertarle si se movía y retiraba la mano. Lo que debió sufrir por los calambres y el cansancio, por no hablar ya de la falta de alimentos, nadie lo sabrá nunca; pero es un hecho que, cuando al fin se despertó Good, hubo que llevársela, ya que tenía los miembros tan agarrotados que no podía moverlos.

Una vez iniciado el cambio favorable, la recuperación de Good fue rápida y completa. No fue sino cuando estuvo prácticamente bien cuando sir Henry le contó todo lo que debía a Foulata; y cuando llegó al relato de cómo estuvo sentada a su lado durante dieciocho horas, temiendo despertarle si se movía, los ojos del honrado marino se llenaron de lágrimas. Dio media vuelta y se dirigió directamente a la cabaña en la que Foulata estaba preparando la comida de mediodía, ya que ahora habíamos vuelto a nuestros viejos cuarteles, llevándome a mí como intérprete para el caso de que no pudiera hacerse entender claramente; aunque debo decir que, por lo general, ella le entendió maravillosamente bien teniendo en cuenta lo extremadamente limitado del vocabulario extranjero de Good.

«Dígale —indicó Good— que le debo la vida, y que no olvidaré su dulzura hasta el día de mi muerte.»

Traduje, y bajo su oscura piel realmente pareció sonrojarse.

Volviéndose hacia él con uno de esos movimientos ligeros y graciosos que en ella me recordaban siempre el vuelo de un pájaro silvestre, Foulata respondió con dulzura, mirándole con sus grandes ojos oscuros:

«No, mi señor; ¡mi señor olvida! ¿No salvó él *mi* vida, no soy la sirvienta de mi señor?»

Obsérvese que la joven dama parecía olvidarse de la parte que sir Henry y yo mismo habíamos tenido en su salvación de las garras de Twala. ¡Pero así son las mujeres! Recuerdo a otras exactamente iguales. Bien, pues me retiré de aquella pequeña entrevista con tristeza en el corazón. No me gustaban las dulces miradas de Foulata, porque conocía las inclinaciones enamoradizas de los marineros en general y Good en particular.

Hay dos cosas en el mundo, según he descubierto, que no pueden impedirse: no se puede evitar que un zulú entre en combate, ni que un marino se enamore ante la más ligera incitación. Y en este caso la incitación no era ligera.

Pocos días después de este hecho emotivo, Ignosi celebró su gran «indaba», o consejo, y fue formalmente reconocido como rey por los «indunas», o principales, de Kukuanaland. El espectáculo fue realmente imponente, ya que incluyó incluso una gran revista de tropas. Aquel día, los fragmentos residuales de los Pardos formaron en parada, y, al frente de todo el ejército, se les agradeció su espléndida conducta en la gran batalla. A cada hombre el rey hizo un importante presente de ganado, y todos fueron ascendidos a oficiales en el nuevo cuerpo de los Pardos, que estaba en proceso de formación.

Se promulgó también una orden a todo lo ancho y largo de Kukuanaland al efecto de que, mientras honráramos el país con nuestra presencia, nosotros tres fuéramos saludados con el saludo real y tratados con la misma ceremonia y respeto que la costumbre concedía al rey. También se nos confirió públicamente el poder de vida y muerte. Además, Ignosi, en presencia de su pueblo, reafirmó las promesas que había hecho de que no se derramaría sangre humana sin previo juicio y de que la caza de brujos cesaría en el país.

Cuando terminó la ceremonia esperamos a Ignosi, y le informamos de que ahora estábamos impacientes por investigar el misterio de las minas a las que conducía la Ruta de Salomón, preguntándole al mismo tiempo si había descubierto algo acerca de ellas.

«Amigos míos —respondió—, he descubierto esto. Están más allá de donde están sentadas las tres grandes figuras que aquí son llamadas «los Silenciosos», y a las que Twala iba a ofrecer a Foulata como sacrificio. También es allí, en una gran caverna que penetra profundamente en la montaña, donde se entierra a los

reyes del país; allí encontraréis el cuerpo de Twala sentado junto
a aquellos que le precedieron. Allí hay también un profundo pozo
que, en una época lejana, fue abierto por hombres, quizá en busca
de las piedras de las que habláis, igual como he oído relatar a algunos hombres en el Natal, en Kimberley. Allí, también, en la Mansión de la Muerte, hay una cámara oculta, que es secreta para todos
excepto el rey y Gagool. Pero Twala, que la conocía, está muerto,
y yo no la conozco, ni sé qué hay en ella. Sin embargo, según una
leyenda del país, en cierta ocasión, hace muchas generaciones, un
hombre blanco cruzó las montañas y fue conducido a la cámara
oscura por una mujer que le mostró las riquezas encerradas en
ella. Pero antes de que él pudiera tomarlas ella le traicionó, y fue
conducido por orden del rey de entonces a las montañas, y desde
entonces ningún hombre ha entrado en aquel sitio.

—Esta historia es sin duda cierta, Ignosi, ya que en las montañas encontramos al hombre blanco —dije yo.

—Sí, le encontramos. Y ahora yo os he prometido que si
podéis entrar en esa cámara, y las piedras están allí...

—La gema en tu frente demuestra que están allí —interrumpí,
señalando el gran diamante que yo había quitado de la frente de
Twala muerto.

—Puede; y si están allí —dijo—, tendréis tantas como podáis
llevaros... si es que realmente me abandonáis, hermanos.

—Primero debemos encontrar la cámara —dije.

—Sólo hay una persona que pueda guiarte... Gagool.

—¿Y si no lo hace?

—Entonces morirá —dijo Ignosi, con dureza—. Sólo le he
conservado la vida para esto. Esperad; Gagool debe elegir.» Y, lla-
mando a un mensajero, ordenó que trajeran a Gagool a su presencia.

Llegó a los pocos minutos, conducida por dos guardias a los
que maldecía mientras andaba.

«Dejadla», dijo el rey a los guardias.

En cuanto le retiraron el soporte, el viejo fardo marchito —ya
que más que cualquier otra cosa parecía un fardo en el que lanzaban destellos dos ojos brillantes y malignos como los de una serpiente— cayó al suelo como un trapo.

«¿Qué quieres de mí, Ignosi? —silbó—. No te atrevas a tocarme. Si me tocas, os mataré a todos, ahí sentados. Guárdate de
mi magia.

—Tu magia no pudo salvar a Twala, vieja loba, y no puede

hacernos daño —fue la respuesta—. Escucha; quiero esto de ti: que nos reveles la cámara donde están las piedras brillantes.

—¡Ja, ja! —silbó Gagool—. Nadie conoce su entrada salvo yo, y yo nunca te la diré. Los diablos blancos se marcharán con las manos vacías.

—Me lo dirás. Haré que me lo digas.

—¿Cómo, oh rey? Eres grande, pero ¿puede tu poder arrancarle la verdad a una mujer?

—Es difícil, pero lo haré.

—¿Cómo, oh rey?

—Mira, de este modo: si te niegas morirás lentamente.

—¡Morir! —chilló, aterrada y furiosa—. No te atrevas a tocarme... ¡hombre, tú no sabes quién soy yo! ¿Cuántos años piensas que tengo? Conocí a tus padres, y a los padres de los padres de sus padres. Cuando el país era joven yo estaba ya aquí; cuando tu país sea viejo yo seguiré estando en él. No moriré a menos que muera por un azar, ya que nadie se atreve a matarme.

—Sin embargo, yo te mataré. Mira, Gagool, madre del mal, eres tan vieja que ya no puedes amar tu vida. ¿Qué puede valer la vida para una bruja como tú, que no tienes forma, ni facciones, ni cabello, ni dientes... que no tienes nada, como no sea maldad y mirada maligna? Será un acto de misericordia acabar contigo, Gagool.

—¡Loco! —chilló Gagool—. ¡Maldito loco! ¿Crees que la vida sólo es dulce para los jóvenes? No es así, y tú no sabes nada del corazón humano si así piensas. Para los jóvenes, la muerte es a veces bienvenida, porque los jóvenes pueden sentir. Aman y sufren, y esto les apremia a desear la entrada en la tierra de las sombras. Pero los muy viejos no sienten, no aman, y, ¡ja, ja! se ríen al ver a otros entrar en las tinieblas; ¡ja, ja! se ríen al ver el mal que se hace bajo las estrellas. Todo su amor es la vida, el sol, el cálido sol, y el aire, el aire dulce. Tienen miedo al frío, tienen miedo al frío y a las tinieblas, ¡ja, ja, ja! —y la vieja bruja se convulsionó en el suelo en su espeluznante júbilo.

—Acaba con tus palabras malignas y contéstame —dijo Ignosi, irritado—. ¿Nos mostrarás el sitio en que están las piedras, sí o no? Si no lo haces, mueres ahora mismo.» Y asió una lanza, blandiéndola sobre ella.

«No te lo mostraré. ¡No te atreverás a matarme, no te atreverás! El que me mate será maldito por siempre. La desgracia será su compañera de lecho, en la vida y en la muerte.»

Ignosi hizo descender lentamente la lanza hasta pinchar el postrado montón de harapos.

Con un débil grito, Gagool saltó sobre sus pies; luego volvió a caer y rodó por el suelo.

«¡No! Te lo mostraré. Pero déjame vivir, déjame sentar al sol durante otros breves cien años y tener comida que sorber, y te lo mostraré.

—Está bien. Ya pensaba que encontraría el modo de razonar contigo. Mañana irás con Infadoos y mis hermanos blancos hasta el lugar, y cuidado si no lo haces, porque si no se lo muestras morirás lentamente de hambre. He hablado.

—No fallaré, Ignosi. Siempre mantengo mi palabra. ¡Ja, ja, ja! Una vez, hace tiempo, una mujer mostró la cámara a un hombre blanco, y ¡mirad! la desgracia cayó sobre él —en ese momento centellearon sus ojos malignos—. También se llamaba Gagool. Puede que yo fuera esa mujer.

—Mientes —dije—, eso fue hace diez generaciones.

—Puede, puede; cuando se vive tanto se olvida. Puede que fuera la madre de mi madre la que me lo contó; sin duda se llamaba Gagool también. Pero ¡reparad! encontraréis, en el sitio en que están los juguetes brillantes, una bolsa de cuero llena de piedras. Aquel hombre llenó esa bolsa, pero nunca la recogió. ¡El mal cayó sobre él, os digo! ¡El mal cayó sobre él! Puede que me lo contara la madre de mi madre. Será un viaje divertido... por el camino podremos ver los cuerpos de los que han muerto en la batalla. Ahora las órbitas de sus ojos deben estar vacías, y sus costillas hundidas. ¡Ja, ja, ja!

LA MANSION DE LA MUERTE

Era ya la noche del tercer día después de la escena descrita en el capítulo anterior cuando acampamos en unas cabañas al pie de las «Tres Brujas», como se llama el triángulo de montañas adonde conduce la Gran Ruta de Salomón. Nuestro grupo se componía de nosotros tres, Foulata, que cuidaba de nosotros —y especialmente de Good—, Infadoos, Gagool, que era transportada en una litera en la cual se la podía oír murmurando y maldiciendo a lo largo de todo el día, y una serie de guardias y sirvientes. Las montañas, o mejor dicho los tres picos de la montaña, ya que su mole era evidentemente producto de un solo cataclismo, tenían, como he dicho, forma de triángulo, con la base hacia nosotros; un pico a nuestra derecha, otro a nuestra izquierda y uno justo frente a nosotros. Nunca olvidaré el espectáculo que ofrecían aquellos tres picos imponentes en las primeras luces del siguiente amanecer.

En lo alto, muy por encima de nosotros, contra el cielo azul, se elevaban sus sinuosas guirnaldas de nieve. Por debajo de la línea de nieve, los picos eran color púrpura por los matorrales, y lo mismo los salvajes páramos que ascendían en pendientes hacia sus laderas. Recta, frente a nosotros, la cinta blanca de la Gran Ruta de Salomón se dirigía pendiente arriba hasta el pie del pico central, a unas cinco millas, y allí se detenía. Aquel era su punto terminal.

Será mejor que deje a la imaginación de los que lean esta historia los sentimientos de intensa excitación con que emprendimos la marcha aquella mañana. Por fin habíamos llegado a las

inmediaciones de las maravillosas minas que habían sido causa de
la muerte miserable del viejo gentilhombre portugués, tres siglos
antes; de la muerte de mi pobre amigo, su descendiente con
mala estrella; y también, nos temíamos, de la de George Curtis, el
hermano de sir Henry. ¿Sería nuestro destino, después de lo que
habíamos pasado, correr mejor suerte? El mal había caído sobre
ellos, como había dicho aquella vieja diablesa de Gagool; ¿ocurriría lo mismo con nosotros? De algún modo, mientras avanzábamos por el último tramo de la hermosa ruta, me fue imposible
evitar una sensación un tanto supersticiosa acerca de aquello, y
creo que lo mismo les ocurrió a Good y a sir Henry.

Durante hora y media, o quizá más, avanzamos penosamente
por el camino bordeado de matorrales, e íbamos tan aprisa por
la excitación que los que llevaban la hamaca de Gagool apenas
podían seguir nuestro paso y su ocupante silbaba que nos de-
tuviéramos.

«Andad más despacio, hombres blancos —decía, asomando su
horrible fisonomía marchita entre las cortinas de hierba y fijando
en nosotros sus ojos centelleantes—. ¿Por qué corréis para topa-
ros con el mal que os caerá encima, buscadores de tesoros?» y se
reía con esa risa que indefectiblemente hacía correr un escalofrío
por mi espinazo; y por un rato nos quitó absolutamente todo el
entusiasmo.

Sin embargo, proseguimos, hasta que al fin vimos ante nosotros, entre nosotros y el pico, un vasto hoyo circular con los costados en pendiente, con una profundidad de por lo menos tres
mil pies y más de media milla de circunferencia.

«¿No se imaginan lo que es esto?» pregunté a sir Henry y a
Good, que contemplaban con asombro el espantoso pozo que
teníamos delante.

Negaron con la cabeza.

«Entonces está claro que nunca han visto las excavaciones
diamantíferas de Kimberley. Pueden apostar a que esto es la mina
de diamantes de Salomón. Miren ahí —dije, señalando los estratos
de dura arcilla azul que podían verse todavía entre la hierba y los
matorrales que cubrían las pendientes del pozo—, es la misma formación. Estoy seguro de que si bajamos nos encontraremos con
«tubos» de roca saponácea tipo mármol. Miren también eso —y
apunté a una serie de losas de piedra gastadas y planas que estaban
colocadas, en suave pendiente, por debajo del nivel de un curso de
agua que en alguna época lejana había sido cortado en la roca

sólida—; si eso no son mesas que se emplearon para lavar la ganga, yo soy un holandés.»

En el borde de aquel enorme hoyo, que no era otra cosa que el pozo señalado en el mapa del viejo *don*, la Gran Ruta se bifurcaba en dos ramas y lo rodeaba. En muchos puntos, dicho sea de paso, aquella ruta circular en torno al pozo estaba construida enteramente de bloques de piedra, con el objeto, aparentemente, de soportar los bordes del pozo y de impedir la caída de piedras. Nos apresuramos por aquel camino, impulsados por la curiosidad de ver qué podían ser los tres objetos erguidos que habíamos percibido desde el lado de acá de la gran abertura. Al acercarnos pudimos ver que se trataba de colosos de una extraña especie, y conjeturamos acertadamente que ante nosotros estaban los tres «Silenciosos» que el pueblo kukuana tiene en tanto temor. Pero no fue sino cuando estuvimos muy cerca de ellos cuando nos dimos cuenta de toda la majestad de aquellos «Silenciosos».

Allí, sobre grandes pedestales de roca oscura, esculpidos con rudos emblemas de culto fálico, separadas entre sí por distancias de cuarenta pasos, y mirando hacia la ruta que atravesaba unas sesenta millas de terreno llano hasta Loo, había tres colosales formas sentadas —dos machos y una hembra—, cada una de las cuales medía unos cincuenta pies desde la cabeza hasta el pedestal.

La forma femenina, que estaba desnuda, era de una belleza extraordinaria, aunque tosca, pero, desgraciadamente sus facciones habían sido dañadas por siglos de exposición a la intemperie. De ambos lados de su cabeza sobresalían las puntas de una media luna. Los dos colosos machos, por el contrario, iban vestidos, y sus fisonomías eran unas máscaras horrendas, en especial la del que teníamos a la derecha, que tenía el rostro de un diablo. El de nuestra izquierda tenía una fisonomía serena, pero su tranquilidad resultaba terrorífica. Era la tranquilidad de la crueldad inhumana, observó sir Henry, que los antiguos atribuían a los seres capaces para el bien, los cuales podían contemplar los sufrimientos de la humanidad, si no con regocijo, sí al menos sin dolor. Estas tres estatuas forman una trinidad que inspira terror, sentadas en su soledad y contemplando para siempre la llanura.

Mientras contemplábamos aquellos «Silenciosos», como los llaman los kukuanas, volvió a apoderarse de nosotros una intensa curiosidad por saber cuáles fueron las manos que les habían dado forma, quién fue el que cavó el pozo y construyó la ruta. Sin dejar de mirar y asombrarme, se me ocurrió de repente —ya que estoy familiarizado con el Viejo Testamento— que Salomón se extravió en persecución de extraños dioses, de tres de los cuales recordé el nombre: «Ashtoreth, diosa de los Sidonios, Chemosh, dios de los Moabitas y Milcom, dios de los hijos de Amón»; y sugerí a mis compañeros que las imágenes que teníamos delante podían representar a esas divinidades falsas y confundidas.

«Hum —dijo sir Henry, que es un erudito, y se graduó brillantemente en clásicas en la universidad—, algo puede haber de eso; la Ashtoreth de los hebreos era la Astarté de los fenicios, que eran grandes comerciantes en la época de Salomón. Astarté, que luego se convirtió en la Afrodita de los griegos, era representada con cuernos en forma de media luna, y ahí en la frente de la imagen hembra se ven claramente unos cuernos. Puede que estos colosos fueran proyectados por algún funcionario fenicio que dirigiera estas minas. ¿Quién puede decirlo (1)?»

Antes de que hubiéramos dado por terminado el examen de estos extraordinarios restos de una remota antigüedad llegó Infadoos, y, tras saludar a los «Silenciosos» alzando la lanza, nos preguntó si pensábamos entrar de inmediato en la «Mansión de la Muerte» o si esperaríamos hasta haber tomado la comida del mediodía. Si estábamos dispuestos a partir de inmediato, Gagool había anunciado estar dispuesta a guiarnos. Como no eran más que las once, e impelidos por una candente curiosidad, anunciamos nuestra intención de ir de inmediato; y yo sugerí que, para el caso de que nos entretuviéramos en la caverna, nos lleváramos un poco de comida.

De conformidad con ello, trajeron la litera, y se ayudó a bajar a la propia bruja. Entretanto, Foulata, a petición mía, puso un poco de biltong, o carne de caza secada, junto con un par de calabazas con agua, en una cesta de junco con tapa de bisagras. Justo frente a nosotros, a una distancia de unos cincuenta pasos detrás de los colosos, se alzaba una enhiesta pared de roca, de una altura de ochenta pies, o quizá más, en gradual pendiente

---

(1) Compárese Milton, *Paraíso perdido,* libro 1.

«...Con esa tropa
vino Ashtoreth, llamada por los fenicios
Astarté, Reina del Cielo, de cuernos de luna;
a cuya imagen brillante de noche, bajo la luz lunar,
las vírgenes sidonias elevaban sus votos y canciones.»

hacia arriba hasta formar la base del altísimo pico cubierto de nieve que se alzaba en el aire a tres mil pies.

En cuanto salió de la hamaca, Gagool puso en nosotros su malvada mirada; luego, apoyándose en un bastón, renqueó hasta encararse con este muro. La seguimos, y llegamos a un estrecho portal con sólidas arcadas que parecía la entrada de la galería de una mina.

Allí nos esperaba Gagool, con una mueca diabólica en su horrendo rostro.

«Ahora, hombres blancos de las Estrellas —silbó—, grandes guerreros, Incubu, Bougwan, y Macumazahn el prudente, ¿estáis dispuestos? ¡Mirad! Yo estoy aquí para cumplir las órdenes de mi señor el rey y para mostraros dónde están las piedras brillantes. ¡Ja, ja, ja!

—Estamos dispuestos —dije yo.

—Bien, bien. Preparad vuestros corazones a que soporten lo que vais a ver. ¿Vienes tú, Infadoos, tú que traicionaste a tu señor?

Infadoos respondió, frunciendo el ceño:

«No, no iré; no es para mí el entrar en este sitio. Pero tú, Gagool, contén tu lengua, y vigila lo que haces con mis señores. Tus manos responden de ellos, y si algo les ocurre en un solo cabello, Gagool, aunque seas cincuenta veces bruja, morirás. ¿Oyes?

—Oigo, Infadoos. Te conozco, siempre te han gustado las grandes palabras; recuerdo que cuando eras niño llegaste a amenazar a tu propia madre. Eso fue ayer mismo. Pero no temas, no temas, yo sólo vivo para cumplir las órdenes del rey. Yo siempre he cumplido las órdenes de muchos reyes, Infadoos, hasta que ellos acababan por cumplir las mías. ¡Ja, ja! Ahora volveré a ver sus rostros, ¡y también el de Twala! Venid, venid, aquí hay una lámpara.» Y sacó una gran calabaza llena de aceite de debajo de su capa de pieles, colocándole una mecha de junco.

«¿Vienes tú, Foulata? —preguntó Good con su horrible galimatías kukuana, en el que se había ejercitado siguiendo las enseñanzas de la joven dama.

—Tengo miedo, mi señor —respondió tímidamente la muchacha.

—Entonces, dame la cesta.

—No, mi señor, adonde tú vayas iré yo.»

«¡Al diablo contigo! —pensé yo—. Si algna vez salimos de ésta, el asunto será peliagudo.»

Sin más, Gagool se sumergió en el pasadizo, que era lo bastante ancho para que caminaran de lado dos personas y estaba absolutamente a oscuras. Seguimos el sonido de su voz diciéndonos de aligerar el paso, con cierto miedo y temblando un poco, no mejorando mucho la cosa un súbito remolino de alas.

«¡Eh! ¿Qué es esto? —gritó Good—. Alguien me ha golpeado en la cara.

—Murciélagos —dije yo—; sigamos.»

Cuando hubimos avanzado, por lo que pudimos juzgar, unos cincuenta pasos, vimos que en el pasadizo empezaba a haber un poco de luz. Al cabo de un minuto, nos encontrábamos en el sitio quizá más extraordinario que hayan contemplado los ojos de ningún hombre viviente.

Qué el lector se imagine la nave de la mayor de las catedrales en que haya estado, aunque sin ventanas, pero turbiamente iluminada desde arriba, presumiblemente por tubos conectados con el exterior abiertos en el techo, combado en bóveda a unos cien pies por encima de nuestras cabezas, y tendrá entonces una cierta idea de las dimensiones de la enorme caverna en que nos encontrábamos, con la diferencia de que esta catedral, concebida por la naturaleza, era más alta y ancha que cualquiera de las levantadas por el hombre.

Pero sus formidables dimensiones eran la menor de las maravillas del lugar, ya que, dispuestas en fila en toda su longitud, había gigantescas columnas de algo que parecía hielo, y que eran, en realidad, grandes estalactitas. Me resulta imposible transmitir la menor idea de la sobrecogedora belleza y grandiosidad de aquellas columnas de espato blanco, algunas de las cuales tenían no menos de veinte pies de diámetro en la base y se alzaban hermosas y delicadas, enhiestas, hasta el techo distante. Otras estaban en proceso de formación. Sobre el suelo de roca había algunas que tenían, dijo sir Henry, exactamente el mismo aspecto que una columna rota en un templo griego, mientras que arriba, lejos, colgando del techo, se veía indistintamente un carámbano puntiagudo.

Mientras mirábamos podíamos incluso oír el proceso que seguía, ya que de vez en cuando, con un tenue chapoteo, una gota de agua caía del lejano carámbano sobre la columna inferior. En algunas columnas, las gotas caían tan sólo una vez cada dos o tres minutos, y en estos casos hubiera sido un cálculo interesante averiguar cuánto tiempo, con aquel ritmo de goteo, sería necesario para la formación de una columna de ochenta pies de alto por diez de diámetro. El que el proceso, al menos en uno de los casos, era incalculablemente lento, bastará con el siguiente ejemplo para demostrarlo. Descubrimos cortada en una de las columnas la tosca semejanza de una momia, y junto a ella algo que parecía la cabeza de animal de un dios egipcio, obra, sin duda, de algún trabajador de la mina en el viejo mundo. Aquella obra de arte había sido ejecutada a tamaño natural, y era una de ésas con las que los tipos ociosos, ya se trate de un trabajador fenicio o de un peón inglés, tienen la costumbre de tratar de inmortalizarse a expensas de las obras maestras de la naturaleza; es decir, levantaba unos cinco pies del suelo. Sin embargo, en el momento en que la vimos, y *debió* ser unos tres mil años después de la ejecución de la talla, la columna se levantaba tan sólo ocho pies y seguía en proceso de formación, lo cual da un ritmo de crecimiento de un pie cada mil años, o poco más de una pulgada por siglo. Lo supimos porque, mientras estábamos delante de ella, oímos caer una gota de agua.

Algunas veces, las estalagmitas, abajo, adquirían formas extrañas, presumiblemente en los casos en que la caída del agua no siempre se había producido en el mismo punto. Así, una enorme mole, que debía pesar como cien toneladas, tenía la forma de un púlpito primorosamente calado en toda su superficie con un dibujo que parecía un lazo. Otras parecían extraños animales; y en los lados de la caverna había trazos como de abanicos de marfil, semejantes a hojas heladas en una vidriera.

En los lados de la enorme nave central se abrían, aquí y allí, cavernas menores, exactamente igual, dijo sir Henry, a como se abren las capillas en las grandes catedrales. Algunas eran grandes, pero una o dos —y éste es un maravilloso ejemplo de cómo la naturaleza lleva a cabo sus obras de arte con las mismas leyes invariables, sin respeto alguno al tamaño— eran menudas. Un pequeño escondrijo, por ejemplo, no era mayor que una casa de muñecas inusualmente grande, y, sin embargo, podía haber sido una maqueta del sitio entero, ya que el agua caía, colgaban pequeños carámbanos y había líneas de columnas de espato, todo exactamente del mismo modo.

No disponíamos, sin embargo, del tiempo suficiente para examinar esta hermosa caverna tan detalladamente como nos hubiera gustado, ya que, desdichadamente, Gagool parecía indiferente a las estalactitas e impaciente tan sólo por acabar con el asunto. Aquello me irritó tanto más cuanto que tenía especiales deseos de descubrir, si era posible, por medio de qué sistema llegaba luz a la caverna, y si ello se debía a la mano del hombre o a la naturaleza; y también si aquel espacio se había utilizado para algo en los viejos tiempos, según parecía probable. Sin embargo, nos consolamos con la idea de que podríamos hacer un examen más profundo a la vuelta, y seguimos apresuradamente, tras las huellas de nuestra misteriosa guía.

Nos condujo hacia delante, directamente al fondo de la imponente caverna silenciosa, y allí nos encontramos frente a otra entrada, no arqueada como la primera, sino recta por arriba, de modo algo parecido a las entradas de los templos egipcios.

«¿Estáis preparados para entrar en la Mansión de la Muerte, hombres blancos? —preguntó Gagool, con el evidente propósito de hacernos sentir incómodos.

—Adelante, Macduff —dijo Good solemnemente, tratando de aparentar que no estaba asustado en absoluto, y lo mismo hicimos todos nosotros, excepto Foulata, que se aferró al brazo de Good buscando protección.

—Esto se está poniendo un tanto espectral —dijo sir Henry, asomando la cabeza por la oscura entrada—. Venga, Quatermain; ¡seniores priores! ¡No debemos hacer esperar a la vieja dama!» Y, cortésmente, se apartó para que yo tomara la cabeza, cosa por la cual no le bendije internamente.

«Tap, tap», se oía el bastón de la vieja Gagool por el pasadizo mientras trotaba, cloqueando con una risita odiosa; y, sin dejar de sentirme abrumado por un inexpresable presentimiento de algo malo, la seguí.

«Vamos, viejo, camine —dijo Good—, o perderemos a nuestra gentil guía.»

Conminado de esta forma, entré en el pasadizo y, después de avanzar como veinte pasos, me encontré en una lúgubre cavidad de unos cincuenta pies de longitud por treinta de anchura y veinte de altura, que evidentemente había sido abierta en la montaña por medio de trabajo humano en alguna época lejana. Aquella cavidad no estaba ni mucho menos tan bien iluminada como la antesala de las estalactitas, y a primera vista todo lo que pude descubrir fue una maciza mesa de piedra que se extendía en el sentido de la longitud, con una colosal figura blanca en su cabecera y todo alrededor figuras blancas de tamaño humano. Luego vislumbré una cosa parda sentada en el centro de la mesa. Al cabo de unos momentos, mis ojos se acostumbraron a la luz, y pude ver qué eran todas aquellas cosas, y salí huyendo de aquel sitio tan aprisa como mis piernas me lo permitieron.

No soy en términos generales un hombre nervioso, ni me perturban demasiado las supersticiones, ya que he vivido lo suficiente para conocer su estupidez. Sin embargo, puedo admitir que aquella visión me trastornó por completo, y que, de no haber sido porque sir Henry me asió del cuello y me contuvo, creo honestamente que en otros cinco minutos hubiera estado fuera de la caverna de las estalactitas, y que ni la promesa de todos los diamantes de Kimberley me hubiera inducido a entrar de nuevo. Pero me contuvo con fuerza, y me detuve porque no podía hacer otra cosa. Muy pronto, sin embargo, *sus* ojos se adaptaron a la luz, y me dejó libre al mismo tiempo que empezaba a enjugarse el sudor de la frente. En cuanto a Good, blasfemó débilmente, mientras Foulata le arrojaba los brazos al cuello y chillaba.

Tan sólo Gagool cloqueaba de risa, fuerte y prolongadamente.

Era una visión espectral. Allí, al extremo de la larga mesa de piedra, sosteniendo en sus dedos de esqueleto una gran lanza blanca, estaba *la Muerte* en persona bajo la forma de un colosal esqueleto humano de una altura de quince pies o más. Mantenía la lanza alta por encima de la cabeza, como dispuesta a golpear. Una mano de hueso se apoyaba en la mesa de piedra ante ella, en la posición que adopta un hombre al levantarse de su asiento, y el esqueleto estaba inclinado hacia delante, de tal modo que las vértebras del cuello y la brillante calavera, con su mueca, se proyectaban hacia nosotros; y fijaba sus órbitas huecas en nosotros, con las mandíbulas entreabiertas, como si se dispusiera a hablar.

«¡Cielo santo! —exclamé por fin, débilmente—. ¿Qué puede ser esto?

—¿Y qué son *esas cosas*? —preguntó Good, señalando la blanca concurrencia en torno a la mesa.

—¿Y qué demonios es *esa cosa*? —dijo sir Henry, señalando la criatura parda sentada sobre la mesa.

—¡Ji, ji, ji! —se rió Gagool—. A los que entran en la Sala de los Muertos, el mal les anda cerca. ¡Ji, ji, ji, ji! ¡Ja, ja, ja! Ven, Incubu, valiente en la batalla, ven y mira al que mataste.»

Y la vetusta criatura cogió la chaqueta de Curtis con sus dedos flacos y le condujo hacia la mesa. Les seguimos.

A los pocos momentos, Gagool se detuvo y señaló el objeto pardo sentado sobre la mesa. Sir Henry lo miró, y retrocedió con una exclamación. Y nada tuvo de extraño, ya que allí, totalmente desnudo y con la cabeza que el hacha de Curtis le había separado del cuerpo reposando sobre sus rodillas, estaba el flaco cadáver de Twala, el último rey de los kukuanas. Sí, allí, con la cabeza sostenida en las rodillas, estaba sentado en toda su fealdad, con las vértebras sobresaliendo una pulgada entera de la carne hundida del cuello, exactamente igual que una réplica negra de Hamilton Tighe (1). Sobre la superficie del negro cadáver habían extendido una delgada película vidriosa que hacía su apariencia todavía más aterradora. En cuanto a esto, por unos momentos fuimos incapaces de explicárnoslo, pero luego nos dimos cuenta de que del pecho de la cámara caía el agua invariablemente, *drip, drop, drip,* sobre el cuello del muerto, y de allí se escurría por toda su superficie, desapareciendo luego en la roca a través de un pequeño agujero en la mesa. Entonces adiviné qué era la película: *¡El cuerpo de Twala estaba siendo transformado en una estalactita!*

Una mirada a las formas blancas sentadas en el banco de piedra que daba la vuelta a la mesa confirmó esta opinión. Eran otros cuerpos humanos, o, mejor dicho, habían sido humanos; ahora eran *estalactitas.* Aquella era la forma como el pueblo kukuana, desde tiempos inmemoriales, preservaba a sus muertos regios. Los petrificaba. En qué pudiera consistir el sistema, si es que lo había, aparte de en colocarlos durante un largo período, varios años, debajo del goteo, jamás lo averigüé; pero allí estaban, sentados, congelados y preservados para siempre por el fluido silíceo.

Es imposible imaginar nada capaz de inspirar mayor terror que el espectáculo de aquella larga fila de reyes muertos (había veintisiete, siendo el último el padre de Ignosi), cada cual envuelto en un sudario de espato semejante al hielo a través del cual se podían vislumbrar indistintamente las facciones, y sentados alrededor de aquel inhóspito convite con la Muerte misma como huésped. El que la práctica de preservar a los reyes de este modo es muy antigua resulta evidente por su número, ya que, concediendo un reinado medio de quince años, y suponiendo que todos los reyes que hubieran reinado se encontraran allí, cosa improbable, ya que, sin duda, algunos debieron morir en batalla lejos del país, la fecha del comienzo quedaría situada en hace cuatro siglos y cuarto.

Pero la colosal Muerte que preside el convite es mucho más

___

(1) «Ahora aprisa, mis sirvientas, aprisa y ved
cómo, ahí sentado, frunce el ceño su cabeza en sus rodillas.»

vieja que esto, y, a menos que esté yo muy equivocado, debe su origen al mismo artista que proyectó los tres colosos. Está tallada en una sola estalactita, y, considerada como obra de arte, está admirablemente concebida y ejecutada. Good, que entiende de estas cosas, declaró que, por lo que podía ver, el diseño anatómico del esqueleto es perfecto hasta en los más pequeños huesecillos.

Mi idea particular es que ese objeto terrorífico fue una extravagancia de la fantasía del mismo escultor del viejo mundo, y que su presencia sugirió a los kukuanas la idea de colocar a sus muertos regios bajo su horrenda presidencia. O quizá se le colocó allí para asustar a los merodeadores que pudieran tener proyectos de llegar a la cámara del tesoro que está más allá. No lo sé. Todo lo que puedo hacer es describir la cosa tal como es, y el lector deberá formarse sus propias conclusiones.

¡De aquel modo, sea como sea, era la Muerte Blanca, y de aquel modo eran los Muertos Blancos!

17

LA CAMARA DEL TESORO DE SALOMON

Mientras seguíamos ocupados en recobrarnos de nuestro miedo y en examinar las horrendas maravillas de la Casa de la Muerte, Gagool se entregaba a otras ocupaciones. De un modo u otro —ya que era asombrosamente ágil cuando se lo proponía—, se había encaramado a la gran mesa, dirigiéndose adonde estaba colocado nuestro difunto amigo Twala, bajo el goteo, con objeto de examinar, según sugirió Good, cómo se «adobaba», o con algún otro negro propósito. Luego, tras inclinarse para besar sus labios helados como en afectuoso saludo, renqueó hacia atrás, deteniéndose una y otra vez para dirigir alguna observación, cuyo tenor no pude captar, a una u otra de las formas amortajadas, exactamente del mismo modo en que usted y yo saludamos a un viejo conocido. Después de celebrar esta misteriosa y horrible ceremonia, se acurrucó sobre la mesa justo debajo de la Muerte Blanca, y empezó, por lo que pude comprender, a ofrecerle sus plegarias. El espectáculo de aquella criatura maligna elevando súplicas, malvadas sin duda, a la archienemiga de la humanidad, era tan pavoroso que nos indujo a acelerar nuestra inspección.

«Ahora, Gagool —dije yo, con voz baja (ya que por algún motivo uno no se atrevía a hablar por encima del tono de un susurro en aquel sitio)— condúcenos a la cámara.»

La vieja bruja se dejó caer con prontitud de la mesa.

«¿No tendrán miedo mis señores? —dijo, mirándome de reojo al rostro.

—Guíanos.

—Muy bien, mis señores.» Y cojeó hasta detrás de la gran Muerte. «Aquí está la cámara; enciendan la lámpara mis señores y entren.» Y colocó en el suelo la calabaza con aceite, apoyándose luego contra el muro de la caverna. Encendí una cerilla, ya que nos quedaban todavía unas pocas en una caja, y prendí la mecha de junco. Luego busqué la entrada, pero allí no había nada, salvo la roca sólida. Gagool hizo una mueca y dijo:

«Por ahí es el camino, mis señores. ¡Ja, ja, ja!

—Basta de bromas con nosotros —respondí cortantemente.

—No bromeo, mis señores, ¡mirad!» y señaló la roca.

Entonces, alzando la lámpara, pudimos ver que una masa de roca estaba elevándose lentamente del suelo, desapareciendo arriba, en el techo, donde hay sin duda una cavidad para recibirla. La masa tenía el ancho de una puerta de buen tamaño, una altura de unos diez pies y un espesor de no menos de cinco. Podía pesar, por lo menos, veinte o treinta toneladas, y evidentemente se movía por medio de alguna aplicación del simple principio de la balanza por contrapeso, probablemente el mismo con que se abre y se cierra una ventana moderna ordinaria. Cómo este principio se ponía en movimiento, naturalmente, ninguno de nosotros pudo verlo; Gagool tuvo buen cuidado de evitarlo; pero no tengo muchas dudas en cuanto a que se trataba de alguna palanca primitiva que se movía incluso bajo poca presión en algún punto secreto, arrojando con ello algún peso adicional a los contrapesos ocultos y haciendo que el monolito se levantara de su lecho.

La gran roca se elevó muy lenta y suavemente, hasta que al fin desapareció entera; y un agujero oscuro se abrió ante nosotros en el espacio antes cubierto por la puerta.

Estábamos tan excitados al ver por fin abierto el camino a la cámara del tesoro de Salomón que acto seguido me puse a temblar y estremecerme. ¿Sería aquello, después de todo, un engaño, o tenía razón el viejo da Silvestra? ¿Habría ricos tesoros ocultos en aquel sitio tenebroso, tesoros que nos convertirían en los hombres más ricos del mundo entero? Lo sabríamos en un minuto o dos.

«Entrad, hombres blancos de las Estrellas —dijo Gagool, poniéndose en la entrada—; pero primero escuchad a Gagool la vieja. Las piedras brillantes que veréis fueron extraídas del pozo sobre el que están sentados los Silenciosos, y almacenadas aquí, no sé por quién, ya que esto fue mucho antes incluso de lo que mi memoria alcanza. Tan sólo una vez se ha entrado en este lugar desde el tiempo en que aquellos que escondieron las piedras se marcharon apresuradamente, dejándolas detrás suyo. La historia del tesoro corrió entre los pueblos que han ido viviendo en este país de edad en edad, pero nadie sabía dónde estaba la cámara, ni el secreto de la puerta. Pero sucedió que un hombre blanco llegó a este país de más allá de las montañas —quizá también él viniera de "las Estrellas"— y fue bien recibido por el rey de aquella época. Es ese que está sentado allí —y señaló el quinto rey en la mesa de la Muerte—. Y vino a suceder que él y una mujer del país que iba con él viajaron hasta este lugar, y que por azar, o por magia, la mujer supo el secreto de la puerta... podríais buscar mil años sin encontrar este secreto. Luego, el hombre blanco entró con la mujer, y encontró el tesoro, y llenó de piedras el pellejo de un pequeño macho cabrío que la mujer llevaba consigo para contener los alimentos. Y cuando estaba ya saliendo de la cámara cogió otra piedra, una muy grande, y la sostuvo en la mano.»

En este punto se detuvo.

«Bien —pregunté, conteniendo el aliento por el interés que todos sentíamos—, ¿qué ocurrió con da Silvestra?»

La vieja bruja se sobresaltó a la mención de este nombre.

«¿Cómo sabes tú el nombre del hombre muerto? —preguntó abruptamente; y luego, sin esperar respuesta, prosiguió—: Nadie puede decir lo que ocurrió; pero vino a suceder que el hombre blanco se asustó, ya que tiró el pellejo de macho cabrío con las piedras y huyó con esa sola piedra en las manos; el rey la tomó, y es la piedra que tú, Macumazahn, cogiste de la frente de Twala.

—¿Nadie ha entrado aquí después? —pregunté, asomándome de nuevo por la oscura entrada.

—Nadie, mis señores. Sólo se ha conservado el secreto de la puerta, y cada rey la ha abierto en su tiempo, pero no ha entrado. Hay un dicho según el cual aquel que entra muere en el plazo de una luna, del mismo modo que murió el hombre blanco en la cueva sobre la montaña, donde tú le encontraste, Macumazahn; y por esto los reyes no entran. ¡Ja, ja! Mis palabras son palabras ciertas.»

Nos miramos unos a otros cuando dijo esto, y yo sentí náuseas y frío. ¿Cómo podía esa vieja bruja saber todas esas cosas?

«Entrad, mis señores. Si digo la verdad, el pellejo con las piedras estará en el suelo; y si es cierto el que haya muerte para el que entra, eso ya lo sabréis dentro de poco. ¡Ja, ja, ja!»

y renqueó por la abertura de entrada llevando la luz consigo; pero confieso que una vez más titubeé en seguirla.

«¡Oh, maldita sea! —dijo Good—. Allá va. No voy a asustarme por culpa de ese viejo demonio»; y, seguido por Foulata, la cual, sin embargo, no estaba en absoluto complacida por el asunto, ya que temblaba de miedo, se sumergió en el pasadizo detrás de Gagool, ejemplo que seguimos rápidamente.

A unos pasos dentro del pasadizo, en el estrecho paso cortado en la roca viva, Gagool se había detenido y nos esperaba.

«Ved, mis señores —dijo, sosteniendo la luz delante suyo—, los que reunieron aquí el tesoro huyeron apresuradamente, y pensaron en cómo protegerse contra los que encontraran el secreto de la puerta, pero no les dio tiempo.» Y señaló unos bloques cuadrados de roca, que, en una altura de dos *courses* (unos dos pies tres pulgadas), habían sido colocados a través del pasadizo con el objeto de amurallarlo. A lo largo de las paredes del pasadizo había bloques similares, preparados para su uso, y lo más curioso de todo era un montón de argamasa y un par de trullas que, en toda la medida en que tuvimos tiempo para examinarlas, eran de una forma y hechura similares a los que usan los obreros de hoy.

Entonces Foulata, que había estado todo el tiempo en un estado de gran miedo y agitación, dijo que se sentía débil y que no podía ir más lejos, de modo que nos esperaría allí. En consecuencia, la acomodamos respaldada contra el muro inacabado y colocamos junto a ella la cesta con provisiones, dejándola allí para que se recobrara.

Tras proseguir por el pasadizo unos quince pasos más, llegamos súbitamente a una puerta de madera primorosamente pintada. Estaba abierta de par en par. Fuera quien fuera el último que estuvo allí, no encontró tiempo para cerrarla, o se olvidó de hacerlo.

Al otro lado del umbral de esta puerta yacía una bolsa de cuero, cortada en piel de macho cabrío, que parecía llena de piedras.

«¡Ji, ji, ji! Hombres blancos —se rió Gagool, a grandes risotadas, cuando la luz de la lámpara cayó sobre esa bolsa—. ¿Qué os decía yo? Que el hombre blanco que vino aquí huyó a toda prisa y tiró la bolsa de la mujer... ¡Miradla! Mirad dentro, también, y encontraréis entre las piedras una calabaza de agua.»

Good se agachó y la alzó. Era pesada, y retiñía.

«¡Diablos! Creo que está llena de diamantes», dijo, con un susurro asustado; y, a decir verdad, la idea de una bolsita de cuero llena de diamantes es suficiente para asustar a cualquiera.

«Sigamos —dijo sir Henry, impaciente—. Vamos, vieja, dame la lámpara.» Y, tomándola de manos de Gagool, cruzó el umbral y la alzó por encima de la cabeza.

Le seguimos apresuradamente, olvidándonos por el momento de la bolsa de los diamantes, y nos encontramos en la cámara del tesoro del rey Salomón.

En un primer momento, todo lo que la luz un tanto débil de la lámpara nos reveló fue una cavidad de techo elevado cortada en la roca viva, y aparentemente de no más de quince pies de anchura y profundidad. Luego pudimos ver, apilados uno sobre otro hasta el arco del techo, una espléndida colección de colmillos de elefante. Cuántos podía haber, no lo supimos, ya que naturalmente no pudimos ver cuál era la profundidad de la pila; pero no podía haber menos que las puntas de cuatro o cinco mil colmillos de primera calidad visibles a nuestros ojos. Allí había, ante nosotros, marfil suficiente para hacer rico a un hombre para toda la vida. Tal vez, pensé, fue de aquel mismo almacén de donde Salomón obtuvo la materia prima para su «gran trono de marfil» que «no tenía igual en ningún reino».

Al lado opuesto de la cámara había una serie de cajas de madera, algo así como cajas de munición de *Martini-Henry,* sólo que más anchas y pintadas de rojo.

«Allí están los diamantes —grité—; traigan la luz.»

Así lo hizo sir Henry, y la sostuvo por encima de la caja que estaba encima, cuya tapa, podrida por efecto del tiempo pese a lo seco del lugar, parecía haber sido reventada, probablemente por el mismo da Silvestra. Metí la mano por el agujero de la tapa y la saqué llena, no de diamantes, sino de monedas de oro, de una forma como ninguno de nosotros había visto antes, y que llevaban grabados que parecían caracteres hebreos.

«¡Vaya! —dije, soltando las monedas—. De cualquier modo, no nos iremos con las manos vacías. Debe haber un par de millares de monedas en cada caja, y hay dieciocho cajas. Supongo que era el dinero para pagar a los trabajadores y a los mercaderes.

—Bien —incidió Good—, creo que eso es todo; no veo diamantes, a menos que el viejo portugués los pusiera todos en su bolsa.

—Vayan a mirar mis señores allí donde está más oscuro, si quieren encontrar las piedras —dijo Gagool, interpretando nuestras miradas—. Allí encontrarán mis señores un nicho, y tres cofres de piedra en el nicho, dos sellados y uno abierto.»

Antes de traducir esto a sir Henry, no pude evitar el preguntarle cómo sabía estas cosas, si nadie había entrado en aquel sitio desde el hombre blanco, hacía generaciones.

«¡Ah! Macumazahn, el que Vela de Noche —fue la burlona respuesta—, ¿tú, que vives en las estrellas, no sabes que algunos viven largo tiempo, y que algunos tienen ojos que pueden ver a través de las rocas? ¡Ja, ja, ja!

—Mire en aquel rincón, Curtis —dije, señalando el sitio que Gagool había indicado.

—¡Cielo Santo! ¡Eh, muchachos! —gritó a los pocos momentos—. ¡Miren aquí!»

Nos apresuramos hacia donde él estaba, en un nicho que tenía una forma un tanto semejante a la de una pequeña ventana en arco. Contra la pared de aquella cavidad habían sido colocados tres cofres de piedra, cada uno de unos dos pies de largo por otros tantos de ancho. Dos de ellos estaban tapados con tapas de piedra; la tapa del tercero descansaba contra el costado del cofre, que estaba abierto.

«¡Miren!» repetía, roncamente, sosteniendo la lámpara sobre el cofre abierto. Miramos, y por unos instantes no pudimos distinguir nada, debido al resplandor plateado que nos cegaba. Cuando nuestros ojos se acostumbraron, vimos que el cofre estaba lleno en sus dos terceras partes de diamantes sin tallar, en su mayor parte de considerable tamaño. Me incliné y cogí un puñado. Sí, no había duda; tenían el inconfundible tacto saponáceo.

Los dejé caer lentamente, boquiabierto.

«Somos los hombres más ricos del mundo entero —exclamé—. Monte Cristo no era nadie comparado con nosotros.

—Vamos a inundar el mercado de diamantes», indicó Good.

Nos quedamos ahí inmóviles, pálidos, mirándonos unos a otros, con la linterna en medio y las centelleantes gemas debajo, como si fuéramos conspiradores a punto de cometer un crimen y no, como pensábamos, los hombres más adinerados de la tierra.

«¡Ji, ji, ji! —cloqueó Gagool, dando vueltas detrás nuestro como un murciélago vampiro—. ¡Aquí tenéis las piedras brillantes que tanto amáis, hombres blancos! ¡Tantas como queráis! ¡Tomadlas, hacerlas correr entre vuestros dedos! ¡Ji, ji! *¡Bebéoslas!* ¡Ja, ja!»

En aquel momento, tuve un sentimiento tan vivo del ridículo

de la idea de comer y beber diamantes que me eché a reír desaforadamente, ejemplo que los demás siguieron sin saber por qué. Allí estábamos, chillando de risa sobre aquellas gemas que eran *nuestras,* que habían sido halladas para *nosotros* hacía millares de años por pacientes cavadores, allí, en el gran hoyo, y almacenadas para *nosotros* por el capataz de Salomón, muerto hacía tanto tiempo, y cuyo nombre estaba quizás escrito en la cera descolorida que todavía se adhería a la tapa de los cofres. Salomón nunca los tuvo, ni David, ni da Silvestra, ni nadie. *Nosotros* los habíamos conseguido: ahí, ante nosotros, había diamantes por valor de millones de libras, y oro y marfil por valor de decenas de millares, esperando tan sólo a ser tomados.

El espasmo se interrumpió bruscamente, y dejamos de reír.

«Abrid los otros cofres, hombres blancos —graznó Gagool—, sin duda hay más en ellos. ¡Saciaos, señores blancos! ¡Ja, ja! ¡Saciaos!»

Así conjurados, pusimos manos a la obra para apartar las tapas de piedra de los otros dos, tras romper —no sin una sensación de sacrilegio— los sellos que los cerraban.

¡Hurra! También estaban llenos, llenos hasta el borde; al menos, el segundo lo estaba; ningún desgraciado da Silvestra ladrón había llenado pellejos de macho cabrío con su contenido. En cuanto al tercer cofre, estaba sólo lleno en su cuarta parte, pero con piedras escogidas, ninguna de ellas de menos de veinte quilates, y algunas del tamaño de grandes huevos de paloma. La mayor parte de esas piedras de gran tamaño, sin embargo, según pudimos ver sosteniéndolas ante la luz, eran un poco amarillas, «incoloras», como las llaman en Kimberley. Algunas, también, eran negras.

Lo que *no* percibimos, sin embargo, fue la mirada de horrenda malevolencia que la vieja Gagool nos dedicó mientras reptaba, reptaba como una serpiente, saliendo de la cámara del tesoro y avanzando por el pasadizo hacia la puerta de roca sólida.

* * *

¡Atención! Un grito y otro retumban en el pasadizo abovedado. ¡Es la voz de Foulata!

«¡Oh, Bougwan! ¡Auxilio! ¡Auxilio! ¡La roca cae!
—¡Déjame, niña! ¡Vamos!...
—¡Auxilio! ¡Auxilio! ¡Me ha apuñalado!»

Al instante nos ponemos a correr por el pasadizo, y esto es

lo que la luz de la lámpara nos muestra: la puerta de roca se está cerrando lentamente; está a menos de tres pies del suelo. Cerca de ella luchan Foulata y Gagool. La roja sangre de Foulata le fluye hasta las rodillas, pero la valiente muchacha sigue reteniendo a la vieja bruja, que se debate como un gato salvaje. ¡Mirad! ¡Se ha liberado! Foulata cae, y Gagool se arroja al suelo, y se retuerce como una serpiente por debajo del labio de la roca que se cierra. Está debajo. ¡Ah, Dios! ¡Demasiado tarde! ¡Demasiado tarde! La roca la sujeta, y aúlla en su agonía. Baja, sigue bajando con sus treinta toneladas, y comprime lentamente su viejo cuerpo contra la roca del suelo. Chillidos y más chillidos, como jamás los habíamos oído; luego, un largo crujido nauseabundo, y la puerta se ha cerrado justo en el momento en que, abalanzándonos por el pasadizo, nos arrojamos contra su mole.

Todo había sucedido en cuatro segundos.

Luego nos volvimos hacia Foulata. La pobre muchacha estaba herida en el cuerpo, y me di cuenta de que no viviría mucho.

«¡Ah! ¡Bougwan, me muero! —gimió la hermosa criatura—. Se arrastró hacia fuera… Gagool; yo no la vi, me sentía débil… y la puerta empezó a caer. Luego volvió, y se puso a mirar el camino… La vi venir por la puerta que se cerraba lentamente, la cogí y la retuve, y me apuñaló; ¡y muero, Bougwan!

—¡Pobre muchacha! ¡Pobre muchacha! —gritaba Good, desesperado; luego, no pudiendo hacer otra cosa, se arrodilló y la abrazó.

—Bougwan —dijo ella, tras una pausa—, ¿está aquí Macumazahn? Se pone todo tan oscuro… No puedo ver.

—Aquí estoy, Foulata.

—Macumazahn, sé mi lengua por un momento, te lo ruego, ya que Bougwan no puede entenderme, y antes de irme a la noche quiero decirle algo.

—Dime, Foulata; yo traduzco.

—Di a mi señor, Bougwan, que… le quiero, y que me siento feliz de morir porque así sé que su vida no se verá estorbada por alguien como yo; ya que el sol no puede desposarse con la luna, ni lo blanco con lo negro. Dile que, desde que le vi, a veces he sentido como si tuviera un pájaro en el pecho que volaría de él un día y cantaría en alguna otra parte. Ni siquiera ahora, aunque no puedo levantar la mano y aunque mi cerebro se enfría, me siento como si mi corazón fuera a morir; está tan lleno de amor que podría vivir diez mil años y seguir siendo joven. Dile que si vuelvo a vivir, puede que le vea en las Estrellas, y que... buscaré en todas ellas, aunque puede que entonces todavía sea yo negra y él... todavía blanco. Dile... No, Macumazahn, no le digas más; sólo que le quiero... ¡Oh! Cógeme fuerte, Bougwan; no puedo sentir tus brazos... ¡oh, oh!

—¡Está muerta... está muerta!» murmuró Good al cabo de poco, poniéndose en pie, mientras lágrimas de pena corrían por su honesto rostro.

«No deje que esto le atormente, viejo compañero —dijo sir Henry.

—¡Eh! —exclamó Good—. ¿Qué quiere usted decir?

—Quiero decir que pronto estará usted en posición de hacerle compañía. *¿No se da usted cuenta de que estamos enterrados vivos?*»

Creo que hasta que sir Henry pronunció estas palabras no penetró en nosotros todo el horror de lo que había sucedido, ya que habíamos estado absortos presenciando el fin de la pobre Foulata. Pero ahora comprendimos. La imponente masa de roca se había cerrado, probablemente para siempre, ya que el único cerebro que conocía su secreto había sido reducido a polvo bajo su peso. Era aquélla una puerta que uno no podía esperar forzar con ninguna cantidad de ninguna clase de dinamita. ¡Y estábamos en su lado malo!

Durante unos minutos permanecimos inmóviles, horrorizados, sobre el cadáver de Foulata. Toda la hombría parecía haberse evaporado en nosotros. El primer golpe de la conciencia del fin lento y miserable que nos esperaba nos tenía sobrecogidos. Entonces nos dimos cuenta de todo: aquel diablo de Gagool nos había preparado esta trampa desde un comienzo.

Aquélla era exactamente la clase de broma con que su mente maligna se hubiera regocijado: el pensamiento de los tres hombres blancos a los que, por alguna razón que ella sabría, había odiado siempre, pereciendo lentamente de sed y de hambre en compañía del tesoro que habían codiciado. Ahora percibí el filo de la mofa acerca de comer y beber diamantes. Probablemente alguien había tratado de servir al pobre viejo *don* del mismo modo, cuando abandonó el pellejo lleno de joyas. Y ¿quién fue ese alguien?

«Eso no será —dijo sir Henry, roncamente—; la lámpara se apagará pronto. Veamos si podemos encontrar el resorte que hace mover la roca.»

Saltamos hacia delante con una energía desesperada, y, de pie sobre un cieno ensangrentado, empezamos a palpar la puerta de arriba abajo, y las paredes del pasadizo. Pero no pudimos descubrir ningún botón o resorte.

«Apostaría —dije yo— a que no funciona desde dentro; de ser así, Gagool no se hubiera arriesgado a tratar de reptar por debajo de la roca. Fue el saber esto lo que la hizo tratar de huir a todo riesgo, maldita sea.

—De cualquier modo —respondió sir Henry, con una cortante risita—, su paga no fue generosa; su fin ha sido casi tan espantoso como es probable que vaya a ser el nuestro. No podemos hacer nada con la puerta; volvamos a la cámara del tesoro.»

Dimos media vuelta y caminamos, y de paso percibí, junto al muro inacabado dentro del pasadizo, la cesta de comida que la pobre Foulata había traído. La recogí y me la llevé conmigo a la maldita cámara del tesoro que iba a ser nuestra tumba. Luego volvimos y recogimos con respeto el cadáver de Foulata, depositándolo en el suelo, junto a las cajas de monedas.

Luego nos sentamos, respaldándonos en los tres cofres de piedra que contenían el incalculable tesoro.

«Dividamos la comida —dijo sir Henry— para que dure lo más posible.»

Esto hicimos. Aquello nos daría, según estimamos, para cuatro comidas infinitesimalmente pequeñas para cada uno de nosotros; es decir, lo bastante para mantenernos en vida un par de días. Aparte del biltong, o carne de caza secada, había dos calabazas de agua, cada una de ellas con una capacidad de no más de un cuarto de galón.

«Ahora —dijo sir Henry, lúgubremente—, comamos y bebamos, porque mañana moriremos.»

Comimos cada cual una pequeña porción de biltong y bebimos un sorbo de agua. No es preciso decir que teníamos poco apetito, si bien, tristemente, teníamos necesidad de comida, y nos sentimos mejor después de engullirla. Luego nos pusimos en pie y llevamos a cabo un examen sistemático de los muros de nuestra cárcel, con la débil esperanza de encontrar algún medio de huida, golpeándolos cuidadosamente; y lo mismo hicimos con el suelo.

No había ninguno. No era probable que hubiera ninguno en una cámara de tesoro.

Nuestra lámpara empezó a arder débilmente. La grasa estaba casi agotada.

«Quatermain —dijo sir Henry—. ¿Qué hora es? ¿Le funciona el reloj?»

Lo saqué y miré la hora. Eran las seis; habíamos entrado en la caverna a las once.

«Infadoos nos echará en falta —indiqué—. Si no regresamos esta noche, nos buscará por la mañana, Curtis.

—Buscará en vano. No conoce el secreto de la puerta; ni siquiera sabe dónde está. Ninguna persona viviente lo conocía ayer, salvo Gagool. Hoy nadie lo conoce. Aunque encontraran la puerta no podrían echarla abajo. Ni todo el ejército kukuana puede perforar cinco pies de roca viva. Amigos míos, no veo que se pueda hacer otra cosa que doblegarnos ante la voluntad del Todopoderoso. La búsqueda de tesoros ha conducido a muchos a un mal fin; nosotros iremos a engrosar el número.»

La lámpara seguía extinguiéndose.

Al cabo de un rato tuvo una fulguración y nos mostró todo el escenario con intenso relieve: la gran masa de colmillos blancos, las cajas del oro, el cadáver de la pobre Foulata tendido a su lado, el pellejo de macho cabrío repleto de tesoro, el indistinto centelleo de los diamantes y los rostros empalidecidos y hoscos de nosotros, tres hombres blancos sentados allí esperando la muerte por hambre.

Luego la llama decreció y expiró.

18

ABANDONAMOS LA ESPERANZA

No puedo ofrecer ninguna descripción adecuada de los horrores de la noche que siguió. Misericordiosamente, fueron mitigados en cierta medida por el sueño, ya que incluso en una posición como la nuestra la naturaleza hace a veces prevalecer sus derechos. Pero a mí, por lo menos, me fue imposible dormir mucho. Incluso dejando de lado el pensamiento aterrador de nuestra suerte inminente —ya que incluso el hombre más valiente de la tierra podría perfectamente acobardarse ante un destino como el que nos esperaba, y yo nunca he pretendido ser valiente—, el mismo *silencio* era demasiado intenso para permitirlo. Lector, puede que usted haya estado tendido, despierto, durante la noche, y haya pensado que la quietud es opresiva; pero le diré con toda confianza que no puede tener usted idea de qué cosa tan viva y tangible es el perfecto silencio. En la superficie de la tierra hay siempre algún sonido, algún movimiento, y aunque en sí mismos sean imperceptibles, gastan el cortante filo del silencio absoluto. Pero allí no había nada. Estábamos enterrados en las entrañas de un enorme pico cubierto de nieve. A millares de pies encima de nosotros, el aire fresco soplaba sobre la blanca nieve, pero su sonido no nos alcanzaba. Estábamos separados por un largo túnel y por cinco pies de roca incluso de la espantosa Sala de la Muerte; y los muertos no hacen ruido. ¿No lo sabíamos, con la pobre Foulata yaciendo a nuestro lado? El estruendo de toda la artillería de la tierra y el cielo no hubiera podido llegar a nuestros oídos en aquel sepulcro viviente. Estábamos separados de todos los ecos del mundo... éramos como hombres ya en la tumba.

Entonces se me impuso la ironía de nuestra situación. Alrededor nuestro había tesoros suficientes para pagar una mediana deuda nacional o para construir una flota de buques acorazados; y, sin embargo, los hubiéramos trocado todos por la más ligera oportunidad de escapar. No tardaríamos, sin duda, en estar en condiciones de sentirnos encantados por intercambiarlos por un bocado de comida o un vaso de agua, y, después de aquello, incluso por el privilegio de acabar pronto con nuestros sufrimientos. La auténtica riqueza, por cuya consecución los hombres consumen sus vidas, es a fin de cuentas una cosa sin valor.

Y así transcurrió la noche.

«Good —dijo por fin la voz de sir Henry, y sonó terrible en el intenso silencio—, ¿cuántas cerillas le quedan en su caja?

—Ocho, Curtis.

—Encienda una y veamos la hora.»

Así lo hizo, y, por contraste con las intensas tinieblas, la llamita casi nos cegó. Eran las cinco de la mañana por mi reloj. La hermosa aurora se sonrojaba ahora sobre las guirnaldas de nieve, muy por encima de nuestras cabezas, y la brisa debía estar dispersando las brumas nocturnas en las cañadas.

«Lo mejor será que comamos algo para conservar nuestras energías —sugerí.

—¿De qué sirve que comamos? —replicó Good—. Cuanto antes muramos y acabemos con esto, tanto mejor.

—Mientras hay vida existen esperanzas», dijo sir Henry.

Así pues, comimos y sorbimos un poco de agua, y pasó otro lapso de tiempo. Luego, sir Henry sugirió que haríamos bien en ir tan cerca de la puerta como fuera posible y gritáramos, por si había alguna ínfima posibilidad de que alguien desde fuera recibiera el sonido. De conformidad con ello, Good, que, por su larga práctica en el mar, poseía un timbre de voz realmente penetrante, hizo a tientas el camino y se puso a trabajar. Debo decir que produjo un ruido absolutamente infernal. Nunca había oído yo aullidos semejantes; mas por el resultado que tuvieron lo mismo hubiera dado el zumbido de un mosquito.

Al cabo de un rato lo dejó y regresó muy sediento, y tuvo que beber. Luego nos agachamos aullando, ya que había tropezado con nuestra reserva de agua.

Volvimos a sentarnos, respaldados en los cofres de inútiles diamantes, en aquella terrible inacción que era una de las circunstancias más penosas de nuestro destino; y me veo obligado a decir que, por mi parte, dejé paso a la desesperación. Apoyé la cabeza sobre los anchos hombros de sir Henry y rompí en llanto; y creo que oí a Good tragándose los sollozos al otro lado, y renegando roncamente contra sí mismo por ello.

¡Ah! ¡Qué bueno y valiente fue aquel gran hombre! Si nosotros hubiéramos sido dos chiquillos asustados, y él nuestra niñera, no hubiera podido tratarnos con mayor ternura. Olvidándose de su propia parte de desdichas, hizo todo lo que pudo para calmar nuestros nervios rotos, contándonos historias de gente que había estado en circunstancias de algún modo comparables y había salido milagrosamente con bien; y cuando esto dejó de reconfortarnos, nos señaló que, después de todo, aquello significaba tan sólo anticipar un fin que había de llegarnos a todos; que pronto habría terminado todo, y que la muerte por hambre era misericordiosa (cosa que no es cierta). Luego, entrando en otra vía, de un modo que ya le había visto hacer en otra ocasión, sugirió que nos entregáramos a la merced del más alto Poder, cosa que por mi parte llevé a cabo con gran vigor.

Es el suyo un hermoso carácter, muy tranquilo, pero muy fuerte.

Y, de este modo, se fue el día como antes la noche, si es que, de algún modo, es admisible emplear estos términos cuando todo es la noche más densa; y cuando encendí una cerilla eran las siete.

Una vez más comimos y bebimos, y, mientras lo hacíamos, me vino una idea.

«¿Cómo es posible —dije— que la atmósfera de este sitio se mantenga fresca? Es densa y pesada, pero está perfectamente fresca.

—¡Cielo Santo! —dijo Good, sobresaltado—. No había caído en eso. No puede entrar el fresco a través de la puerta de roca, porque si ha existido alguna puerta a prueba de aire, ésa es. Debe proceder de alguna parte. Si no hubiera ninguna corriente de aire en este sitio, nos hubiéramos asfixiado o envenenado cuando entramos. Echemos un vistazo.»

Fue sorprendente el cambio que produjo en nosotros aquella simple chispa de esperanza. Al cabo de un momento estábamos los tres avanzando sobre las manos y las rodillas tratando de percibir el más ligero indicio de una corriente de aire. Al cabo de un rato, mi ardor fue refrenado. Puse la mano en algo frío. ¡Era el rostro muerto de Foulata!

Durante una hora, o más, anduvimos husmeando, hasta que al fin sir Henry y yo lo dejamos, desesperados, tras haber recibido considerables golpes al darnos constantemente de cabeza contra colmillos, cofres y muros de la cámara. Pero Good perseveraba, diciendo, casi con jovialidad, que aquello era mejor que no hacer nada.

«¡Eh, muchachos! —dijo al cabo de un rato, con una especie de tono contenido—. Vengan aquí.»

Ni que decir tiene que gateamos hacia él bastante aprisa.

«Quatermain, ponga aquí la mano, aquí, donde está la mía. ¿No siente alguna cosa?

—*Creo* sentir que pasa aire.

—Ahora, escuche.»

Se puso en pie y pataleó sobre aquel punto; y una llama de esperanza se encendió en nuestros corazones. *Sonaba a hueco.*

Encendí una cerilla con manos temblorosas. Sólo me quedaban tres. Vimos que nos encontrábamos en el ángulo del extremo opuesto de la cámara, lo cual explicaba que no nos hubiéramos dado cuenta del sonido a hueco de aquel punto durante nuestro exhaustivo examen anterior. Mientras ardió la cerilla escudriñamos el lugar. Había una juntura en el sólido piso de roca, y, ¡Santo Cielo! allí, hundida al nivel de la roca, había una anilla de piedra. No dijimos palabra; estábamos demasiado excitados, y el corazón nos latía demasiado desbocadamente para que pudiéramos hablar. Good tenía una navaja, y en su parte posterior había uno de esos ganchos que se utilizan para arrancar piedras de los cascos de los caballos. Lo abrió, y con él raspó alrededor de la anilla. Finalmente alcanzó su parte inferior, e hizo palanca suavemente por miedo a romper el gancho. La anilla empezó a moverse. Siendo de piedra, no se había oxidado durante todos los siglos que había estado allí, como hubiera sido el caso de haber sido de hierro. Al cabo de poco la anilla estaba levantada. Entonces le arrojó las manos encima y tiró de ella con todas sus fuerzas; pero nada se movió.

«Déjeme intentarlo», dije, impaciente, ya que la situación de la piedra, justo en el ángulo de la esquina, era tal que era imposible que tiráramos dos al mismo tiempo. Tomé aliento y puse todo mi esfuerzo en tirar, pero sin resultado.

Luego lo intentó sir Henry, y fracasó.

Good volvió a tomar el gancho y rascó alrededor de la hendedura por la que sentíamos entrar el aire.

Ahora, Curtis —dijo—, ataque, y ponga los riñones en ello; tiene usted la fuerza de dos hombres. Espere —y se sacó un fuerte pañuelo de seda negra que, fiel a sus hábitos de aseo, seguía llevando, y lo pasó por la anilla—. Quatermain, coja a Curtis por la cintura y tire con todas sus fuerzas cuando yo dé la señal. ¡Ahora!»

Sir Henry empleó toda su enorme fuerza, y Good y yo hicimos lo mismo, con todas las energías que la naturaleza nos había otorgado.

«¡Tiren! ¡Tiren! Está cediendo —gimió sir Henry; y oí crujir los músculos de su ancha espalda. Súbitamente se produjo un sonido rechinante, luego hubo un soplo de aire, y estábamos tendidos de espaldas en el suelo con una pesada piedra plana encima de todos nosotros. La fuerza de sir Henry lo había logrado, y nunca ningún hombre pudo emplear el poder muscular en ningún sitio más adecuado.

—Encienda una cerilla, Quatermain —dijo, en cuanto nos hubimos alzado y tras recobrar el aliento—; con cuidado; ahora.»

Lo hice, y, ante nosotros, ¡Dios sea loado! estaba *el primer peldaño de una escalera de piedra*.

«¿Y ahora qué hay que hacer? —preguntó Good.

—Seguir la escalera, naturalmente, y confiar en la Providencia.

—¡Alto! —dijo sir Henry—. Quatermain, coja lo que quede de biltong y de agua; puede que lo necesitemos.»

Con este propósito me dirigí a gatas a nuestro lugar junto a los cofres, y, cuando me disponía a regresar, me vino una idea. No habíamos pensado mucho en los diamantes durante las últimas veinticuatro horas; a decir verdad, la misma idea de los diamantes nos daba náuseas al ver lo que nos habían ocasionado; sin embargo, pensé, podía meterme algunos en los bolsillos para el caso de que alguna vez lográramos salir de aquel espectral agujero. De modo que metí el puño en el primer cofre y me llené todos los bolsillos disponibles de mi vieja chaqueta de caza y de mis pantalones, acabando —y fue ésa una afortunada ocurrencia— con unos cuantos puñados de los de gran tamaño que había en el tercer cofre. También me acordé a tiempo de colmar con una gran cantidad de piedras la cesta de Foulata, que ahora estaba vacía salvo por una calabaza de agua y un poco de biltong.

«Y digo yo, muchachos —canturreé—, ¿por qué no se llevan unos cuantos diamantes? Yo he llenado mis bolsillos y la cesta.

—¡Oh! Venga ya, Quatermain, y que ahorquen a los diamantes —dijo sir Henry—. Espero no volver a ver jamás ninguno.»

En cuanto a Good, no contestó nada. Creo que estaba haciendo su última despedida de lo que quedaba de la pobre muchacha que tanto le había querido.

Por curioso que pueda a usted resultarle, amigo lector, sentado cómodamente en su casa y pensando en la enorme, la realmente inconmensurable riqueza que de aquel modo abandonábamos, puedo asegurarle que, si se hubiera pasado veinticuatro horas a punto de quedarse sin nada que comer ni que beber en aquel sitio, *usted* no hubiera deseado el estorbo de los diamantes en el momento de sumergirse en las desconocidas entrañas de la tierra con la desordenada esperanza de escapar a una muerte angustiosa. Si no fuera porque, por los hábitos adquiridos a lo largo de toda una vida, se ha convertido en mí en una especie de segunda naturaleza el no dejar detrás mío nada digno de poseerse si hay la menor posibilidad de que pueda llevármelo, estoy convencido de que no me hubiera preocupado por llenarme los bolsillos y la cesta.

«Venga, Quatermain —repitió sir Henry, que estaba ya de pie en el primer peldaño de la escalera de piedra—. Cuidado. Iré delante.

—Fíjese dónde pone el pie, puede haber por ahí abajo algún terrible agujero —respondí.

—Es mucho más probable que haya otra habitación», dijo sir Henry mientras descendía lentamente, contando los peldaños.

Al llegar a «quince» se detuvo.

«Aquí está el final —dijo—. ¡Dios misericordioso! Creo que es un pasadizo. Síganme.»

Good iba detrás suyo, y yo iba último con la cesta. Al llegar abajo encendí una de las dos cerillas que quedaban. A su luz pude apenas ver que estábamos en un túnel estrecho que iba a derecha e izquierda, en ángulo recto, hasta la escalera que habíamos bajado. Antes de que pudiéramos descubrir nada más, la cerilla me quemó los dedos y se apagó. Entonces surgió la delicada cuestión de qué dirección tomábamos. Era imposible, naturalmente, saber qué era el túnel, o adónde conducía; y, sin embargo, tal vez tomar una dirección podía conducirnos a la salvación, y tomar la otra a la destrucción. Permanecimos perplejos, hasta que, súbitamente, Good cayó en cuenta de que, cuando yo había encendido la cerilla, la corriente de aire del pasadizo había inclinado la llamita hacia la izquierda.

«Vayamos de cara a la corriente de aire —dijo—; el aire va hacia dentro, no hacia fuera.»

Adoptamos esta sugerencia, y, palpando la pared y tanteando el suelo a cada paso, nos alejamos de aquella maldita cámara del tesoro en nuestra terrible búsqueda de la vida. Si alguna vez vuelve a entrar en ella algún hombre viviente, cosa que no considero probable, encontrará marcas de nuestra visita en los cofres abiertos de las joyas, la lámpara vacía y los blancos huesos de la pobre Foulata.

Cuando hubimos progresado a tientas como un cuarto de hora por el pasadizo, éste torció bruscamente, o fue interceptado por otro que seguimos tan sólo para, al cabo de un rato, entrar en un tercero. Y así durante varias horas. Parecía que estuviéramos en un laberinto de roca que no conducía a ninguna parte. Qué podían ser todos aquellos pasadizos es algo que, naturalmente, soy incapaz de decir; pero pensamos que podía tratarse de las viejas galerías de una mina cuyos pozos y socavones iban de aquí para allí según los condujeran las venas de mineral. Esta fue la única manera en que pudimos explicarnos semejante multitud de galerías.

Finalmente nos detuvimos, profundamente trabajados por el cansancio y por esa esperanza suspendida que enferma el espíritu, y comimos nuestra parca porción del biltong que nos quedaba y bebimos nuestro último sorbo de agua, ya que teníamos las gargantas como hornos de cal. Teníamos la impresión de haber escapado a la muerte en las tinieblas de la cámara del tesoro tan sólo para encontrarla en las tinieblas de los túneles.

Mientras seguíamos profundamente deprimidos, creí captar un sonido, y dije a los demás que prestaran atención. Era muy débil y muy lejano, pero *era* un sonido, un apagado sonido murmurante, ya que los otros también lo oyeron; y no existen palabras para describir la bendición que suponía después de todas aquellas horas de extremo y terrible silencio.

«¡Cielos! Es agua que corre —dijo Good—. Vayamos allá.»

Nos pusimos de nuevo en marcha en la dirección de donde parecía provenir el débil murmullo, avanzando a tientas como antes entre las paredes de roca. Recuerdo que abandoné la cesta llena de diamantes, por el deseo de liberarme de su peso; pero volviendo a reflexionar volví a cogerla. Igual puede uno morir rico que pobre, pensé. A medida que avanzábamos, el sonido se hacía cada vez más audible, hasta que por fin pareció decididamente fuerte por contraste con el silencio. Y seguimos. Al rato pudimos percibir distintamente el inconfundible rumor de agua que corre. Y, sin embargo, ¿cómo podía haber agua que corriera en las entrañas de la tierra? Estábamos ya muy cerca, y Good, que iba delante, juró que podía olerla.

«Vaya despacio, Good —dijo sir Henry—, debemos estar muy cerca.»

¡Pluf! Y un grito de Good.

Se había caído dentro.

«¡Good! ¡Good! ¿Dónde está usted?» aullamos, con aterrada angustia. Para nuestro gran alivio, nos llegó una respuesta con voz sofocada.

«Todo va bien; me he asido a una roca. Hagan luz para que vea dónde están.»

Me apresuré a encender la cerilla que nos quedaba. Su débil llamita nos permitió ver una oscura masa de agua que corría a nuestros pies. No pude ver cuál era su anchura, pero allí, a cierta distancia, estaba la foma oscura de nuestro compañero colgando de una roca que sobresalía.

«Estén listos para agarrarme —gritó Good—. Debo nadar hasta ahí.»

Luego oímos un chapoteo y una gran lucha. Al cabo de un minuto se había aferrado a la mano tendida de sir Henry, y le sacamos sobre el suelo seco del túnel.

«Palabra —dijo, entrecortadamente— que no ha sido asunto fácil. Si no me las hubiera compuesto para asirme a esa roca, y si no hubiera sabido nadar, estaba listo. Corre como un canal de molino, y no le he encontrado fondo.»

No nos atrevimos a seguir las riberas del río subterráneo por miedo a caer de nuevo en él en las tinieblas. De modo que, cuando Good hubo descansado un poco, y después de beber hasta saciarnos un agua deliciosa y fresca, y de lavarnos lo mejor que pudimos las caras, que lo necesitaban de mala manera, nos alejamos de las orillas de aquella Estigia africana y volvimos sobre nuestros pasos en el túnel, con Good, que iba al frente, chorreando agua enfadosamente. Finalmente llegamos a otra galería que se dirigía hacia nuestra derecha.

«Podríamos seguirla —dijo sir Henry, desfallecidamente—; todos los caminos son iguales aquí; lo único que podemos hacer es seguir adelante hasta caer.»

Lentamente, durante mucho, mucho rato, avanzamos a tropezones, profundamente cansados, por aquel nuevo túnel, esa vez con sir Henry a la cabeza. De nuevo pensé en abandonar la cesta, pero no lo hice.

De repente se detuvo, y chocamos con él.

«¡Miren! —susurró—. ¿Me empieza a fallar el cerebro, o aquello es luz?»

Miramos con los ojos abiertos de par en par, y allá, sí, allá, muy lejos frente a nosotros, había un pequeño punto de luz débil, no mayor que la hoja de vidrio de la ventana de una choza. Era tan débil que dudo que haya ojos, excepto aquellos que, como los nuestros, no habían visto nada más que tinieblas durante días, capaces de haber percibido aquello en absoluto.

Exhalamos un gemido de esperanza y nos apresuramos. A los cinco minutos no quedaba ya ninguna duda: *era* una mancha de débil luz. Un minuto más y recibimos un soplo de auténtico aire vivo. Seguimos pugnando hacia delante. De repente, el túnel se estrechó. Sir Henry se puso a andar a gatas. Se estrechaba cada vez más hasta tener tan sólo las dimensiones de una ancha madriguera de zorro en la tierra... era *tierra* ahora, ¿entienden? La roca había terminado.

Un estrujón, un esfuerzo, y sir Henry estaba fuera, y también Good, y también yo, arrastrando detrás mío la cesta de Foulata; y allí, sobre nosotros, estaban las benditas estrellas, y en nuestras narices el delicioso aire. Luego, repentinamente, algo cedió, y todos rodamos por la hierba y los matorrales y el suelo suave y seco.

La cesta quedó cogida en algo y yo me detuve. Me senté y grité fuertemente. Me llegó en respuesta un grito procedente de poco más abajo, donde la desenfrenada carrera de sir Henry había sido frenada por alguna franja de terreno llano. Me deslicé hasta él y le encontré ileso, pero sin aliento. Luego buscamos a Good. Lo descubrimos un poco más abajo, encajado en una raíz bifurcada. Estaba bastante magullado, pero pronto volvió en sí.

Nos sentamos todos en la hierba, y la revulsión de los sentimientos fue tan grande que me parece que nos pusimos a gritar de alegría. Habíamos escapado de aquella espantosa mazmorra que había estado a punto de convertirse en nuestra tumba. Sin duda algún Poder misericordioso había guiado nuestros pasos a la madriguera de chacal, ya que de esto debía tratarse, en la terminación del túnel. Y allí, lejos sobre las montañas, la aurora, que habíamos creído no volver a ver, se encendía en un rojo rosado.

Al cabo de un rato, la pálida luz se introdujo por las pendientes, y vimos que estábamos al fondo, o, mejor dicho, casi al fondo del enorme pozo, frente a la entrada de la caverna. Ahora podíamos percibir las formas indistintas de los tres colosos que estaban sentados en su borde. Sin duda aquellos espantosos pasadizos por los que habíamos errado durante una noche que pareció toda una vida habían estado originalmente relacionados de algún modo con la gran mina de diamantes. En cuanto al río subterráneo en las entrañas de la montaña, sólo el Cielo sabe qué será, o dónde nace, o adónde va. Yo, desde luego, no siento ningún ansia por seguir su recorrido.

La claridad fue aumentando. Ahora podíamos vernos unos a otros, y nunca, ni antes ni después, he puesto los ojos en un espectáculo como el que ofrecíamos. Eramos unos pingajos de mejillas huecas y ojos hundidos, untados de polvo y barro de pies a cabeza, magullados, sangrantes, con el prolongado miedo a la muerte inminente escrito todavía en nuestras fisonomías; éramos, realmente, un espectáculo capaz de asustar a la mismísima luz del día. Y, sin embargo, es un hecho comprobado que el monóculo de Good seguía fijo en el ojo de Good. Dudo incluso de que se lo hubiera quitado en algún momento. Ni las tinieblas, ni la zambullida en el río subterráneo, ni la caída por la pendiente habían sido capaces de separar a Good de su monóculo.

Al cabo de un rato nos pusimos en pie, temiendo que los miembros se nos envararan si seguíamos más tiempo inmóviles, y nos pusimos a ascender penosamente, con pasos lentos y dificultosos, los costados en pendiente del gran pozo. Durante una hora, o más, avanzamos con constancia por la arcilla azul, arrastrándonos a nosotros mismos con la ayuda de las raíces y las hierbas que la cubrían. Pero ahora ya no tenía yo la menor intención de abandonar la cesta; a decir verdad, nada salvo la muerte nos hubiera separado.

Por fin lo conseguimos: estábamos junto a la gran ruta, en el lado del pozo opuesto a los colosos.

Junto a la ruta, a cien yardas, ardía una hoguera frente a algunas cabañas, y alrededor de la hoguera había formas humanas. Fuimos hacia allí tambaleándonos, sosteniéndonos unos a otros y deteniéndonos cada pocos pasos. Al cabo de un rato, una de las formas se alzó, nos vio y cayó a tierra, gritando de miedo.

«¡Infadoos, Infadoos! Somos nosotros, tus amigos.»

Se puso en pie; corrió hacia nosotros, mirándonos con desconcierto y temblando todavía de miedo.

«¡Oh, mis señores, mis señores! ¡Realmente sois vosotros, que volvéis de la muerte! ¡Que volvéis de la muerte!»

Y el viejo guerrero se dejó caer delante nuestro, y, abrazándose a las rodillas de sir Henry, lloró de alegría.

19

LA DESPEDIDA DE IGNOSI

Diez días después de aquella mañana memorable estábamos nuevamente en nuestros viejos cuarteles en Loo; y, por extraño que resulte, no en mucho peores condiciones tras nuestra terrible experiencia, salvo por el hecho de que mis hirsutos cabellos salieron de la caverna del tesoro tres gamas más grises de lo que habían entrado, y por el de que Good no volvió a ser el mismo después de la muerte de Foulata, que parecía haberle afectado profundamente. Debo confesar que, viendo la cosa desde el punto de vista de un hombre ya veterano en el mundo, considero su desaparición como un acontecimiento afortunado, ya que, de otro modo, hubieran surgido complicaciones sin ninguna duda. La pobre criatura no era una muchacha nativa ordinaria, sino una persona de una gran belleza, casi diría que soberbia, y de considerable refinamiento de espíritu. Pero ninguna cantidad de belleza o de refinamiento hubiera podido convertir una complicación entre ella y Good en un acaecimiento deseable; ya que, como ella misma dijo, «¿puede el sol desposarse con la luna, o lo blanco con lo negro?»

No creo que sea preciso decir que nunca volvimos a penetrar en la cámara del tesoro de Salomón. Cuando nos hubimos recobrado de nuestra fatiga, proceso que nos tomó cuarenta y ocho horas, bajamos al gran pozo con la esperanza de encontrar el agujero por el que nos habíamos arrastrado fuera de la montaña, pero sin éxito. Para empezar, había llovido, y la lluvia había tapado el agujero; y, además, las pendientes del enorme pozo estaban llenas de agujeros de oso hormiguero y otros animales. Era imposible decir a cuál de ellos debíamos nuestra salvación.

El día antes de partir de nuevo hacia Loo hicimos todavía otro examen de la maravilla de la gruta de las estalactitas, y, arrastrados por una especie de sentimiento de inquietud, penetramos incluso en la Sala de la Muerte. Pasamos por detrás de la lanza de la Muerte Blanca y contemplamos, con sensaciones que me sería imposible describir, la masa de roca que nos había cortado el camino de salida, pensando al mismo tiempo en los incalculables tesoros que había al otro lado, en la misteriosa vieja bruja cuyos fragmentos machacados yacían aplastados debajo de ella, y en la hermosa muchacha de cuyo sepulcro constituía esa roca el portal. Digo que contemplamos «la roca» porque, por mucho que examinamos, no pudimos encontrar ni rastro de la juntura de la puerta deslizante; ni tampoco pudimos dar con el secreto, ahora totalmente perdido, que la movía, aunque lo estuvimos intentando una hora o más. Se trata, indudablemente, de un mecanismo maravilloso, característico, en su maciza pero inescrutable simplicidad, de la época que lo produjo; y dudo que el mundo pueda presentar a su igual.

Al final abandonamos, hastiados; sin embargo, aunque la masa se hubiera elevado de repente ante nuestros ojos, dudo que hubiéramos podido forzar nuestra valentía a pasar por encima de los restos despedazados de Gagool y entrar de nuevo en la cámara del tesoro, pese a la esperanza segura y cierta de cantidades ilimitadas de diamantes. Y, sin embargo, yo me lamenté ante la idea de abandonar todo aquel tesoro, probablemente el mayor tesoro que en toda la historia del mundo se haya acumulado en un mismo sitio. Pero no podía hacerse nada. Tan sólo la dinamita podría abrir paso a través de cinco pies de roca sólida.

Así que nos fuimos. Quizá en algún remoto siglo aún no nacido algún explorador más afortunado pueda dar con el «ábrete sésamo» e inundar el mundo de gemas. Pero dudo que yo lo haga. De algún modo me parecía intuir que las joyas por valor de decenas de millones de libras que yacían en los cofres de piedra jamás brillarían en el cuello de una belleza mundana. Ellas y los huesos de Foulata se darán recíprocamente su fría compañía hasta el fin de todas las cosas. Sin embargo, ¿quién sabe?

Con un suspiro de desaliento, emprendimos el camino de regreso, y al día siguiente partimos hacia Loo. Sin embargo, era realmente muy ingrato por nuestra parte sentirnos desdichados;

ya que, como recordará el lector, por una idea afortunada yo había tomado la precaución de llenarme de gemas los grandes bolsillos de mi vieja chaqueta de caza y de mis pantalones antes de abandonar nuestra cárcel, y también la cesta de Foulata, en la que me llevé dos veces otro tanto, a pesar del recipiente de agua que ocupaba parte de su espacio. Muchas de las piedras cayeron durante nuestro rodar por la pendiente del pozo, incluyendo a varias de las mayores, que había colocado encima, en los bolsillos de la chaqueta. Sin embargo, en términos comparativos, nos quedaba todavía una cantidad enorme, incluyendo noventa y tres piedras de gran tamaño que sumaban más de doscientos setenta quilates. Mi vieja chaqueta de caza y la cesta contenían todavía tesoros suficientes para hacernos a todos, si no millonarios en el sentido en que se entiende el término en América, sí por lo menos hombres sumamente ricos, y conservar todavía piedras suficientes para poseer los tres conjuntos de gemas más hermosos de Europa. De modo que la cosa no nos había ido tan mal.

Al llegar a Loo fuimos recibidos con máxima cordialidad por Ignosi, al que encontramos bien y sumamente atareado en consolidar su poder y reorganizar a los regimientos que habían sufrido más pérdidas en la gran lucha contra Twala.

Escuchó con intenso interés nuestro asombroso relato; pero cuando le narramos el espantoso fin de la vieja Gagool se quedó pensativo.

«Ven aquí», dijo a un induna, o consejero, muy anciano que estaba sentado junto con otros en un círculo alrededor del rey, pero a una distancia que les impedía oír. El anciano se puso en pie, se acercó, saludó y se sentó.

«Tienes muchos años —dijo Ignosi.

—¡Sí, mi señor! El padre de tu padre y yo nacimos el mismo día.

—Dime: cuando eras pequeño, ¿conociste ya a Gagool, la doctora bruja?

—Sí, mi señor y rey.

—¿Cómo era entonces? ¿Joven, como tú?

—¡Oh, no, mi señor y rey! Era igual que ahora, e igual a como era en los días del padre de mi abuelo antes que yo; vieja y arrugada, muy fea, y llena de maldad.

—Ya no lo es. Ha muerto.

—Así pues, ¡oh rey! desaparece del país una antigua maldición.

—Vete.

—¡Koom! Me voy, cachorro negro que desgarraste la garganta del viejo perro. ¡Koom!

—Ya veis, hermanos —dijo Ignosi—, era una mujer extraña, y me alegro de que haya muerto. Os hubiera dejado morir en el sitio oscuro, y puede que luego hubiera encontrado el modo de matarme, como lo encontró de matar a mi padre y poner en su puesto a Twala, querido por su negro corazón. Ahora proseguid el relato; ¡sin duda nunca ha habido nada parecido!»

Después de narrar la historia de nuestra fuga, y cumpliendo lo que entre nosotros habíamos acordado, aproveché la oportunidad para hablar a Ignosi del tema de nuestra partida de Kukuanaland.

«Y ahora, Ignosi —dije—, ha llegado el momento de que te digamos adiós y partamos para ver nuestra tierra una vez más. Piensa, Ignosi, que viniste con nosotros como sirviente, y que ahora te dejamos como rey poderoso. Si tienes gratitud para nosotros, recuerda que debes actuar como nos prometiste: gobernar con justicia, respetar la ley y no dar muerte a nadie sin juicio. De este modo prosperarás. Mañana, al romper el día, Ignosi, nos darás una escolta que nos conduzca más allá de las montañas. ¿No es así, oh rey?»

Ignosi se cubrió el rostro con las manos durante unos momentos antes de contestar.

«Mi corazón está triste —dijo, finalmente—; vuestras palabras me parten en dos el corazón. ¿Qué os he hecho, Incubu, Macumazahn y Bougwan, para que me dejéis desolado? ¿Vosotros, que estuvisteis a mi lado en la rebelión y en la batalla, vais a dejarme el día de la paz y la victoria? ¿Qué queréis... mujeres? ¡Elegid entre las doncellas! ¿Un sitio donde vivir? Mirad, la tierra es vuestra hasta donde os alcance la mirada. ¿Las casas de los hombres blancos? Enseñaré a mi pueblo a construirlas. ¿Ganado para carne y leche? Todo hombre casado os traerá un buey o una vaca. ¿Animales para cazar? ¿No cruza el elefante mis bosques, no duerme entre los juncos el caballo de río? ¿Queréis hacer la guerra? Mis impis esperan vuestras órdenes. Si hay algo más que pueda daros, os lo daré.

—No, Ignosi, no queremos ninguna de esas cosas —respondí—; queremos ir a nuestro propio pueblo.

—Ahora veo —dijo Ignosi, con amargura y ojos llameantes— que amáis las piedras brillantes más que a mí, vuestro amigo. Tenéis las piedras; ahora iréis al Natal, cruzaréis la negra agua moviente y las venderéis, y seréis ricos, tal como desea el corazón del hombre blanco. Malditas sean por vuestra culpa las piedras blancas, y malditos los que las busquen. Aquel que ponga el pie en la Mansión de la Muerte para encontrarlas, morirá. Porque son vuestras, sólo vuestras. He hablado. Hombres blancos, podéis iros.»

Puse la mano sobre su brazo.

«Ignosi —dije—, cuéntanos: cuando erraste por Zululand, y entre la gente blanca del Natal, ¿no se giraba tu corazón hacia la tierra de la que tu madre te hablaba, tu tierra natal, en la que viste la luz y jugaste de pequeño, la tierra en que estaba tu sitio?

—Así fue, Macumazahn.

—Del mismo modo, Ignosi, nuestros corazones se giran hacia nuestra tierra y nuestro pueblo.»

Se hizo un silencio. Cuando Ignosi lo rompió, fue con una voz distinta.

«Me doy cuenta de que ahora, como siempre, tus palabras son prudentes y están llenas de razón, Macumazahn; lo que vuela en el aire no gusta de correr por el suelo; el hombre blanco no gusta de vivir al nivel del negro ni de habitar entre sus kraals. Muy bien, podéis iros, y dejar la pena en mi corazón, ya que estaréis como muertos para mí, puesto que de donde estaréis no me llegarán nuevas.

»Pero escuchad, y que todos vuestros hermanos conozcan mis palabras. Ningún otro hombre blanco cruzará las montañas, aunque alguno pueda vivir lo bastante para llegar tan lejos. No veré a comerciantes con sus fusiles y su ginebra. Mi pueblo luchará con la lanza, y beberá agua, como sus antepasados antes que ellos. No tendré a predicadores que pongan el miedo a la muerte en el corazón de los hombres y los muevan contra las leyes del rey y que abran el camino por el que les seguirá la gente blanca. Si un hombre blanco llega a mis puertas, le haré volver; si vienen ejércitos, les daré guerra con todas mis fuerzas, y no triunfarán sobre mí. Nadie volverá a buscar las piedras brillantes; no, ni siquiera un ejército, porque si viene enviaré a un regimiento a colmar el pozo, y a romper las columnas blancas de la gruta, y a llenarla de rocas, para que nadie pueda siquiera llegar a esa puerta de la que habláis y cuyo mecanismo de apertura se ha perdido. Mas para vosotros tres, Incubu, Macumazahn y Bougwan, el camino estará siempre abierto; porque, mirad, me sois más queridos que todo lo que respira.

»De modo que podéis iros. Infadoos, mi tío y mi induna, os tomará de la mano y os guiará, con un regimiento. Existe, según he sabido, otro camino a través de las montañas, y él os lo mostrará. Adiós, hermanos, valientes hombres blancos. No volváis a verme, porque mi corazón no lo soportaría. ¡Mirad! Hago un decreto, y se proclamará de montaña en montaña: vuestros nombres, Incubu, Macumazahn y Bougwan, serán «hlonipa» igual que los nombres de los reyes muertos, y el que los pronuncie morirá (1). De este modo, vuestra memoria será preservada para siempre en el país.

»Ahora marchaos, no sea que de mis ojos manen lágrimas como de los de una mujer. Algunas veces, cuando miréis atrás en el camino de la vida, o cuando seáis viejos y os reunáis para acurrucaros ante el fuego, porque para vosotros el sol no tenga ya calor, pensaréis en cómo luchamos hombro con hombro en esa gran batalla que tus prudentes palabras planearon, Macumazahn; en la que tú fuiste la punta del cuerno que acometió el flanco de Twala, Bougwan, mientras tú, Incubu, estabas en el anillo de los Pardos, y los hombres caían ante tu hacha como el trigo ante la hoz; sí; y en cómo tú quebraste la fuerza de Twala, ese toro salvaje, y tiraste su orgullo contra el polvo. Adiós, quizá para siempre, Incubu, Macumazahn y Bougwan, mis señores y mis amigos.»

Ignosi se puso en pie y nos miró intensamente durante unos segundos. Luego se tiró la punta de su manto de pieles sobre la cabeza, para cubrirse el rostro frente a nosotros.

Nos fuimos en silencio.

El día siguiente, al amanecer, abandonamos Loo, escoltados por nuestro viejo amigo Infadoos, que tenía el corazón roto por nuestra partida, y por el regimiento de los Búfalos. Pese a ser una hora tan temprana, nos encontramos con que la calle prin-

(1) Esta forma extraordinaria y por vía negativa de mostrar intenso respeto no es en absoluto desconocida entre los africanos; el resultado es que, siendo usual que el nombre en cuestión tenga algún significado, su sentido puede expresarse mediante un rodeo o con otra palabra. De este modo, la memoria se conserva durante generaciones, o hasta que la nueva palabra suplanta totalmente a la antigua. (A Q.)

cipal de la ciudad estaba flanqueada por multitud de gente que nos daba el saludo real a nuestro paso en cabeza del regimiento, mientras que las mujeres nos bendecían por haber liberado de Twala al país y arrojaban flores en nuestro camino. Era realmente conmovedor, y no la clase de cosa con que uno suele encontrarse con los nativos.

Se produjo, sin embargo, un ridículo incidente, que fue bien recibido porque nos proporcionó algo de que reírnos.

Justo antes de llegar a la salida de la ciudad, una linda muchachita, con algunas lilas encantadoras en la mano, corrió adelante y se las ofreció a Good —por alguna razón, a todas parecía gustarles Good; creo que su monóculo y su cara medio afeitada le otorgaban un valor fabuloso—, y luego dijo que tenía una gracia que pedirle.

«Habla —respondió él.

—Muestre mi señor a su sirvienta sus hermosas piernas blancas, para que su sirvienta pueda mirarlas y recordarlas para el resto de sus días y contárselo a sus hijos; su sirvienta ha viajado cuatro días para verlas, por la fama que tienen en todo el país.

—¡Que me ahorquen si lo hago! —exclamó Good, excitado.

—Vamos, vamos, viejo amigo —dijo sir Henry—, no puede negarle un favor a una dama.

—No lo haré —replicó Good, obstinado—; es positivamente indecente.»

Sin embargo, acabó por consentir en levantarse los pantalones hasta la rodilla, en medio de acentos de extasiada admiración de todas las mujeres presentes, y en especial de la damisela complacida; y tuvo que andar de este modo hasta que hubimos dejado la ciudad.

Las piernas de Good, según me temo, no volverán a ser nunca tan admiradas. De sus dientes móviles, e incluso de su «ojo transparente», los kukuanas acabaron por cansarse; pero de sus piernas, jamás.

Mientras viajábamos, Infadoos nos contó que existía otro paso en las montañas, al norte del que seguía la Gran Ruta de Salomón; o, mejor dicho, había un sitio por el que era posible escalar la barrera de roca que separa Kukuanaland del desierto y que se interrumpe en los Senos de Sheba. Según parecía, poco más de dos años antes un grupo de cazadores kukuanas había pasado por allí hasta el desierto en busca de avestruces, cuyas plumas son muy estimadas entre ellos para los tocados de combate, y en el curso de la cacería habían llegado lejos de las montañas, viéndose seriamente atacados por la sed. Vieron, sin embargo, árboles en el horizonte, caminaron hacia ellos y descubrieron un gran oasis muy fértil, de algunas millas de extensión y con mucha agua. Fue por vía de este oasis que Infadoos nos aconsejó volver, y la idea nos pareció buena, ya que de aquel modo parecía que escaparíamos a los rigores del paso de la montaña. Algunos de los cazadores estaban a nuestra disposición para guiarnos hasta el oasis, desde el cual, según afirmaban, ellos habían podido ver otros puntos fértiles a lo lejos, en el desierto (1).

Viajamos sin prisas, y en la noche del cuarto día de viaje nos encontramos una vez más en la cresta de las montañas que separan Kukuanaland del desierto, que se extendía en ondas arenosas a nuestros pies, a unas veinticinco millas al norte de los Senos de Sheba.

Al alba del día siguiente, nos condujeron al borde de una hendidura muy escarpada por la que íbamos a descender el precipicio y alcanzar la llanura, que estaba a dos mil pies debajo nuestro, o quizá más.

Allí nos despedimos de aquel verdadero amigo y vigoroso viejo guerrero, Infadoos, que solemnemente deseó para nosotros todos los bienes y estuvo a punto de echarse a llorar de pena.

«Nunca, mis señores —dijo—, estos ojos míos volverán a ver nada semejante a vosotros. ¡Ah! ¡Cómo troceaba Incubu a los hombres en la batalla! ¡Ah! ¡Y de qué modo, con qué golpe cortó la cabeza de mi hermano Twala! ¡Fue hermoso, hermoso! No creo volver a ver nunca otro golpe semejante, como no sea en sueños felices.»

Estábamos muy apenados por la separación; a decir verdad, Good estaba tan emocionado que le dio en recuerdo... ¿qué se

(1) Muchas veces nos habíamos sentido desconcertados al tratar de comprender cómo fue posible que la madre de Ignosi, llevando a su hijo, pudiera sobrevivir a los peligros de su viaje a través de las montañas y el desierto, peligros que casi resultaron fatales para nosotros. Luego se me ocurrió, y doy al lector esta idea por lo que vale, que quizá tomó esta segunda ruta y erró como Agar por la extensión salvaje. Si así lo hizo, ya no queda nada que sea inexplicable en esa historia, puesto que, tal como el propio Ignosi relató, muy bien pudo ser recogida por unos cazadores de avestruces antes de que ella o el niño murieran, y conducida por ellos al oasis. De allí pudo viajar, por etapas, hasta las tierras fértiles, y, siguiendo adelante del mismo modo, llegar por cortas etapas hasta Zululand. (A. Q.)

imaginan? ¡Un monóculo! Luego descubrimos que era uno de repuesto. Infadoos quedó encantado, adivinando que la posesión de objeto semejante incrementaría enormemente su prestigio, y, después de varios intentos vanos, consiguió finalmente encajárselo en el ojo. Jamás he visto cosa más incongruente que aquel viejo guerrero con monóculo. Los monóculos no hacen mucho juego con las capas de piel de leopardo y las plumas de avestruz negro.

Luego, después de comprobar que nuestros guías estuvieran bien provistos de agua y provisiones, y tras recibir un atronador saludo de despedida de los Búfalos, estrechamos la mano de Infadoos e iniciamos nuestra escalada en descenso. Aquello demostró ser una tarea ardua, pero de un modo u otro nos encontramos abajo aquella noche sin ningún accidente.

«¿Saben ustedes? —dijo aquella noche sir Henry, mientras estábamos sentados junto a una hoguera y contemplábamos la enhiesta masa de roca encima nuestro—. Creo que hay en el mundo sitios peores que Kukuanaland, y que he conocido tiempos menos felices que el último mes o dos, aunque jamás haya tenido otros tan curiosos. ¿Eh, muchachos?

—Casi desearía volver», dijo Good, con un suspiro.

En cuanto a mí, pensé que está bien lo que bien acaba; pero que en el curso de una larga vida de peligros, jamás había rozado otros como aquellos que recientemente había atravesado. El pensamiento de aquella batalla todavía me hiela la sangre; y en cuanto a nuestra experiencia en la cámara del tesoro...

La mañana siguiente partimos en una penosa marcha a través del desierto, con una buena reserva de agua que llevaban nuestros cinco guías, y por la noche acampamos a cielo abierto, partiendo de nuevo al amanecer del día siguiente.

Hacia el mediodía del tercer día de viaje pudimos ver los árboles del oasis que los guías habían mencionado, y cuando faltaba una hora para la puesta del sol estábamos caminando una vez más sobre hierba y oyendo el sonido del correr del agua.

20

ENCUENTRO

Y ahora llego quizá a la más extraña de las aventuras que nos sucedieron en todo aquel extraño asunto; aventura que, por otra parte, permite darse cuenta del modo maravilloso en que acontecen las cosas.

Caminaba yo tranquilamente, un poco por delante de los otros dos, por las riberas de la corriente que fluye del oasis a las arenas hambrientas del desierto, que se la tragan, cuando súbitamente me detuve y me froté los ojos todo lo que pude. Allí, a menos de veinte yardas delante mío, colocada en una posición encantadora, bajo la sombra de una especie de higuera y encarada con la corriente, había una cómoda choza, construida más o menos al modo de los cafres, con hierba y juncos, pero con una puerta de dimensiones normales en lugar de un mero agujero.

«¿Qué diablos —me pregunté— puede estar haciendo aquí una choza?»

Apenas me lo había dicho cuando se abrió la puerta de la choza, y salió renqueando un *hombre blanco* vestido con pieles y con una enorme barba negra. Pensé encontrarme bajo los efectos de una insolación. Era imposible. Ningún cazador había llegado hasta semejante lugar. Y, ciertamente, ningún cazador se hubiera establecido en él. Miré, y seguí mirando, y lo mismo hizo el otro hombre; y justo en aquella circunstancia llegaron sir Henry y Good.

«Miren allí, muchachos —dije—, ¿es un hombre blanco, o estoy loco?»

Sir Henry miró, y Good miró, y luego, súbitamente, el hombre blanco lisiado profirió un fuerte grito y se vino cojeando hacia nosotros. Cuando estuvo cerca, sufrió una especie de desmayo.

Sir Henry saltó a su lado.

«¡Dios mío! —gritó—. *¡Es mi hermano George!*»

Al ruido del alboroto, otra figura, también envuelta en pieles, emergió de la choza, con un fusil en la mano, y corrió hacia nosotros. Al verme dio un grito.

«Macumazahn —exclamó—, ¿no me reconoce, baas? Soy Jim, el cazador. Perdí la nota que me dio para entregar al baas, y he estado aquí cerca de dos años.»

Y el tipo cayó a mis pies, y se revolcó, sollozando de alegría.

«¡Bribón descuidado! —dije—. Tendrías que estar bien *sjambocked* (o sea, escondido).»

Entretanto, el hombre de barba negra se había recobrado, poniéndose en pie, y él y sir Henry iban uno al lado del otro, mirándose y aparentemente sin nada que decirse. Pero cualquiera hubiera sido el motivo de la pelea —sospecho que se trataba de una dama, aunque nunca lo pregunté—, estaba ahora olvidado.

«Vaya, viejo —estalló al fin sir Henry—, pensé que habías muerto. He cruzado los Montes de Salomón para encontrarte. Había abandonado ya toda esperanza de volver a verte, y ahora me topo contigo colgado en el desierto, como un viejo *aasvögel* (1).

—Traté de cruzar los Montes de Salomón hace casi dos años —fue la respuesta, hecha con la voz titubeante del hombre que ha tenido pocas oportunidades recientes de emplear su lengua—, pero al llegar aquí me cayó una roca sobre la pierna y me la rompió, y entonces no pude avanzar ni retroceder.»

Fui hacia ellos.

«¿Cómo está usted, señor Neville? —dije—. ¿Se acuerda de mí?

—¡Vaya! —dijo—. El cazador Quatermain, ¿eh? ¿Y también Good? Esperen un minuto, muchachos, me vuelven a dar mareos. ¡Todo esto es tan extraño, y, cuando se ha abandonado toda esperanza, tan feliz!»

Aquella noche, junto a la hoguera de campamento, George Curtis nos contó su historia, que, a su manera, era tan asombrosa como la nuestra, y que, resumida, venía a consistir en lo siguiente:

(1) Buitre.

hacía un poco menos de dos años, había partido del kraal de Sitanda, tratando de alcanzar el Berg de Suliman. En cuanto a la nota que yo le había enviado por conducto de Jim, éste la había perdido cumplidamente, y nunca había oído hablar de ella hasta aquel día. Pero en base a informaciones obtenidas de los nativos, se encaminó no hacia los Senos de Sheba, sino hacia la pendiente en escalera de las montañas de donde nosotros veníamos ahora precisamente. Esta ruta era indudablemente mucho mejor que la indicada en el mapa del viejo caballero da Silvestra. En el desierto, él y Jim habían sufrido grandes penalidades, pero finalmente habían alcanzado aquel oasis, y allí George Curtis sufrió un terrible accidente. El mismo día de su llegada, estaba sentado junto al riachuelo, y Jim extraía la miel de una colmena de abejas sin aguijón que se encuentran en el desierto, sobre una elevación de terreno, justo encima de George Curtis. Al hacerlo, se desprendió una peña que cayó sobre la pierna derecha de George Curtis, rompiéndola de un modo atroz. Desde entonces, había quedado tan lisiado que le fue imposible ir adelante o atrás, y había preferido la posibilidad de morir en el oasis a la certeza de morir en el desierto.

En cuanto a comida, sin embargo, consiguieron bastante, ya que disponían de buenas reservas de municiones y el oasis era frecuentado, especialmente por la noche, por gran número de animales que venían a abrevarse. Los mataban a tiros, o los hacían caer en trampas de hoyos; empleaban la carne para comer, y, cuando los vestidos estuvieron gastados, las pieles para abrigarse.

«Y de este modo —terminó George Curtis— hemos vivido casi dos años, como un segundo Robinsón Crusoe y su criado Viernes, esperando contra toda esperanza que algunos nativos vinieran y nos ayudaran a irnos; pero ninguno ha venido. La pasada noche habíamos decidido que Jim me dejara y tratara de alcanzar el kraal de Sitanda en busca de ayuda. Iba a marcharse mañana, pero yo tenía escasas esperanzas de verle de regreso. Y ahora *tú*, entre toda la gente que hay en el mundo, *tú* que, según yo pensaba, hacía tiempo que lo habías olvidado todo de mí y vivías confortablemente en la vieja Inglaterra, reapareces de modo promiscuo y me encuentras donde menos lo esperabas. Es la cosa más extraordinaria de la que yo tenga noticia, y también la más misericordiosa.»

Entonces, sir Henry se puso a contarle a grandes rasgos nuestras aventuras, y en eso estuvimos hasta ya muy entrada la noche.

«¡Diablos! —dijo George Curtis, cuando le mostré algunos de los diamantes—. Bueno, por lo menos han conseguido algo con sus penalidades, más que este inútil que tienen delante.»

Sir Henry se rió.

«Pertenecen a Quatermain y a Good. Fue parte del trato que se dividirían el botín si lo hubiera.»

Esta observación me hizo reflexionar, y, tras hablar con Good, comuniqué a sir Henry que era nuestra común voluntad que él tomara una tercera parte de los diamantes, o, si no los quería, entregara su parte a su hermano, que había sufrido todavía más que nosotros en los riesgos de su búsqueda. Finalmente, logramos hacerle aceptar este arreglo, pero George Curtis no lo conoció sino algún tiempo más tarde.

* * *

Creo que, llegado a este punto, daré por terminado mi relato. Nuestro viaje por el desierto hasta el kraal de Sitanda fue muy arduo, especialmente porque teníamos que ayudar a caminar a George Curtis, cuya pierna derecha estaba realmente muy débil, y continuamente se le astillaban los huesos. Pero de algún modo lo conseguimos, y dar detalles significaría tan sólo reproducir casi todo lo que nos sucedió en la anterior ocasión.

Seis meses después de nuestra llegada al kraal de Sitanda, donde encontramos nuestras armas de fuego y demás pertenencias completamente a salvo, pese a que el viejo sinvergüenza que estaba a su cuidado se sintió muy disgustado de que hubiéramos sobrevivido para reclamarlas, nos encontramos en mi casita de Berea, cerca de Durbán, donde ahora escribo. Allí me despedí de todos los que me habían acompañado a través de la expedición más extraña que jamás haya llevado a cabo en el curso de una larga y variada experiencia.

P.S. — Justo en el momento en que escribo la última palabra, llega un cafre por la avenida de los naranjos y me entrega con un bastón hendido una carta que ha traído de la estafeta de correos. Resulta que es de sir Henry, y, como habla por sí misma, la reproduzco entera.

1.º de octubre de 1880

Brayley Hall, Yorkshire

Querido Quatermain:

Le envié una nota, hace ya unas cuantas salidas de correo, para decirle que nosotros tres, George, Good y yo, llegamos perfectamente a Inglaterra. Abandonamos el buque en Southampton y nos dirigimos a la ciudad. Hubiera debido usted ver lo engreído que se puso Good el mismo día siguiente, bien afeitado, con una levita que le sentaba como un guante, un monóculo nuevo de buena marca, etc. Fui a dar un paseo por el parque con él, y allí me encontré con algunas personas que conocía, y de inmediato les conté la historia de sus «hermosas piernas blancas».

El está furioso, sobre todo porque una persona de mente maligna ha hecho imprimir el asunto en un periódico.

Para llegar al asunto: Good y yo llevamos los diamantes a Steeter para que los valorara, tal como habíamos acordado, y realmente me asusta decirle a cuánto los tasó, tan enorme es la suma. Dice que, naturalmente, los ha valorado un poco a ojo, ya que, a su conocimiento, estas piedras jamás han entrado en el mercado en tanta cantidad. Según parece (y con la excepción de una o dos de las mayores), son de la mejor calidad, idénticas en todos los sentidos a las mejores piedras brasileñas. Le pregunté si las compraría, pero contestó que estaba más allá de sus posibilidades el hacer tal cosa, y nos aconsejó que las vendiéramos poco a poco, incluso en un período de años, para no inundar el mercado. Ofrece, sin embargo, mil ochocientas libras para cada pequeña porción de ellas.

Debe volver a casa, Quatermain, y cuidar de estas cosas, sobre todo si insiste en ofrecer el magnífico regalo de la tercera porción, que *no* me pertenece, a mi hermano George. En cuanto a Good, no anda bien. Ocupa demasiado tiempo en afeitarse y en otras cosas relacionadas con el trivial adorno de su cuerpo. Pero creo que todavía no ha asimilado lo de Foulata. Me ha dicho que, desde que ha vuelto, no ha visto a ninguna mujer que se le pueda comparar, ni en figura ni en dulzura de expresión.

Quiero que vuelva a casa, querido viejo camarada, y que se compre una casa cerca de aquí. Ya ha trabajado bastante, y tiene ahora montones de dinero, y hay una casa en venta muy cerca de aquí que le convendría perfectamente. Venga. Cuanto antes mejor. Puede terminar de escribir la historia de nuestras aventuras en el barco. Nos hemos negado a narrar la historia hasta que usted la haya escrito, por miedo a que no nos crean. Si parte usted a la recepción de esta carta, puede estar aquí por Navidades, y le apunto para pasarlas conmigo. Good vendrá, y también George; y lo mismo, dicho sea de paso, su hijo Harry (esto es un soborno para usted). Me lo he llevado una semana de cacería, y me gusta. Es un joven muy diestro y frío; me pegó un tiro en una pierna, me extrajo los perdigones, ¡y luego hizo observaciones acerca de las ventajas de llevar a un estudiante de medicina en toda partida de caza!

Adiós, viejo; no puedo decirle nada más, pero sé que vendrá, aunque sólo sea por la gratitud de

Su sincero amigo

Henry Curtis.»

«P.S. — Los colmillos del gran elefante que mató al pobre Khiva han sido colocados aquí, en la sala de recibo, sobre el par de cuernos de búfalo que usted me dio, y quedan magníficos; y el hacha con que corté la cabeza de Twala está clavada encima de mi escritorio. Desearía que hubiéramos podido traernos las cotas de malla. No pierda la cesta de la pobre Foulata, donde metió usted los diamantes.

H. C.»

Hoy es martes. El viernes sale un vapor, y creo que voy a tomarle la palabra a Curtis y a navegar hacia Inglaterra, aunque sólo sea para verte, Harry, muchacho, y para ver que se imprima esta historia, porque es una tarea que no me gustaría confiar a nadie.

Allan Quatermain.

INDICE

TÍTULOS PUBLICADOS